岩波講座 世界歴史 2

古代西アジアとギリシア

～前一世紀

岩波講座

世界歴史

02

古代西アジアとギリシア

~前一世紀

岩波書店

第2巻
【責任編集】大黒俊二
林佳世子
【編集協力】近藤二郎
橋場弦

目次

コラム｜*Column*

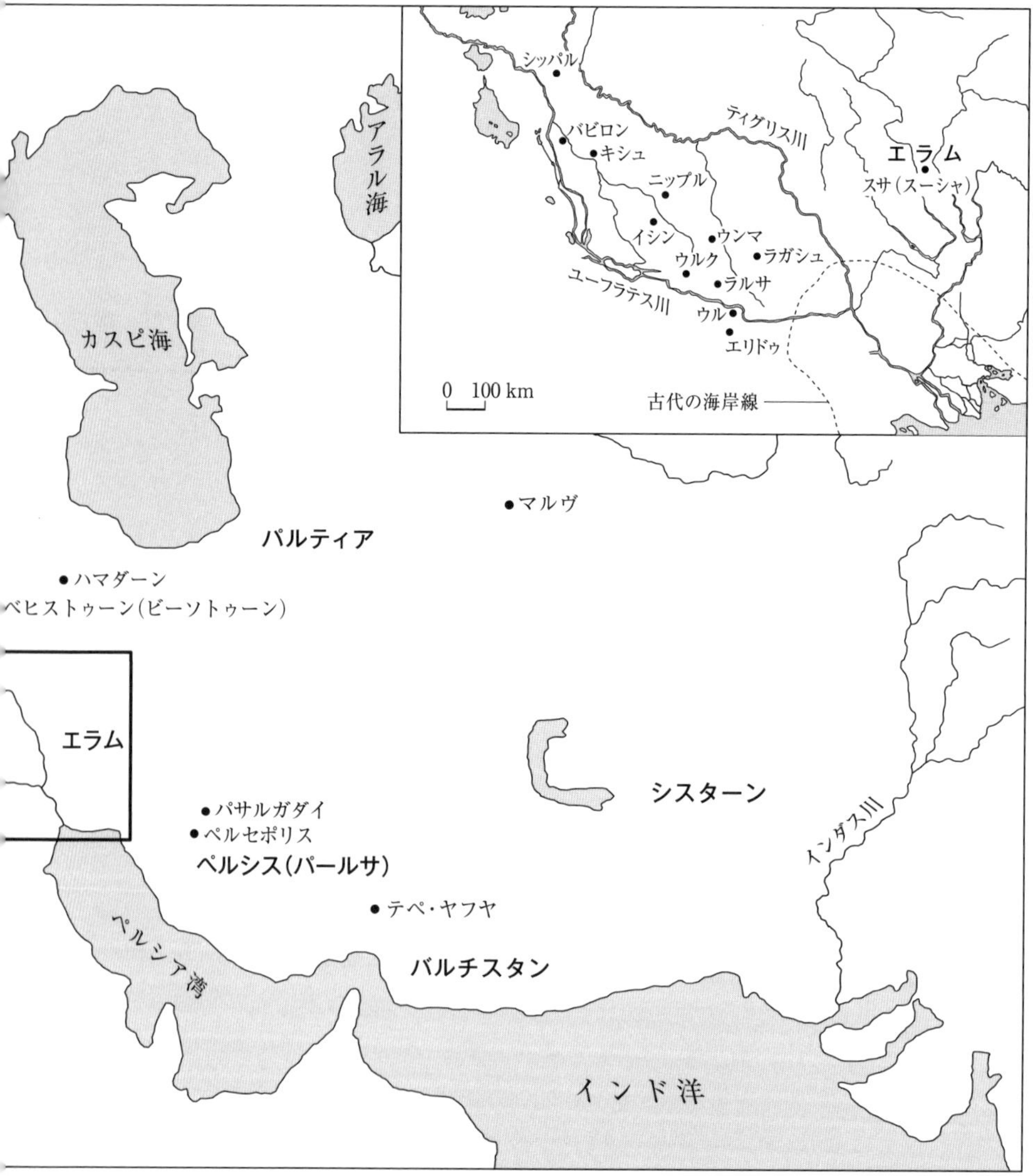
シッパル
バビロン
キシュ
ティグリス川
エラム
スサ（スーシャ）
ニップル
イシン
ウンマ
ウルク
ラガシュ
ユーフラテス川
ラルサ
ウル
エリドゥ
0 100 km
古代の海岸線
アラル海
カスピ海
マルヴ
パルティア
ハマダーン
ベヒストゥーン（ビーソトゥーン）
エラム
シスターン
パサルガダイ
ペルセポリス
ペルシス（パールサ）
インダス川
テペ・ヤフヤ
ペルシア湾
バルチスタン
インド洋

エジプト全図

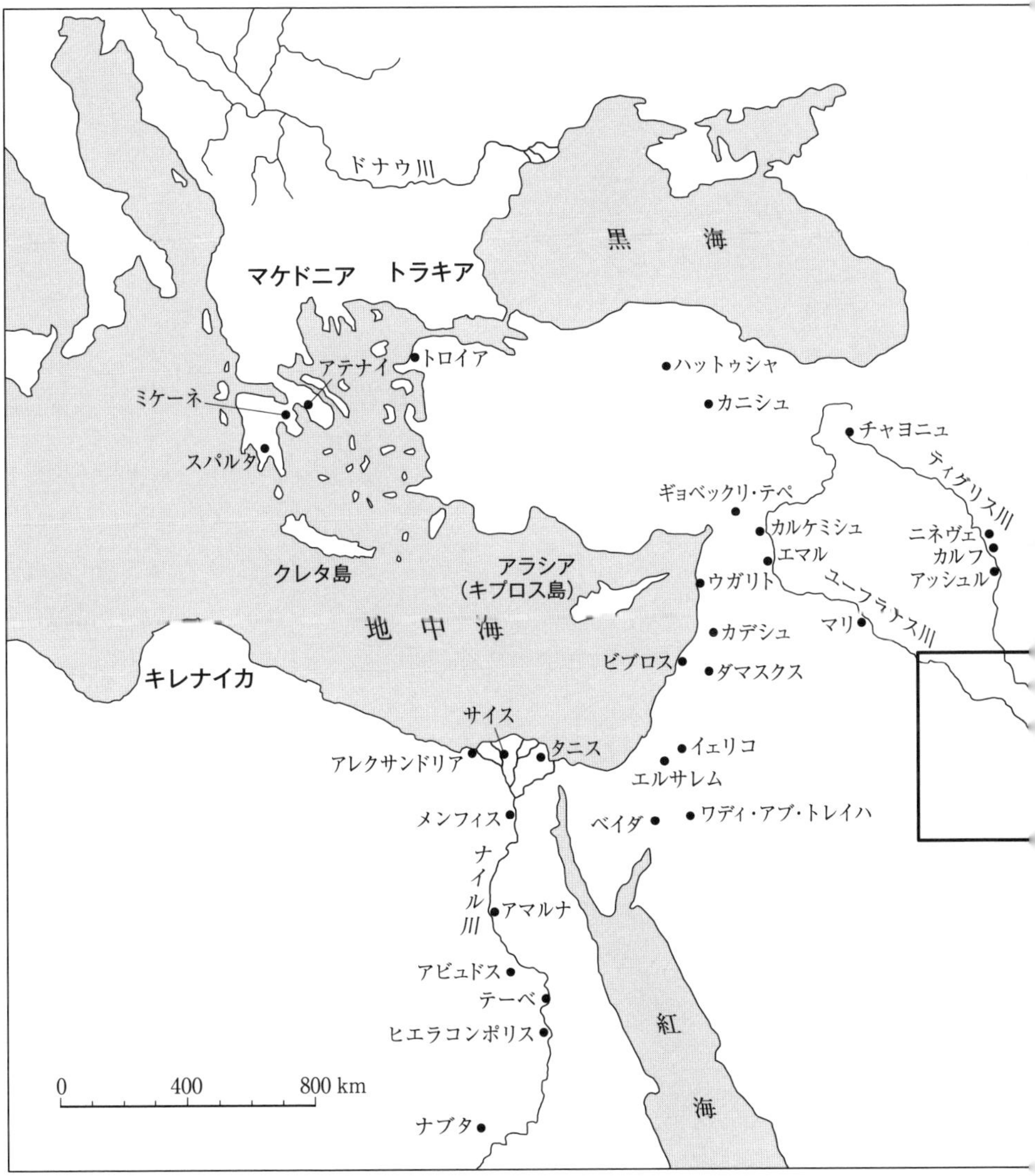

ドナウ川
黒　海
マケドニア
トラキア
トロイア
アテナイ
ミケーネ
スパルタ
ハットゥシャ
カニシュ
チャヨニュ
ティグリス川
ギョベックリ・テペ
カルケミシュ
ニネヴェ
カルフ
アッシュル
エマル
ユーフラテス川
ウガリト
クレタ島
アラシア
(キプロス島)
地　中　海
カデシュ
マリ
ビブロス
ダマスクス
キレナイカ
サイス
タニス
イェリコ
アレクサンドリア
エルサレム
メンフィス
ベイダ
ワディ・アブ・トレイハ
ナイル川
アマルナ
アビュドス
テーベ
ヒエラコンポリス
紅　海
0
400
800 km
ナブタ

西アジア・

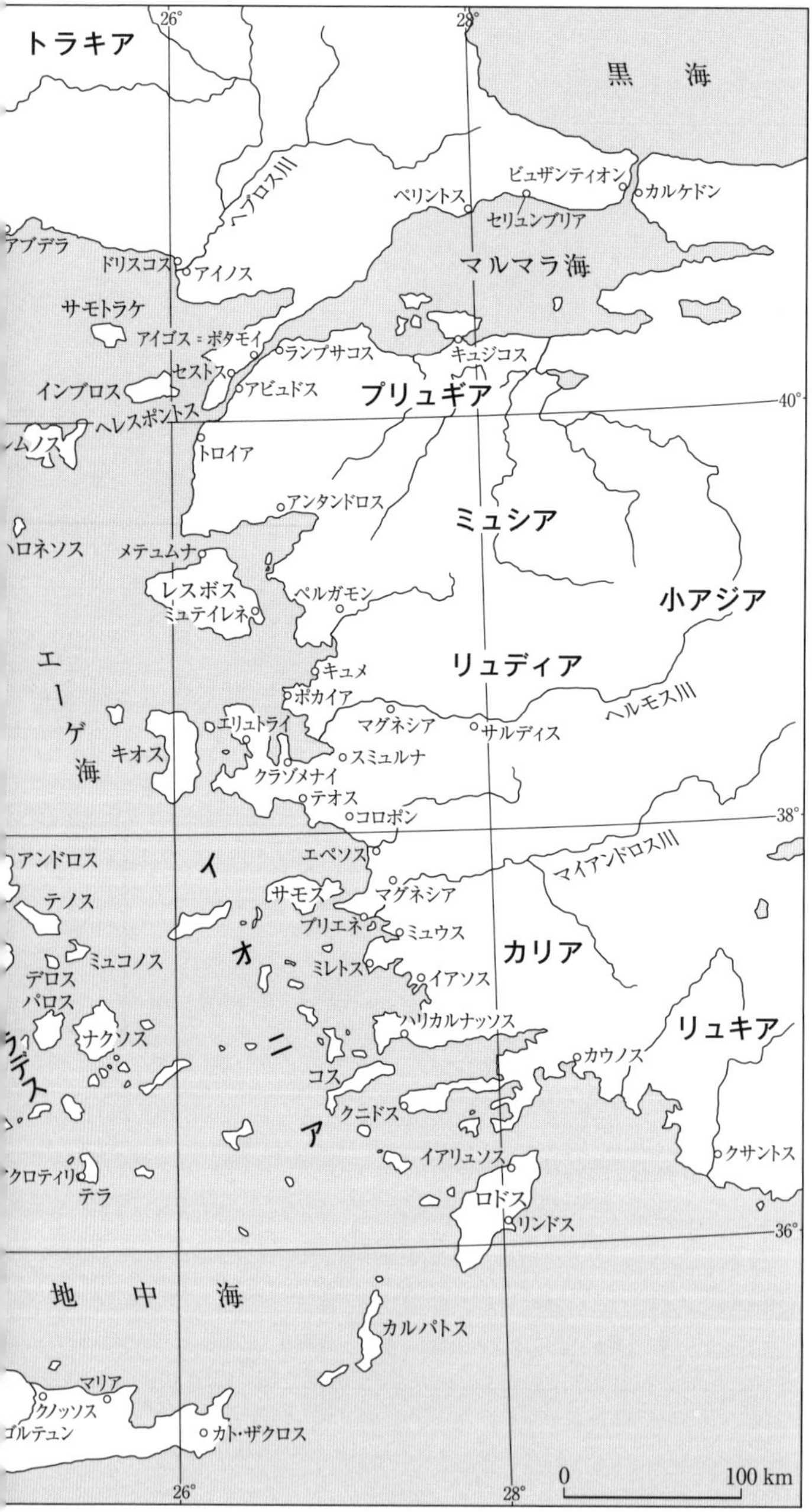

26°
28°
トラキア
黒　海
ヘブロス川
ビュザンティオン
カルケドン
ペリントス
セリュンブリア
アブデラ
ドリスコス
アイノス
マルマラ海
サモトラケ
アイゴス＝ポタモイ
ランプサコス
キュジコス
セストス
アビュドス
プリュギア
インブロス
ヘレスポントス
40°
ムノス
トロイア
アンタンドロス
ミュシア
ロネソス
メテュムナ
レスボス
ミュテイレネ
ペルガモン
小アジア
エーゲ海
キュメ
リュディア
ポカイア
ヘルモス川
エリュトライ
マグネシア
サルディス
キオス
スミュルナ
クラゾメナイ
テオス
コロポン
38°
アンドロス
イオニア
エペソス
マイアンドロス川
テノス
サモス
マグネシア
プリエネ
ミュウス
ミュコノス
ミレトス
カリア
デロス
イアソス
パロス
ナクソス
ハリカルナッソス
リュキア
カウノス
コス
クニドス
アクロティリ
イアリュソス
クサントス
テラ
ロドス
リンドス
36°
地　中　海
カルパトス
マリア
クノッソス
ゴルテュン
カト・ザクロス
0
100 km

ア全図

20°
22°
24°
40°
38°
15°
アドリア海
イリュリア
エピダムノス
アポロニア
ストリュモン川
ネストス川
パンガイオン山
ネアポリ
アンピポリス
エイオン
タソス
ペラ
アイガイ
マケドニア
テルマ
カルキディケ
アカントス
ピュドナ
オリュントス
ポテイダイア
アトス山
オリュンポス山
メンデ
スキオネ
テッサリア
ラリッサ
クランノン
コルキュラ
ドドナ
エペイロス
ペパレトス
デメトリアス
パルサロス
ペライ
アンブラキア
スペルケイオス川
東ロクリス
アナクトリオン
ヒスティアイア
アカルナニア
テルモピュライ
スキュロス
レウカス
アイトリア
エラテイア
カラポディ
ヒュアンポリス
エウボイア
西ロクリス
ポキス
カイロネイア
カルキス
ナウパクトス
カレイオン
デルポイ
ボイオティア
エレトリア
イタケ
オイアンテイア
テバイ
ケパレニア
コリントス湾
レウクトラ
プラタイアイ
アッティカ
マラトン
デュメ
アカイア
メガラ
エレウシス
アテナイ
エリス
ステュンパロス
コリントス
サラミス
ペイライエウス
イオニア海
ザキュントス
エリス
アルカディア
ミケーネ
アイギナ
マンティネイア
ミデア
オリュンピア
ペロポネソス
アルゴス
エピダウロス
スニオン岬
アルゴリス
リュカイオン
メガロポリス
ティリンス
ヘルミオネ
イトメ山
エウロタス川
メッセニア
スパルタ
ピュロス
ラコニア
タユゲトス山
メロス
タイナロン岬
キュテラ
キュドニ
クレタ
キュメ
ネアポリス
ピテクサイ
(イスキア)
メタポンティオン
タラス
(タレントゥム)
エレア
シュバリス
トゥリオイ
テュレニア海
テリナ
クロトン
モテュア
パノルモス
メッサナ
ロクロイ
エゲスタ
ヒメラ
レギオン
イオニア海
シチリア
セリヌス
アクラガス
ゲラ
レオンティノイ
メガラ=ヒュブライア
シュラクサイ(シラクサ)
0
100 km

ギリシ

展　望　|　*Perspective*

展望｜*Perspective*

古代西アジア
――新石器時代からヘレニズム時代まで

近藤二郎

一、古代西アジアの領域と「オリエント世界」

本講座の第二巻は「古代西アジアとギリシア」という題名が与えられている。これまで、第一期の『岩波講座 世界歴史』の第一巻、古代1は「古代オリエント世界 地中海世界」であり(杉ほか 一九六九)、第二期の『岩波講座 世界歴史』第二巻は「オリエント世界」と題していた(前川ほか 一九九八)が、本巻の題名では、この「オリエント」という語を使うことをやめている。従来は、「古代西アジア」として扱われる領域は、オリエント地域を表していた。そうした意味において「オリエント」という語は、かつては極めて便利なものであった。一八八〇年一二月にエジプトのカイロで創設された「フランス考古学東方研究所」(Institut Français d'Archéologie Orientale)や一九一九年にJ・H・ブレステッド(J. H. Breasted)によって、アメリカのシカゴ大学に創設された「シカゴ大学オリエント研究所」(The Oriental Institute, the University of Chicago)など古代オリエント地域を対象とする古代史・考古学研究において一般に広く使用されている。また、わが国で東方学あるいは東洋学と訳されるOriental Studiesは、狭義の意味において、「古代オリエント学」を示している。

しかし、一九七八年にエドワード・W・サイード(Edward W. Said)が『オリエンタリズム』(*Orientalism*)を刊行したことが契機となり一転、ポストコロニアリズムの考え方により「オリエント」の概念が見直されるようになった(Said 1978)。それによれば、東洋を表す「オリエント」(Orient)という語が、西洋を表す「オキシデント」(Occident)という語と二項対立的な概念として使われ、西洋から見た東洋を表したものであるとしている。西洋は、東洋に対して「異国趣味」や「東洋趣味」を感じるが、その背景には、西洋が東洋を劣等的な姿として捉える「オリエンタリズム」があり、西洋の植民地主義や帝国主義と関連していると批判的に論じられたことにより、「オリエント」は、前述のようなギリシア・ローマ地域から見た東方世界という漠然とした地理的な用語から、西欧世界のアジア・中近東地域に対する否定的な言葉として認識されるようになった。そのため西欧世界では、今日「オリエント」という語が、東洋に対する差別的な意味を持つ語として、徐々に使用を敬遠するようになっている。

イギリスのリヴァプール大学では、一九九〇年代まで「古代オリエント学部」(The School of Oriental Studies)という名称で、考古学を含む、アッシリア学(Assyriology)とエジプト学(Egyptology)を統合した「古代オリエント学」を研究する学部であったが、その後、それまで外部におかれた古典学(Classics)を取り込み、「考古学・古典学・エジプト学学部」(The Department of Archaeology, Classics and Egyptology)へと変更された。ケンブリッジ大学でも、歴史ある「古代オリエント学部」(The Faculty of Oriental Studies)は、二〇〇四年に「アジア・中東研究学部」(The Faculty of Asian and Middle Eastern Studies)と改称された。オックスフォード大学でも、「古代オリエント学部」(The Faculty of Oriental Studies)という名称に関しては、他大学での変更などを受けて議論が続いていたが、やっと二〇一九年になって、ケンブリッジ大学と同様に「アジア・中東研究学部」(The Faculty of Asian and Middle Eastern Studies)と変更された。

また、「オリエント」という語がヨーロッパから見た東方を表すため、初期においては、ヨーロッパに近い近東(Near East)地域や中東(Middle East)地域を漠然と指示していたが、次第にインドや中国、さらには極東(Far East)地域の朝鮮や日本などをも含む名称となっていったことにより、「オリエント」という語を中近東地域に限定して使用することが困難になり、改称するようになったと考えられる。

一方、日本においては、一九五四年に創設された日本オリエント学会に代表されるように、現在でも「オリエント」という用語は非常に一般的に使用されている。日本では、「オリエント」を現在の西アジア・北アフリカを中心とする地域――具体的には、ほぼその中央にイラク(メソポタミア)が位置し、西は北アフリカ(エジプトを含む)から、北はアナトリア(小アジア)、南はアラビア半島、東はイラン高原を越えてアフガニスタンまでの非常に広範な地域を指すとしている。また高校世界史教科書でも、古代西アジアと古代エジプトを含む地域を「古代オリエント世界」と記述している。そして、「オリエントとは、ヨーロッパからみた「日の昇るところ、東方」を意味し、今日「中東」と呼ばれる地方を指す」と定義している。この世界史教科書で使われている「オリエント」の定義は、かなり漠然としたものであり、今日では「オリエント」を中東に限定することはやはり難しくなっているようである。日本はヨーロッパ諸国と異なり、当該の西アジアや北アフリカなどの地域に関して直接的には植民地支配の歴史がないことから、「オリエント」という語に関しては、欧米諸国と比較して寛容というよりも、やや無関心である印象が強い。そのため、社会一般的にいって、「オリエント」という用語については、一部を除いて欧米のように「植民地主義」と結び付けられることはあまりないと思われる。

二、古代エジプトの位置づけ

前述のように本巻の題名は「古代西アジアとギリシア」であり、題名から「オリエント」を使わないことで、古代西アジアに古代エジプトが含まれることになった。ただし、今回の本講座では、「西アジア」という地名が、古代から中世にかけての重要なキーワードとなっており、この第二巻が「古代西アジアとギリシア」、第三巻が「ローマ帝国と西アジア」、第八巻が「西アジアとヨーロッパの形成」と題されている。西アジア地域は、古代文明の誕生の地であり、邦国家、そして帝国が相次ぎ興亡した地であり、その後、ローマ帝国が地中海域を支配するようになる紀元前一世紀になると、東ではアルサケス(アルシャク)朝パルティア(前二四七―後二二四年)が広大な領域を有する大帝国となり、西のローマ帝国と領域を接することになり、抗争を繰り返すこととなる。しかし、後三世紀になると内紛によって滅亡し、その広大な領域はサーサーン朝ペルシア(二二四―六五一年)により引き継がれた。七世紀になりアラビア半島でイスラームが誕生し、その勢力は瞬く間に拡大していった。七世紀の後半に興ったウマイヤ朝(六六一―七五〇年)時代には、東はペルシアから西は北アフリカ、さらにはイベリア半島までも領有する大帝国を作り上げた。

このように西アジア地域が、古代から歴史の中心的な位置を占めており、その周辺地域に強い影響を及ぼしたことが理解できる。しかし、古代エジプトを古代西アジア地域の中で叙述するには、いくつかの問題点があると言える。古代エジプトの社会は、西アジアからの影響を時として受けることがあったとしても、古代西アジアの社会とは異質な存在であり、同一レベルで論ずることはできないと考えられる。

古代西アジアと古代エジプトとをまったく別の領域として取り扱ってきた背景には、これら両地域における研究の歴史が大きく影響している。これまで古代中近東地域(西アジア・北アフリカ地域)の研究は、一八二二年にフランスのジャン゠フランソワ・シャンポリオン(Jean-François Champollion)によるヒエログリフ(エジプト聖刻文字)の解読と一八五〇年頃になされたイギリスのヘンリー・ローリンソン(Henry Rawlinson)らによる楔形文字の解読をあげることができる。西アジア地域における楔形古代文字の解読とエジプト地域におけるヒエログリフの解読成功により、それまで死語となっていて利用されることがなかった膨大な文字による史料が、これらの古代社会の様相を知る貴重な史料となったのである。こうして古代西アジア地域の楔形文字史料を使い研究するアッシリア学と、古代エジプト地域のヒエログリフやヒエラティック(神官文字)、デモティック(民衆文字)、そしてコプト語文書を使い研究するエジプト学が誕生したのである。

古代メソポタミア史の研究をするアッシリア学は、楔形文字で記されたシュメール・アッカド語文書から古代ペルシア語文書までを扱う学問であり、一方、古代エジプト史の研究をするエジプト学は、遺跡に残されたヒエログリフなどの古代エジプト語の史料を扱う学問であった。欧米において一九世紀に誕生したアッシリア学とエジプト学という二つの学問体系により構成されたいわゆる「古代オリエント学」というものである。ただし、アッシリア学とエジプト学は、その成立の経緯から欧米においてはまったく別の学問分野であるとされてきた(前田 二〇〇〇、前田 二〇二〇)。

今後の問題としては、従来と同様に、古代エジプト史を古代西アジア史とはまったく違ったものとして扱っていくのか、あるいは積極的に古代西アジア史の中に古代エジプト史を位置づけていくのかを検討する段階にあるのかもしれない。

エジプトはアフリカ大陸の北東端に位置しており、ナイル川下流域において発達した古代文明が誕生した地域である。前三〇〇〇年頃にひとりの王のもとで、エジプトは統合され、第一王朝が樹立される。その後、幾度かの異民族による侵略・支配を受けながら、マケドニア王国のアレクサンドロス三世(大王、前三五六―前三二三年)が、当時、エジプトを支配していたアケメネス(ハカーマニシュ)朝ペルシアを撃破して、エジプト領に侵入・征服するまでに三一の王朝が存在したことがプトレマイオス朝時代初期(前三世紀初頭)の下《しも》エジプトの神官マネトン(Manethon)がギリシア語で著した『エジプト史』(*AEGYPTIAKA*)に記されている。このマネトンの『エジプト史』は、残念なことに現在では原典が失われており、私たちは原典が記されてから五〇〇年以上も後の後三・四世紀の歴史家アフリカヌス(Africanus)やエウセビウス(Eusebius)などの断片的な写本でしか内容を把握することができない(Manetho 1940)。

古代エジプト王国は、ナイル川下流域を中心として強力な王権のもとで長期にわたって、古代西アジア世界とは異なった性格の支配体制を維持していた。そのことから、古代においてエジプトを西アジアの中で扱う際には、古代以降の時代とは区別して考えなければならない。前三三三年に、アレクサンドロス三世が、イッソスの戦いでアケメネス朝ペルシアのダレイオス（ダーラヤワウ）三世の軍を打ち破った後にエジプトに侵入したことで、エジプトは第二次ペルシア支配（第三一王朝）からギリシア系のマケドニアの支配となった。前三二三年にアレクサンドロス三世がバビロンで病気により急死すると、エジプトは大王の部下の将軍プトレマイオスの統治するところとなり、前三〇五年にプトレマイオスは王位を宣言して、プトレマイオス朝（前三〇五―前三〇年）エジプト王国が誕生する。この王朝では、ギリシア語と古代エジプト語の双方を公用語として認めることで、古代エジプトの言語・思想・宗教が急速に変化することを防ぐ効果をもたらした。神殿などの建築や装飾意匠、祭儀なども古代エジプト伝統のものを踏襲することで外見の変化は最小限に留められたように見える。しかし実際には大きな変化も生じている。プトレマイオス朝の滅亡後もローマの支配のもとでしばらくは同様な状況が継続するが、エジプトでキリスト教が浸透することにより、古代エジプト文化は終焉を迎えることになる（Bowman 1986）。

ここで古代エジプト史の枠組みに関して少しまとめてみよう。現在でも古代エジプト史といえば、古代エジプト王朝史を表すもので、一般には前三〇〇〇年頃のエジプト第一王朝の樹立から前三〇年のプトレマイオス朝最後の支配者クレオパトラ七世の死までの約三〇〇〇年間を指すものである（河合 二〇二一、von Beckerath 1999; Shaw 2000）。古代エジプト史は、「アビュドス王名表」（The Abydos King List）や「トリノ王名パピルス」（The Royal Canon of Turin）、マネトンの『エジプト史』などでは、メネス（Menes, 古代エジプト語でメニ *Mni*）という名の王から始まる第一王朝と次の第二王朝をあわせて「初期王朝時代」、第三―第八王朝を「古王国時代」、第九―第一一王朝のメンチュヘテプ二世（在位：前二〇五五―前二〇〇四年頃）による国土の再統一までを「第一中間期」、それ以降の第一一―第一四王朝（第一一・第一二王朝とする説もある）を「中王国時代」、第一五―第一七王朝（または第一三―第一七王朝）を「第二中間期」、第一八―第二〇王朝を「新王国時代」、第二一―第二五王朝を「第三中間期」、第二六―第三一王朝を「末期王朝時代」、そしてマケドニアのアレクサンドロス三世が前三三二年にエジプトを支配してから前三〇年までを「プトレマイオス時代」、とくに前三〇五―前三〇年を「プトレマイオス朝時代」としている。マネトンの『エジプト史』に記された「王朝」をそのまま使用している時代区分は再検討する必要があろう。

三、先史時代の社会の歴史叙述

古代西アジア社会を考える上で、非常に重要なテーマとして、農耕牧畜の開始とそれに伴う定住集落の出現、その後の都市の誕生とそれに続く国家の形成の問題をあげることができる。V・ゴードン・チャイルド（V. Gordon Childe）により、一九三〇年代に提唱された「新石器革命」（Neolithic Revolution）、「都市革命」（Urban Revolution）といった主張に沿った形で、西アジアと周辺地域における農耕牧畜の開始を焦点とした調査研究が実施されてきた。第二次世界大戦後に、この分野における考古学調査が飛躍的に進展した。アナトリア半島南東部からシリア・パレスチナ地域、ヨルダンなどで実施された考古学調査によって、農耕牧畜の開始の時期とその様相が、これまで以上に具体的に判明するようになってきた。その結果、従来はチャイルドが主張したように農耕牧畜の開始により定住化が進展したと考えられてきたが、現在では定住化のプロセスは必ずしもそのようには展開していないことが明らかとなっている。また、農耕牧畜の開始、農耕牧畜定住集落の出現、都市の誕生といった直線的な図式も、より複雑なものであると考えられている。本巻では、古代西アジアの初期国家の形成を考える前史として、先史時代の考古学的調査研究に基づく三本の論考を掲載している。文字記録に基づく史料を使った歴史叙述が主流を占めているのに対して、本巻の「古代西アジア」では、「問題群」の藤井論文、「焦点」の三宅論文、馬場論文が、先史時代の考古学の成果に基づいた論考となっている。考古学的調査研究を主とした先史時代社会の論考も歴史叙述の中で、重要な意味を持つものである。新石器時代の農耕牧畜の開始や定住集落の問題に関しては、古代西アジアだけの問題ではなく、古代東アジアなど他地域に関しても基本的なテーマであり、西アジア地域と比較する上でも、それぞれの地域で農耕牧畜がいつ開始したかや集落から都市がどのように誕生したかなどの様相を知ることが求められるであろう。ただし、その点でも、新石器時代の農耕牧畜定住集落の出現や、それに続く都市の誕生という社会の発展の過程に関しては、古代西アジアの部分でしかその詳細が判明していないために、古代西アジア地域に特徴的なこととして誤って捉えられてしまう恐れがあることを注意しておく必要がある。古代西アジア史は、その起源を非常に古い時代に持つことから、どうしても歴史叙述の中に文字記録以前のいわゆる、先史時代の社会の様相を示すことが不可欠であり、考古学的調査研究に基づく記述は必要となる。

この中で、藤井純夫の論考は、西アジア地域の農耕・牧畜・遊牧の起源について論じたものであるが、「肥沃な三日月地帯」でのコムギ・オオムギの天水農耕とヤギ・ヒツジの遊牧を生業基盤とする定住農耕牧畜集落の出現を紀元前九〇〇〇―前八〇〇〇年頃の先土器新石器時代B（PPNB: Pre-Pottery Neolithic B）の前半としている。藤井論文で最も重要なポイントは、定住域の本村と周辺乾燥地域に設けられた小型出先集落との間で家畜を季節的に往復する「移牧」が開始されたことを指摘した点にある。穀物栽培において播種期や収穫期には、家畜を遠ざける必要があり、そうした事情から移牧が開始された。その後、気候の乾燥化とともに、移牧のために設けられた出先集落の廃絶が起こり、遊牧化が進展したと考えられている。藤井は、農耕牧畜集落の出現と移牧の派生、農耕牧畜社会の拡大と遊牧化の進行、都市の誕生と遊牧部族社会の形成という関係の総体が「古代オリエント文明」であると結論づけている。藤井は論考の中で、古代のメソポタミアからエジプトまでの地域一帯を指す歴史地理的名称として「オリエント」を用い、先史時代の記述には地理名としての「西アジア」を使用している。

一方、農耕牧畜による食料生産経済の開始に伴い、生産力が向上し社会的余剰の蓄積が進むことで都市が誕生し、その後の国家の形成に至ったとする一連の社会変容は、前述したようにチャイルドにより「新石器革命」と命名され、これまで古代西アジア社会の歴史的流れを理解する上で、広く受け入れられてきたが、三宅裕の論考「西アジア新石器時代における社会システムの転換」は、この説が十分に検証を受けてはいないことを指摘し、それがどのようにして構築されていったかをその原点に立ち戻って再構築している。その結果、これまで農耕牧畜による食糧生産の開始ばかりを強調するあまり、狩猟採集社会を過小評価する傾向が助長されたとしている。基本的に定住狩猟採集社会であった新石器時代初頭の社会が、社会の複雑化を進展させたと考えると、その要因を農耕牧畜による食糧生産の開始に求めることはできないと結論づけている。

四、古代西アジアにおける文字の誕生と文字による記録

古代西アジアにおいて文字システムが最初に考案されたが、その起源に関して多くの議論が存在していた。なかでもデニス・シュマント＝ベッセラ(Denise Schmandt-Besserat)の楔形文字の起源は「トークン」と呼ばれる様々な形状の粘土の小塊であるとする説が、かつては支持を受けていた(シュマント＝ベッセラ 二〇〇八)。一般にプレーン・トークンと呼ばれる、これらのトークンは、前八〇〇〇–前七五〇〇年頃に家畜の飼育の委託や収穫された穀物の貸し借りを記録するために考案され、その後、前三五〇〇年頃になりプレーン・トークンを、債務者ごとの区別がつくように、あるいは債権者がトークンの数を操作できないようにするために、粘土製封球(ブッラ)の内部に納めて封印して保管するようになった。また、トークンは封球の表面に押印の跡を残してから、封球内部に入れられた。また、封球が出

現する前三五〇〇年頃になると形が複雑で刻み目や窪みなどがあるコンプレックス・トークンが出現し、この形を粘土に葦などで線描きしたものが絵文字の原型とするものであった。しかし、現在ではトークンが粘土板に押印され、やがて数字になり、さらにそれに加えて絵文字的な原楔形文字が、トークンとは別に誕生したと考えられている。

最古の楔形文字は、都市国家ウルク(Uruk)でウルク期後期(前三八〇〇―前三一〇〇年頃)の前三三〇〇年頃から三〇〇年ほどの短期間で誕生したものである。ウルク期後期のウルク第Ⅳa層(前三五〇〇―前三二五〇年頃)とウルクⅢ層(前三二五〇―前三〇〇〇年頃)から「ウルク古拙文書」と呼ばれる最古の楔形粘土板文書が発見され、断片を含む粘土板の総数は五〇〇〇点に及ぶとされている。これらの粘土板に刻された最初期の文字の数は九〇〇種が確認されている。粘土板の内容は、物と数量を記した、いわゆる行政・経済文書が全体の八割以上を占め、残りは官職名や地名、容器名といった語彙リストであった。ここに粘土板を使った文字記録システムが導入されたのである。

古拙文書に刻された文字は、後の楔形文字よりも画数は多いが、多分に象形的な絵文字であるといえる。現在までのところ、ウルク古拙文書の文字よりも初歩的な絵文字(象形文字)風の文字が発見される可能性は低いものと考えられており、前記のコンプレックス・トークンを線描きしたとされる絵文字(象形文字)の実態はいまひとつ不詳である。当初の楔形文字は表意文字(表語文字)であったが、納入者など個人の名前を記録する必要性から、楔形文字は表音文字としても機能するようになり、その音価を利用してシュメール語とは系統の異なる言語を表記することが可能となった。メソポタミア南部には、シュメール人の他にセム語族に属するアッカド語を使用するアッカド人も居住していたが、彼らは文字を持たなかったため、シュメール人により考案された楔形文字を表音文字として利用し、シュメール語とはまったく言語系統の異なるアッカド語にも文字体系を導入した。シュメール人の居住区に隣接する都市国家であったキシュ(Kish)の市民たちは、シュメール語とアッカド語の二カ国語を理解できるバイリンガルな能力を保持していたとされる。

そしてアッカド語だけでなく、フリ語、ヒッタイト語、ウガリト語、ペルシア語などの言語を話す人々もまた楔形文字を使用することで、彼らの言語を文字として表記できるようになったのである。楔形文字の解読に関しては、イラン西部のケルマーンシャー州のベヒストゥーンの磨崖碑文の存在がある。この碑文はアケメネス朝ペルシアのダレイオス(ダーラヤワウ)一世(在位：前五二二—前四八六年)が、自らの即位の正統性を記述した長文の碑文であり、同一の内容を、エラム語、古代ペルシア語、アッカド語のそれぞれ言語系統が異なる三カ国語の楔形文字で刻してある。この碑文は、地上六六メートルの石灰岩の断崖の上に浮き彫りとともに刻された高さ一五メートル、幅二五メートルの巨大なもので、古代ペルシア語テキスト四一四行、エラム語テキスト二六〇行、アッカド語テキスト一一二行からなる。一八世紀にデンマークの探検隊の一員としてこの地を訪れたドイツ人カールステン・ニーブール(Carsten Niebuhr)による正確な碑文の模写により研究は進展したが、一九世紀に入りイギリス人のヘンリー・ローリンソンが、一〇年以上の歳月をかけて碑文の全文を模写し、古代ペルシア語、アッカド語の翻訳を公表した。さらに、エラム語碑文に関してもローリンソンの模写を使用することで、一八五五年までにイギリス人のエドウィン・ノリス(Edwin Norris)が解読を完成させている。

五、古代西アジアにおける都市国家の誕生からアケメネス朝ペルシアまで

メソポタミア南部ティグリス川とユーフラテス川の両河川により形成された沖積平野では、ウルク期後期の後半になると急速に都市化が進み、ウルクやエリドゥ(Eridu)、ニップル(Nippur)などに、シュメール人の都市国家が誕生した。これらのシュメールの都市国家では複数の神々が崇拝されていたが、それぞれの都市で最も重要な神が、その都市を支配すると考えられていた。古代メソポタミアにおける楔形文字を使用した文字記録システムの確立と都市国家

の誕生により、この地で育まれた社会の様相を都市、神殿、王宮という三つの制度に着目して、前二・一千年紀の南メソポタミアの社会の変遷を最新の研究状況とともに詳細に論じたのが「問題群」の柴田大輔の論考「古代メソポタミアにおける神々・王・市民」である。古代メソポタミアの社会の様相を見事に描いている。

こうしたシュメール都市国家の王と王権、そして祭儀に関しては、「焦点」の唐橋文の論考「シュメール都市国家における王権と祭儀」に詳しく記述されている。唐橋は、前四千年紀後半のウルク期後期から、都市国家が分立していた初期王朝時代、そして領域国家となるアッカド王朝時代を経て、統一国家を形成したウル第三王朝時代までを対象としている。初期王朝時代(前二九〇〇―前二三五〇年頃)の初めまでに、シュメール人が居住するメソポタミア南部の北側に隣接するように、多くのセム系のアッカド人が定住するようになった(前田 二〇二〇)。

初期王朝時代Ⅲ期(前二六〇〇―前二三五〇年頃)は、ウルクやウル(Ur)、ラガシュ(Lagash)といった都市国家が、メソポタミア南部の覇権を競い抗争した時期であった。前二三五〇年頃にウルクの王エンシャクシュアンナは、ウルを領有し、ニップルやラガシュなどの諸都市と同盟を結び、キシュを打ち破ったとされている。また、エンシャクシュアンナ王は、「国土の王」という称号を最初に使用した王であった。その後、間もなくして、ウンマ(Umma)の王であったルガルザゲシがウルクの王となり、ウル、ラルサ(Larsa)などシュメール諸都市を一時的に征服した。ルガルザゲシ王も「国土の王」と称して、シュメール諸都市を初めて統一したのであった。全土の神であるエンリル神の委託という形で広大な領域を支配する王権が与えられた。ルガルザゲシ王は、太陽の昇る下の海(ペルシア湾)から、太陽の沈む上の海(地中海)に至る地域の交通路を保護する強力な王であった。しかしながら、キシュの弱体化に乗じて、バビロニア北部を統一したアッカド人のサルゴン王の侵攻を受けて敗北した。

サルゴン王(在位:前二三一六―前二二七七年頃)が、シュメール諸都市の支配者であるルガルザゲシ王を倒したことにより、アッカド王朝はメソポタミア南部を統一することになる。サルゴン王の孫でアッカド王朝四代目のナラム・

シン王(在位:前二二五三―前二二九八年頃)は、ペルシア湾岸からイラン高原、アナトリア南東部、シリア、東地中海沿岸など各地に積極的に軍事遠征をおこない「四方世界の王」を名乗った(前田ほか 二〇〇〇:二四頁)。ナラム・シン王は神格化され、生前に神として崇拝された最初の王となった。それまでのシュメール・アッカド地域を中心に、西はユーフラテス川の中流域のマリ(Mari)、東はエラムまでを支配するという伝統的な王権観とは異なる新たな領域国家としての王権観を、ナラム・シン王が実践したことによる。王朝の後半になると東方からの系統不明な民族であるグティ人の侵入やシュメール諸都市の離反などがあり、アッカド王朝は急速に弱体化し、混乱期を経て滅亡した。なお、アッカド朝の王の治世年は、新たに提案された年代を採用した(Sallaberger and Schrakamp 2015: 301-303)。

シュメール人の統一王朝のウル第三王朝は、創始者ウルナンム(在位:前二一一二―前二〇九五年頃)をはじめとする五人の王たちが一〇八年間統治した王朝であった。初代のウルナンム王は、現存する最古の法典である「ウルナンム法典」を発布したことで知られる。ウルナンム王は、当初「ウルの王」と称したが、治世の後半には「シュメールとアッカドの王」を名乗った。ウルナンム王の息子で二代目のシュルギ王(在位:前二〇九四―前二〇四七年頃)の時にウル第三王朝は最盛期を迎えた。王は、父王と同様「シュメールとアッカドの王」を名乗り、アッカド王のナラム・シン王と同じ「四方世界の王」と称し、周辺地域に軍事遠征を繰り返した。そしてナラム・シン王にならい自らを神とした王であった。ギルス(ラガシュ)、ウル、ウンマ、ニップル、プズリシュ・ダガン(Puzrish-Dagan)などの諸都市から出土した粘土板文書は、膨大であり、行政・経済関係文書は、既刊のテキストだけで四万枚にも及んでいる。

しかし、ウル第三王朝の後期には、西方からアムル人の、そして東方からエラム人の圧力が増大するようになり、最終的にエラム人によりウルが占領され、五代目のイッビ・シン王(在位:前二〇二八―前二〇〇四年頃)は東方のアンシャンに連れ去られ、ウル第三王朝は、前二〇〇四年頃に滅亡してしまう。

ウル第三王朝が滅亡してから、アムル系のバビロン第一王朝五代目のハンムラビ王(在位:前一七九二―前一七五〇年頃)が、バビロニアを統一するまでの時代は、かつて「イシン・ラルサ時代」と呼ばれていた。ウル第三王朝の滅亡後、最初はイシン(Isin)、次にラルサが政治的に有力であったためこの名がある。

前二一世紀から前二〇世紀にかけて、メソポタミアに移住してきた季節遊牧集団である西セム系のアムル人たちの一部は、都市を征服して定住するか、あるいは都市近郊に居住地を打ち立てるなどして、メソポタミア各地に彼らの王国を築いた。ラルサ、バビロン、マリなどがそれにあたる。民族名のアムルとは、アッカド語でメソポタミアの西方、ユーフラテス川以西のシリア地域を指す名称に由来しており、旧約聖書では「アモリ」の名前で登場する。現在のところ「アムルの族長」、「アムルの父」などの称号を名乗る人びとがどのような過程で都市の支配者となっていったかの実態はよくわかっていないが、前一八世紀に登場したアッシュル市を支配したシャムシ・アダド一世やバビロニア全土を統一したバビロン第一王朝のハンムラビ王などの例は、彼らの強力な軍事力が支配の背景に存在していたことをうかがわせる。

前八世紀から前七世紀の新アッシリア時代のいわゆる「アッシリア帝国」に関しては、「焦点」の山田重郎の論考「アッシリア帝国——その形成と構造」で、古アッシリア時代や中アッシリア時代を含めて、新アッシリア時代に至る歴史的変遷が簡潔にまとめられている。最古の帝国といえるアッシリアが、どのような過程で形成され、短期間でなぜ衰退・滅亡したかを考察した論考となっている。

後のアッシリアの中心都市となるアッシュル市は、前二一世紀頃まではアッカド王朝やウル第三王朝などメソポタミア南部の強国により支配を受けていたが、前二〇二五年頃、アッシュル市は独立した都市国家になった。アッシュル市の商人たちは一〇〇〇キロも離れた中央アナトリアのカニシュ(現在のキュルテペ遺跡)に「カールム」と呼ばれる商業地区を設け、ロバを使用したキャラバン(隊商)を組織して、アッシュル市とカニシュのカールムとの間の長距離交易を実施している。アッシュル市からは、メソポタミアの羊毛織物と東方から入手した錫《すず》が運搬され、帰路にはアナトリア産の銀がアッシリアに運搬されている。アッシュル商人たちの活動に関する二万枚以上に及ぶ粘土板文書が、カニシュから出土している。四〇〇〇年も前のアッシュル商人たちがおこなった国際長距離交易の様子を確認することができる。

前二千年紀の初めに、アッシュル商人たちは、カニシュで現地に居住するハッティ人たちと盛んに交易をおこなっていたことが、カニシュ出土の粘土板文書にも記されている。前一七・前一六世紀のヒッタイト人の初期の歴史に関して「テリピヌ勅令」の記述によると、ハットゥシリ一世は、王都をハットゥシャ(現在のボアズキョイ)に遷都し、西はアルザワ、東は北シリアまでを領有する国家を樹立した。ヒッタイト古王国である。次のムルシリ一世は、前一五九五年にバビロンを攻略した結果、バビロン第一王朝を滅亡に追い込んだ。その後、テリピヌ王の治世(前一六世紀末)までを古ヒッタイトの古王国時代という。

ヒッタイト王国の時代区分としては、かつて古王国時代と新王国時代の二つに区分されており、前一五世紀の半ばに即位したトゥトハリヤ二世以降を新王国時代とするとされていたが、近年は古王国時代・中王国時代・新王国時代の三時期に区分することが一般的となっている。ヒッタイト中王国時代(前一五・前一四世紀前半)は、ヒッタイト史のなかでも資料が断片的で乏しい時代とされている。この時代は、古代エジプト新王国第一八・第一九王朝(前一五五〇―前一一八六年頃)とほぼ同時代であると考えられる。

ヒッタイト新王国時代(前一四世紀半ば―前一二世紀初頭)は、しばしば「帝国時代」と呼ばれ、王の持つ権力が増大した時代であった。シュッピルリウマ一世の即位以降の時期を指す。シュッピルリウマ一世は、国力を回復して領土を拡張することでミッタニ(ミタンニ)王国を圧倒するようになる。そして、ミッタニ王国が支配していた北シリアに軍を進め、ハラブ(アレッポ)やカルケミシュを占拠した。最終的にはミッタニ王国を征服して属国とすることにも成功する。北シリアにおいてはエジプトと対峙することとなる。

ムワタリ二世は、北シリアのオロンテス河畔のカデシュで、エジプト王ラメセス二世(在位前：前一二七九―前一二一三年頃)と戦った(カデシュの戦い)。ムワタリ二世がカデシュの戦いの三年後に亡くなったため、王の子ウルヒ・テシュプと王の弟ハットゥシリの間で王位継承をめぐる争いとなった。ウルヒ・テシュプがムルシリ三世として即位したが、その後、ハットゥシリはムルシリ三世を追放し、自らハットゥシリ三世として王位についた。カデシュの戦いの一六年後にハットゥシリ三世は、ラメセス二世との間で和平条約(相互不可侵条約)を結んだ。条約が締結されたのはアッシリアの脅威に対抗するためと思われる(前田ほか 二〇〇〇：七六頁)。ハットゥシリ三世は、その後もエジプトとの友好関係を維持するために、二度にわたりラメセス二世に対し、王女を嫁がせている。シュッピルリウマ二世が記録に残るヒッタイトの最後の王である。ヒッタイトの滅亡は、「海の民」からの攻撃であるとされていたが、実際の原因は不明であり、気候変動なども影響したかもしれない。いずれにしても、ヒッタイトの滅亡は古代帝国の終焉を意味しているようだ。

前二千年紀半ばにメソポタミア北部に樹立されたミッタニ王国は、フリ人の国家であり、前一五世紀には、サウシュタタル王のもとで、ティグリス川以東からユーフラテス川以西、アナトリア南東部までを領有した。前一五世紀後半にはアッシュル市を影響下に置き、アッシリアを属国とした。さらに、シリア北部に進出してきたエジプトと対立関係にあった。しかし、ヒッタイトのトゥトハリヤ二世が即位し、ミッタニの支配下にある北シリアに南下し侵入してきたため、ミッタニは、対エジプト政策を転換して、トトメス四世(在位：前一四〇〇―前一三九〇年頃)の時に現状維持を原則とした平和条約が締結され、同盟関係となった。ミッタニ王家とエジプト王家との間の婚姻外交に関しては、中部エジプトのアマルナ王宮址で発見された「アマルナ文書」に刻されている(近藤 一九九八a)。ミッタニ王アルタタマ一世は、王女をトトメス四世のもとに送った。またアルタタマ一世の息子で後継者であるシュッタルナ二世もアメンヘテプ三世(在位：前一三九〇―前一三五二年頃)に対して王女キルヘパを嫁がせている。シュッタルナ二世の死後に王位を継承した息子のアルタシュマラ王は、即位後すぐに廷臣に暗殺され、王位は末弟のトゥシュラッタに継承された。このトゥシュラッタ王の即位は、先王を暗殺した廷臣たちによるものであった。その後、トゥシュラッタ王もまた王女タドヘパをアメンヘテプ三世に嫁がせるためにエジプトに送っている(近藤 一九九八a)。

トゥシュラッタ王は、反逆者を排除し自らの王権を確立したが、王家内部の権力争いにより、ヒッタイト王シュッピルリウマ一世と連携したアルタタマ二世と対立抗争するようになり、最終的に暗殺された。この事態に乗じてシュッピルリウマ一世によりワシュカニ(Washukkanni)が攻略され、ミッタニはヒッタイトに征服され属国となった。

ミッタニ王国の王都ワシュカニに関しては、シリアのハブール川東岸のテル・アル＝ファハリヤ(Tell al-Fakhariya)遺跡において、ドイツ隊がシリア内戦直前に実施した発掘調査で、前一三世紀の文書が発見され、この遺跡がワシュカニであることが同定された。ミッタニ王国の領域に関する考古資料としては「ヌジ土器」(Nuzi Ware)と呼ばれる暗色系の彩色帯上に白色顔料で動植物文や幾何学文を描いた独特な彩文土器が知られている。この彩文土器が初めて出土したイラクのヌジ遺跡から命名されたもので、前一六―前一三世紀初頭にかけて使用されたが出土量は少ない(小口 二〇〇四)。

前一五世紀後半には、アッシュル市は北メソポタミアとシリアに勢力を持ったミッタニ(ハニガルバト)の影響下にあったが、ヒッタイト王国がミッタニを圧迫する前一四世紀のアッシュル・ウバッリト一世(在位：前一三五三―前一三一八年頃)時代に、ミッタニの支配から独立し、強国として領域国家アッシリアへの道を歩み始める。アッシュル・ウバッリト一世は「アッシュルの地の王」を名乗った。アッシュルと北のニネヴェとアルベラの三都市を結んだ地域を中心として周囲に領地を広げていった。南のバビロニアや西のヒッタイトと国境を接して抗争した。中アッシリアは、トゥクルティ・ニヌルタ一世(在位：前一二四三―前一二〇七年頃)の治世に全盛期(前田ほか 二〇〇〇：七六―七九頁)を迎えた。

新アッシリア時代である前九世紀のアッシュル・ナツィルパル二世(在位:前八八三―前八五九年)とシャルマネセル三世(在位:前八五八―前八二四年)の治世においてアッシリアは近隣諸国を支配下に置いた。アッシュル・ナツィルパル二世は、都をアッシュルから離れて、ティグリス川上流のカルフ(現在のニムルド)に新都を建設している。アッシリア帝国の領土を拡大し、最盛期となったのはティグラト・ピレセル三世(在位:前七四四―前七二七年)の治世であった。王はウラルトゥを制圧し、シリア・パレスチナにまで勢力を広げた。サルゴン二世(在位:前七二一―前七〇五年)は、ドゥル・シャルキン(現在のコルサバード)に新都を建設した。しかし、その後サルゴン二世が戦死したため、彼の息子センナケリブ王(在位:前七〇四―前六八一年)は、縁起の悪い都市に住み続けることを嫌い、古い重要な都のひとつであったニネヴェを新たな首都として大拡張工事を行った。また王は、シリア・パレスチナの反乱を鎮圧し、バビロンを徹底的に破壊している。エサルハドン王(在位:前六八〇―前六六九年)は、エジプトのメンフィスに攻め込んだ。エサルハドンの後継者アッシュルバニパル王(在位:前六六八―前六三一?年)の治世にアッシリア帝国は最大版図となり、イラン高原や東地中海沿岸地域を直接支配下に置いた。さらに、王はエジプトの王都メンフィスを陥落させ、上流のテーベまで進軍・略奪している。アッシュルバニパル王以降のアッシリアは、王位継承の問題などで不安定な状況に陥り、急速に衰退し滅亡へと向かった。

アッシリアの滅亡によりリュディア・メディア・新バビロニア(カルデア)・エジプトの四国がこの地域で勢力を持った。新バビロニア初代ナボポラッサル王がアッシリアから独立し、次のネブカドネツァル二世(在位:前六〇四―前五六二年)が前五八六年にユダ王国を滅ぼし、バビロンをはじめ新バビロニアの領地にユダヤ人たちを強制的に移住させる「バビロニア捕囚」(前五八六―前五三八年)をおこなった。

前五五〇年にペルシアのキュロス(クル)二世(在位:前五五九―前五三〇年)は反乱を起こしてメディア王国の実権を掌握し、前五四六年にはリュディア王国を滅ぼした。そして前五三八年にバビロンを征服し、新バビロニア王国を滅ぼした。このキュロス二世がアケメネス朝ペルシアを建国する。キュロス二世の息子で後継者のカンビュセス(カンブージャ)二世は前五二五年にエジプトの第二六王朝を打倒して、エジプト第二七王朝(第一次ペルシア支配時代)を樹立させた。ここにアナトリア、エジプト、メソポタミア、イランを含む広大な帝国が出現する。エジプトを含む古代西アジアの広大な領域を支配する大帝国であった。

六、古代イスラエル史叙述の問題点

「焦点」の長谷川修一の論考「ヘブライ語聖書と古代イスラエル史」では、日本の高校世界史教科書における古代イスラエル史がどのように描かれているのかを詳細に検討することで、高校世界史教科書が記載している「古代イスラエル史」(木村・岸田・小松 二〇一九)は、ヘブライ語聖書の物語に大きく依拠していることを指摘している。また「ヘブライ人」という呼称は、ヘブライ語聖書でのみ用いられているもので、同時代史料からは確認できないものであるため、「イスラエル人」と表記した方がよいとしている。また、旧約聖書の「出エジプト記」の史実性にも疑問を投げかけている。ヘブライ語聖書が語る「出エジプト」という出来事に言及する同時代史料は発見されていないし、「モーセ」の実在を示すいかなる同時代史料も現存していないからだ。

これらは一例を示すにすぎない。ヘブライ語聖書に記載された物語を史料として用いる際には、厳密な史料批判が求められるとしている。最後になぜこのような問題の多い「古代イスラエル史」が、世界史教科書に掲載されるかにも言及している。ユダヤ教という一神教の成立と普及が世界史上、極めて影響力のある大きな出来事であったことによるが、高校世界史教科書に現在のような形で、安易にそして無批判な形で掲載することには大きな問題が内在している。ヘブライ語聖書の記述をそのまま使うのではなく、厳密な史料批判を実施する必要性がある。また、同時代史料の検証や考古学的成果を使用することで、真の歴史叙述となるのである。これは、高校世界史教科書だけの問題ではない。古代西アジア史や古代エジプト史など古代史の叙述には十分な注意が必要なことを改めて認識させてくれる。

七、古代エジプトにおける歴史概観

ナイル川下流域では、前七千年紀後半にエジプト南部のナブタ(Nabta)において農耕牧畜による食糧生産が始まり、スーダン北部にかけた地域で最初の農耕牧畜による食糧生産が始まった。ウシの飼育と雑穀栽培という北アフリカ型のものであった。その後、前六千年紀後半になると、西アジア型の農耕牧畜がナイル・デルタの縁辺部からファイユーム地域に伝わり、ナイル川の上流域へと波及していく。そして前五千年紀半ばには中部エジプトにバダリ(Badari)文化が出現する。その後、それを継承する形で上《かみ》エジプトのナカダ(Naqada)文化となる。このナカダ文化の発展と各地への浸透が、エジプトにおける社会の複雑化を促し、初期国家形成へと押し上げた。「焦点」の馬場匡浩の論考「初期国家形成期のエジプト――ヒエラコンポリス遺跡にみる社会の複雑化」はエジプト南部の先王朝時代の代表的な集落遺跡であるヒエラコンポリスにおける様相をまとめることで初期国家形成のプロセスを記述している。

ヒエラコンポリス遺跡は、ナカダI－III期にかけて継続的に存続し、その社会の発展段階を追える貴重な遺跡となっている。ヒエラコンポリスは総面積が九〇〇ヘクタールに及ぶ遺跡であり、ナイル沖積地の小高い丘(ネケン)から低位砂漠までの範囲で広がっている。ネケンにはホルス神を祀る王朝時代の神殿が存在しており、初期のナルメル王の奉納用化粧板(パレット)などの埋納遺物が大量に発見されている。低位砂漠や砂漠縁辺部には祭祀センターや工房、ビール醸造施設や穀物倉庫、墓地などが分布しており、考古学的調査研究が実施されている。それに伴い社会の複雑化が起こり、階層化と専業化によって、この地域で初期の国家が形成されていったことを示している。

前三〇〇〇年頃、ナイル川下流域は南北が統一され、第一王朝が出現する。マネトンの『エジプト史』ではメネス(Menes)という名の王が、第一王朝初代の王として記されている。アビュドス王名表やトリノ王名パピルスには古代エジプト語でメニ、ヘロドトスの『歴史』にはミンの名で記されている。第一・第二王朝の王墓があるアビュドスのウンム・アル＝カーブで、第一王朝の王名を刻した封泥が発見されている。それによると順番にナルメル王、アハ王、ジェル王、ジェト王、デン王、そして「王の母」メルネイトと六人の支配者の名前が刻されている(Dreyer 1987: 33-43)。南北エジプトの統合を表すと解釈される図像を持つナルメル王のパレットがヒエラコンポリスで発見されており、ナルメル王をメネス王と同一人物とする説とアハ王をメネス王とし、ナルメル王は第一王朝直前の第〇《ゼロ》王朝(原王朝)最後の支配者とする二つの説が有力であるが結論は出ていない。初期王朝の王たちは天空の神ホルスの化身とされ、王名枠(セレク)の上にホルス神を表すハヤブサが描かれた。第二王朝のペルイブセン王の王名枠の上には、ホルス神ではなくセト神を表す四つ足の動物が描かれている。王がホルス神ではなく、セト神の信奉者の後ろ盾で即位したことを示している。第二王朝最後の支配者カセケムイ王の王名枠の上には、ホルス神とセト神の両方が描かれた「ホルス・セト名」にカセケムイ(二つの力の顕現の意)の名が記された。カセケムイ王の元の名は、ホルス神を戴くホルス名であるカセケム(二つの力の顕現)であった。このことから、カセケム王は、敵対するセト神と和解し、カセケムイ王と改名したと考えられる。第二王朝最後の支配者カセケムイ王の治世に上エジプトのセト神を信奉する勢力と和解したことでホルス神としての王権は弱体化していった(近藤 二〇一二：九頁)。

　古王国第三王朝二代目ジェセル(ネチェリケト)王(在位：前二六六七—前二六四八年頃)は、カセケムイ王の息子で、古代エジプト最古のピラミッドを造営した人物として知られる。ネチェリケト王は、ホルスとしての強大な王権を象徴する巨大なモニュメントを造営する必要に迫られた。当初は一段の石造マスタバ墓であったが、短期間で設計変更を重ね、最終的に高さ六二メートルの六段の階段ピラミッドを完成させた。河岸段丘上に高さのあるピラミッドを建造することで王都メンフィスからもその威容を示すことが重要であった。第三王朝からを古王国時代とする時代区分が一般的ではあるが、エリク・ホルヌンク(Eric Hornung)らの編年では、他の研究者とは異なり、初期王朝時代を第一王朝から第三王朝までとしている点は興味深い(Hornung et al. 2006: 490)。

第四王朝初代のスネフェル王(在位:前二六一三—前二五八九年頃)の治世下で、巨大ピラミッドが出現することになる。ヘリオポリスの太陽信仰の強い影響を受けピラミッドの形態もそれまでの階段ピラミッドから真正ピラミッドへと変化していく。スネフェル王はメイドゥム(マイドゥーム)の崩れピラミッド、ダハシュールの二基(屈折ピラミッドと赤いピラミッド)の計三基の巨大ピラミッドを造営した。スネフェル王の息子で後継者のクフ王(在位:前二五八九—前二五六六年頃)のもとでは最大の規模を持つ大ピラミッドが建造されたが、アル=ギーザ台地上の三大ピラミッドは、それぞれのピラミッドの南東コーナーがほぼ直線上に並び、このラインを北東方向に延長すると太陽信仰の中心地であるヘリオポリスに至る。すなわち第四王朝の巨大ピラミッドは、強力な王権のもとで造営された太陽信仰を象徴した巨大モニュメントであった。その建造は強力な王権によって組織された多くの民衆が参加した一大国家事業であったと考えられる。民衆の参加は国家への労働奉仕という形で遂行され、彼ら自身の太陽信仰をも満足させたものであった。

第五・第六王朝時代になりピラミッドは小型化していくが、これは王権が弱体化したのではなく、発達した官僚機構が整備されたことにより、第四王朝のような巨大ピラミッドを必要としなくなったのである。第五王朝最後の王ウニス(在位:前二三七五—前二三四五年頃)のピラミッド内部に「ピラミッド・テキスト」が初めて現れる。第六王朝の四人の王と三人の王妃のピラミッド内部にも記され、第八王朝のイビ王のピラミッドに刻されたものが最後のものである(Altenmüller 1984: 14)。また第七王朝に関しては、マネトン『エジプト史』のアフリカヌスの写本によれば「第七王朝は七〇人の王からなり、彼らは七〇日間統治した」と記され、エウセビウスの写本でも「第七王朝は五人の王からなり、彼らは七五日間統治した」とされている(Manetho 1940)。この王朝の存続期間が極めて短いことから、現在では第七王朝の存在自体が否定されている(von Beckerath 1999; Hornung et al. 2006: 144-158)。

第八王朝が滅亡(前二一六〇年頃)すると第一中間期と称する政治的に混乱した時代となる。上エジプト第二〇ノモスのヘラクレオポリス（古代名ネンネスウ）に第九・第一〇王朝が樹立された。一方、南部の上エジプト第四ノモスのテーベ(古代名ウアセト)にも第九王朝にやや遅れる形で第一一王朝が樹立された。その結果、エジプトは北のヘラクレオポリス侯(第九・第一〇王朝)と南のテーベ侯(第一一王朝)が国土を二分して抗争するようになる。次第に南のテーベ侯が優勢となり、第一一王朝メンチュヘテプ二世により、前二〇二五年頃に、南北エジプトは再統一され、王都テーベを中心とする中王国時代が始まる。

古王国の滅亡により、第一王朝の樹立から第八王朝の滅亡まで、約八五〇年間も継続した一人の王を戴く王国の支配体制が崩壊するとともに、国王と一部のエリート高官だけが享受していた死後の再生の権利も失われてしまった。これまでの価値観の喪失は、新たな信仰を産み出した。「人は誰でも死ぬとオシリス神となって再生・復活することができる」というオシリス信仰である。ここに古代エジプトにおいて、再生・復活の権利は一部の者だけにあるのではなく、すべての人々に開かれた権利となった。これにより、オシリス神の聖地とされた上エジプト第八ノモスのアビュドスには、エジプト各地から自分と家族のためにオシリス神の御利益を願い多くの人々が参詣するようになった。古代エジプトにおいてオシリス信仰は、太陽信仰と並び、キリスト教が普及するローマ支配時代の初期まで絶大なる人気を博していた。

第一二王朝初代アメンエムハト一世(在位:前一九八五–前一九五六年頃)は、王都を南のテーベから北のリシェトの東にあったとされる「イチタウイ」(二国を摑むもの)に遷都し、エジプト全土の支配をより強固にしようとしたと推測できる。アメンエムハト一世は、自らのピラミッドをイチタウイの西のリシェトに造営している。彼は治世の途中で暗殺された。共同統治者であった息子のセンウセレト一世(在位：前一九五六―前一九一一年頃)はリビアに遠征中であったが、すぐに帰国し事態の収拾に成功した。中王国時代の最も有名な文学作品とされる『シヌへの物語』の冒頭にはアメンエムハト一世の暗殺事件についての記述がある。第一二王朝後半にセンウセレト三世(在位：前一八七〇―前一八三一年頃)やアメンエムハト三世(在位：前一八三一―前一七八六年頃)などの強力な王のもとで、中央集権化が進んだが、アメンエムハト三世の死後、王権は急速に衰退していった。次王のアメンエムハト四世(在位：前一七八六―前一七七七年頃)が没すると、その妃であったセベクネフェルウ(在位：前一七七七―前一七七三年頃)が女王として即位したが、彼女の短期間の治世とともに、第一二王朝は終焉を迎える(河合 二〇二一：一三二頁)。

中王国時代と新王国時代の間の時期が、第二中間期である。研究者により中王国時代と第二中間期の時代区分には差異がある。イアン・ショウ(Ian Shaw)は、中王国時代を第一一王朝から第一四王朝とし、前二〇五五年から前一六五〇年までの約四〇〇年間と考え、第二中間期を第一五王朝から第一七王朝(前一六五〇―前一五五〇年頃)までの一〇〇年間としている(Shaw 2000)。一方、ユルゲン・フォン・ベッケラート(Jürgen von Beckerath)や彼の王朝区分を踏襲するホルヌンクらの編年では、中王国時代を第一一王朝・第一二王朝(前二〇二五／二〇―前一七九四／九三年頃)の約二四〇年としており、第二中間期を第一三王朝から第一七王朝(前一七九四／九三年頃―前一五五〇年頃)までの約二四〇年と、中王国時代と第二中間期とを同じ存続期間としている(von Beckerath 1999; Hornung et al. 2006)。

ショウの編年によると、第一五王朝をヒクソスの王朝とし、第一六王朝(前一六五〇―前一五八〇年頃)を第一五王朝と同時代のテーベの初期の支配者たちの王朝と位置付けており、それに続くテーベの第一七王朝に九人の支配者をあげている(Shaw 2000)。これはデンマーク人のエジプト学者キム・S・B・ライホルト(Kim S. B. Ryholt)の編年案を採用したものである。それによれば第一七王朝の存続期間は、前一五八〇年から前一五五〇年頃と僅かに三〇年間しかなく、この間に九人の支配者が在位していたとする彼の編年案では、王の在位期間が短すぎる印象を持つ(Ryholt

1997: 204, 410; Shaw 2000: 484)。この時期の編年の再検討が必要であるように思える。

「焦点」の河合望の「新王国時代第一八王朝のエジプト」では、第二中間期末期のテーベを拠点とした第一七王朝にとって、北のアジア系の「ヒクソス」王朝と南のヌビアのクシュ王国が脅威となっており、新王国第一八王朝の初代のイアフメス王は、ヒクソス王朝とクシュ王国と戦闘をおこない、エジプトを再統一して第一八王朝を開始したことが述べられている。河合の論考では、テーベの第一八王朝初期の内政について歴史的に記述している。なかでもトトメス三世(在位：前一四七九―前一四二五年頃)は単独の王位につくと、ハトシェプスト女王(在位：前一四七三―前一四五八年頃)の彫像や建造物などを破壊したが、これは一般に言われているようなトトメス三世のハトシェプスト女王に対する怨恨などではなく、王の息子で後継者のアメンヘテプ二世(在位：前一四二七―前一四〇〇年頃)の王位継承権を強化するために、男系の王位継承を正当化するための行為であったと指摘していることは興味深い。

古代エジプト新王国時代で最大のターニングポイントは、第一八王朝アメンヘテプ四世(後のアクエンアテン王、在位：前一三五二―前一三三六年頃)の「アマルナ宗教革命」である。第一八王朝前半までに国家神アメン・ラーの権威は絶対的であり、アメン・ラー神の崇拝の拠点カルナク・アメン大神殿にいたアメン神官団の権力も強大なものとなったことから、しばしば、王権を脅かす存在となっていた。ヘリオポリスのラー神官団は、トトメス四世の即位後、王がアメン神官団に対抗する後ろ盾のひとつとなった。トトメス四世の治世下から急速に太陽信仰が力を増大し、やがてアメンヘテプ四世の治世下でアテン神信仰が誕生するとみられていた。アビュドスやサッカラの王名表には、アメンヘテプ四世からアイ王(在位：前一三二七―前一三二三年頃)までの「アマルナ宗教革命」に関与したとされる王たちの名が削除されているのに対して、アメンヘテプ三世の名が王名表に刻されていることから、同王は太陽神アテンの信仰には直接関与していなかったと考えられていた。しかしながら、河合は、アメンヘテプ三世の治世末期の王の彫像に「輝くアテン」の形容辞が付き、また同王がハヤブサ頭のアテン神を崇拝している図像が残されていることを取り上げ、アテン神への信仰がアメンヘテプ三世時代に既に存在していたことを指摘し、アメンヘテプ四世による「アマルナ宗教革命」について、時代背景や歴史的経緯などを詳細に検討し、それがどのようなものであったかを分析している。

河合は第一八王朝の対外関係にも紙幅を費やし、この時期の古代エジプト王国の西アジア諸国との関係をまとめており、シリア・パレスチナとの関係、ヌビア支配、地中海世界との関係、アマルナ文書と対外関係に分けて記述している。エジプト第一八王朝は「ヒクソス」勢力をエジプトから駆逐するためにシリア・パレスチナに進軍したことで、ミッタニ、バビロニア、アッシリア、ヒッタイト、アラシア(キプロス島)、アルザワなど古代西アジア列強諸国との交流が増え、それ以前の古代エジプト人の知っていた世界が格段に拡大した時代であった。前述したように、古代エジプトや古代アナトリア地域を含む「古代西アジア史」を記述するひとつのポイントとして、当該領域の同時代の状況を記述することで、まとまりある地域史を描けるようになるということがある。限定されたある特定の地域に完結して記述するだけではなく、同時代に存在する異なった特徴を持つ国家や社会の相互関係を明らかにし、古代西アジア史をまとめ直すことが今後のこの分野における重要な作業となろう。現在エジプト、シリア・パレスチナ、アナトリア、メソポタミア、イランなどを含む古代西アジア全体の編年が必ずしも十分とは言えないため、地域間相互の交差編年を活用した統一的で詳細な編年の早期の確立が望まれる。

また、アクエンアテン王の時代にアメン神に代わる新たな国家神として太陽神アテンが導入されたが、王の改革は失敗に終わり、ツタンカーメン王(在位:前一三三六―前一三二七年頃)時代に大規模な信仰復興が実施されたが、エジプトの宗教環境は、アマルナ時代以前の状況に戻ることは決してなかった。混乱したアマルナ時代とともに第一八王朝は終焉を迎えた(近藤 一九九八 a)。

第一八王朝が終わると、宰相パラメセスがラメセス一世(在位:前一二九五―前一二九四年頃)として即位し、第一九王朝が樹立される。三代目のラメセス二世の治世五年に、シリアのカデシュでヒッタイト王ムワタリ二世との間で戦闘が起こる。ラメセス二世の治世三四年には、ハットゥシリ三世の王女が、ラメセス二世と結婚するため、エジプトにやってきた。残された銘文から王女のエジプト語名は、マアトホルネフェルウラーという名前であった。ラメセス二世は、六六年一〇カ月という長期治世を誇っており、現在、確認できる古代エジプトの王の治世で最長のものとなっている。ラメセス二世は、おそらく九〇歳ほどまで存命であり、王の第四王子で次のファラオになることが事実上決定していたカエムワセト王子は、王位につくことなく父王より先に亡くなった。ラメセス二世の死後に王位を継いだのは、メルエンプタハ(在位：前一二一三―前一二〇三年頃)であった。兄弟たちと並んで描かれたメルエンプタハの図像がルクソール神殿などに残されているが、先頭から一三番目に描かれていることから、メルエンプタハ王はラメセス二世の一三番目の王子であると推定される。ラメセス二世の六六年一〇カ月という治世は、第一九王朝全体(前一二九五―前一一八六年頃)の半分以上を占めていることも重要である。ラメセス二世の死後三〇年も経過しないうちに第一九王朝は滅亡する。第一九王朝最後の支配者はセティ二世(在位：前一二〇〇―前一一九四年頃)の王妃であったタウセレト女王(在位：前一一八八―前一一八六年頃)である。タウセレト女王は、王家の谷に自らの王墓(KV14)を造営しているが、次の王である第二〇王朝初代のセトナクト王(在位：前一一八六―前一一八四年頃)により再利用されている(Altenmüller 1991: 141-164)。

新王国第二〇王朝二代目のラメセス三世(在位：前一一八四―前一一五三年頃)の治世八年に「海の民」のペリシテ人とシェルデン人の連合軍が、船に乗って海からエジプト北部の海岸線に攻めて来た様子が、テーベ西岸マディーナト・ハーブのラメセス三世葬祭殿の外壁にレリーフで描かれている。ラメセス三世は、「海の民」だけでなくリビア人の侵入にも悩ませられていた。王の晩年には、ディール・アル＝マディーナの王墓の造営職人たちによる給与遅配に対する労働者のストライキなどがあった。また、従来は、治世の晩年に王の暗殺未遂事件が起こったとされていたが、王のミイラを詳細に観察したところ、喉に残る傷は深く、暗殺された可能性が高いという説が近年浮上している。

ラメセス九世(在位：前一一二六―前一一〇八年頃)治世にテーベ西岸で王墓の墓泥棒事件が生じた。役人たちが、テーベの西岸の王墓が盗掘を受けているか巡回した記録が残されている。また、この時期にテーベのカルナクを拠点とするアメン神官団は、王家の谷で埋葬されている王のミイラの移動を実施し、アル＝ディール・アル＝バハリにある王のミイラの隠し場所に搬入している。

古代エジプト新王国の王たちのミイラが、王家の谷の王墓から移動されたことについて、これまでアメン神官団が王墓における盗掘の被害が増加したために、王の遺体の損傷を恐れミイラを安全な場所に移動することで王たちのミイラに永遠なる眠りを保証しようとしたとする意見が多かった。即ちアメン神官団は王の眠りを積極的に守るためにミイラの移動を実施したといういわゆる「美談」として解釈しようとする傾向が強かったのである。しかし今日では、諸王のミイラの移動は、これまで言われていたような美談ではなく、ある意味においてはアメン神官団による組織的盗掘であったとする説が発表され、支持を受けている。経済基盤の脆弱なアメン神官団は、北を支配していた東デルタのタニスに本拠を置く第二一王朝に対抗するために王家の谷をはじめテーベ地域の墓の大規模な盗掘を計画し、墓に副葬された金製品、宝飾品など高価な物品の略奪・再利用をはかった。盗掘した高価な副葬品の中にはタニスの王墓から発見されているものもあり「外交的な贈り物」として北の政府に送られたものも存在している(Taylor 1992: 186-206)。王のミイラに関しては、副葬品や棺までもが略奪されたが、ミイラ自身は再び包帯が巻かれドケット(メモ)が記され、移動の記録や王名などを明らかにされている。一方、王家の谷のアメンヘテプ二世墓(KV35)で発見されたミイラは包帯が剝がされたものもあり、ミイラの扱いがすべて丁寧であったとは言えない。

第二〇王朝最後の支配者ラメセス一一世(在位：前一〇九九―前一〇六九年頃)の治世一九年に、王が存命であるにもかかわらず、テーベのアメン大司祭のヘリホルは王の治世によらない新紀元一年という新しい年代を採用した。古代エジプト史上、異例の出来事であり、古代エジプト語で「ウヘム・メスウト」(再び生きるの意)と表記することから、英語では、ルネサンス(Renaissance)と記される。このことから、ラメセス一一世の王権が非常に弱体化していたことがうかがえる(Kitchen 1986)。王は王家の谷に自らの王墓(KV4)を造営したが、この墓は未完成のままで王の遺体が埋葬されることはなかった(Reeves 1990: 121)。ラメセス一一世の没後、新王国第二〇王朝は滅亡し、軍の司令官で、ラメセス一一世の王女と婚姻関係を結んでいたスメンデス王(在位:前一〇九九―前一〇六九年頃)が東デルタのタニスに第二一王朝を樹立する。

新王国時代(前一五五〇―前一〇六九年頃)が終焉を迎え、国土は複数の勢力のもとに分割されるようになる。前一〇六九―前六六四年に至る約四〇〇年間を指す、「第三中間期」という名は、「第一中間期」、「第二中間期」を受けて命名された時代区分ではあるが、近年では、ポスト新王国時代(Post New Kingdom)と名付けられ、文化的に新王国時代、とりわけラメセス朝(第一九・第二〇王朝)時代を継承する時代とされている。ヤロミール・マレク(Jaromir Malek)は、「中間期」(Intermediate Period)という時代区分の用語は、適切なものではなく、それに代わる用語として、第一中間期を「ヘラクレオポリス王国と第一テーベ王国時代」、第二中間期を「ヒクソス王国と第二テーベ王国」、そして第三中間期を「ポスト・新王国時代」とする用語を提示している(Malek 1999)。

第三中間期(第二一―第二五王朝)の年代は次のように提言されている――第二一王朝(前一〇六九―前九四五年頃)、第二二王朝(前九四五―前七一五年頃)、第二三王朝(前八一八―前七一五年頃)、第二四王朝(前七二七―前七一五年頃)、第二五王朝(前七四七―前六五六年)となっている。第二一・第二二王朝は、タニスを拠点としたリビア系の王朝であった。ただし、現在でもほとんどの研究者は第二一・第二二王朝の歴代の王名の表記について、エジプトの遺跡やパピルス文書などに残る古代エジプト語(ヒエログリフやヒエラティック)による王名の表記ではなく、マネトンの『エジプト史』の第二一王朝の項にある「スメンデス」(Smendes)や「プスセンネス」(Psusennes)とギリシア語風の表記をそのままの形で採用している。

第二三王朝は、デルタ地帯や中部エジプト、テーベなどを拠点とする独立した小国で構成された王朝であった。一方、エジプトの南、スーダン北部のナイル川第四急湍《きゅうたん》のナパタでは、新王国が滅亡するとエジプトの支配下から脱し前九世紀末までに、エジプト文化の影響を強く受けたクシュ王国が建国された。クシュ王国ではエジプトからもたらされたアメン・ラー神の信仰が盛んで、前七五〇年頃、クシュ王カシュタは、アメン・ラー神のエジプトでの崇拝の拠点テーベのカルナク神殿を訪れている。前七四七年にカシュタ王の息子ピイ王(在位:前七四七―前七一六年頃)が、エジプトに侵入し、クシュ王国はエジプト第二五王朝となった。クシュ王国のエジプト侵入は、新王国の滅亡後、衰退していたエジプトのアメン信仰の復興を目指したものであり、「アメン十字軍」の名でも呼ばれている。前七三〇年頃にピイ王は、エジプトに対する大規模な軍事遠征をおこない、エジプト全土の再統一を成し遂げ、ナパタへ凱旋した。ピイ王の息子とされるシャバタカ王(在位:前七〇二―前六九〇年頃)が即位し、テーベやメンフィスで引き続き建設活動をおこなった。シャバタカ王の死後、彼の息子のタハルカ王(在位:前六九〇―前六六四年)が即位したが、前六七一年に、アッシリアのエサルハドン王がエジプトに侵入し、メンフィスでタハルカ王の軍隊を破った。エサルハドン王は、さらに南下してテーベまで進んだが、タハルカ王はナパタへ逃れた。エサルハドン王がエジプトから引き上げると、タハルカ王は一時的にエジプトの支配を回復するが、エサルハドン王の後継者のアッシュルバニパル王が、前六六七年にエジプトに進軍、タハルカ王は再びナパタへ逃れた。その後もアッシリアとクシュとの間で、エジプトを巡り一進一退が繰り返されたが、前六六四年にアッシュルバニパル王は再びエジプトに進軍し、翌年テーベを陥落させた。

アッシュルバニパル王は、前六六五年に西デルタのサイスを拠点としていたネコ一世とその息子プサメティコス一世(在位:前六六四―前五二五年)にエジプトにおける自治権を認めている。翌年にネコ一世が亡くなり、プサメティコス一世の即位により、第二六王朝が樹立され、その拠点からサイス朝と呼ばれた。エジプトでは、西アジアに近い東デルタにテル・アル＝ダバア(第一五王朝、ヒクソス)、ペル・ラメセス(第一九・第二〇王朝)、タニス(第二一・第二二王朝)など複数の拠点が存在した。西デルタのサイスの近くにはエジプトで唯一のギリシア植民市であるナウクラテスがあり、西アジアではなく、地中海対岸のギリシア本土を向いている。第二六王朝の王たちは、積極的にギリシアの政治に介入している。ネコ二世(在位：前六一〇―前五九五年頃)はギリシア人傭兵による海軍を創設したり、フェニキア人にアフリカ大陸周航を命じたりしている。さらにネコ二世は、アッシリア帝国滅亡後の前六〇五年には、新バビロニア軍とカルケミシュ、ハマトで戦い、前六〇五年には、新バビロニアの王となったネブカドネツァル王率いる軍と東デルタで戦っている。イラン高原ではアケメネス朝ペルシアのキュロス二世が、前五五〇年にメディアから独立し、その後、前五四六年にリュディアを、そして前五三九年に新バビロニアを征服した。前五二五年にキュロスの息子カンビュセスがエジプトに侵入し、プサメティコス三世は処刑され第二六王朝は滅亡した。この第一次ペルシア支配(前五二五―前四〇四年)をエジプトでは、第二七王朝としている。前四〇四年、アルタクセルクセス(アルタクシャサ)二世の時にエジプト人の反乱により、ペルシアの第一次支配に終止符が打たれたが、その六〇年後の前三四二年にアルタクセルクセス(アルタクシャサ)三世によりエジプトは再びアケメネス朝ペルシアにより占領される。これを第二次ペルシア支配と呼んでいるが、マネトンの『エジプト史』によれば、これは第三一王朝のこととなる。

八、天文現象と古代西アジア・古代エジプトの編年

従来、古代エジプトの編年研究は、西アジア地域の編年研究と比較して精度が高いと信じられてきた。そうした背景には、古代エジプト人が考案したエジプト民衆暦［図1］がある。ギリシア人が付加日と呼んだ年と年との間に置い

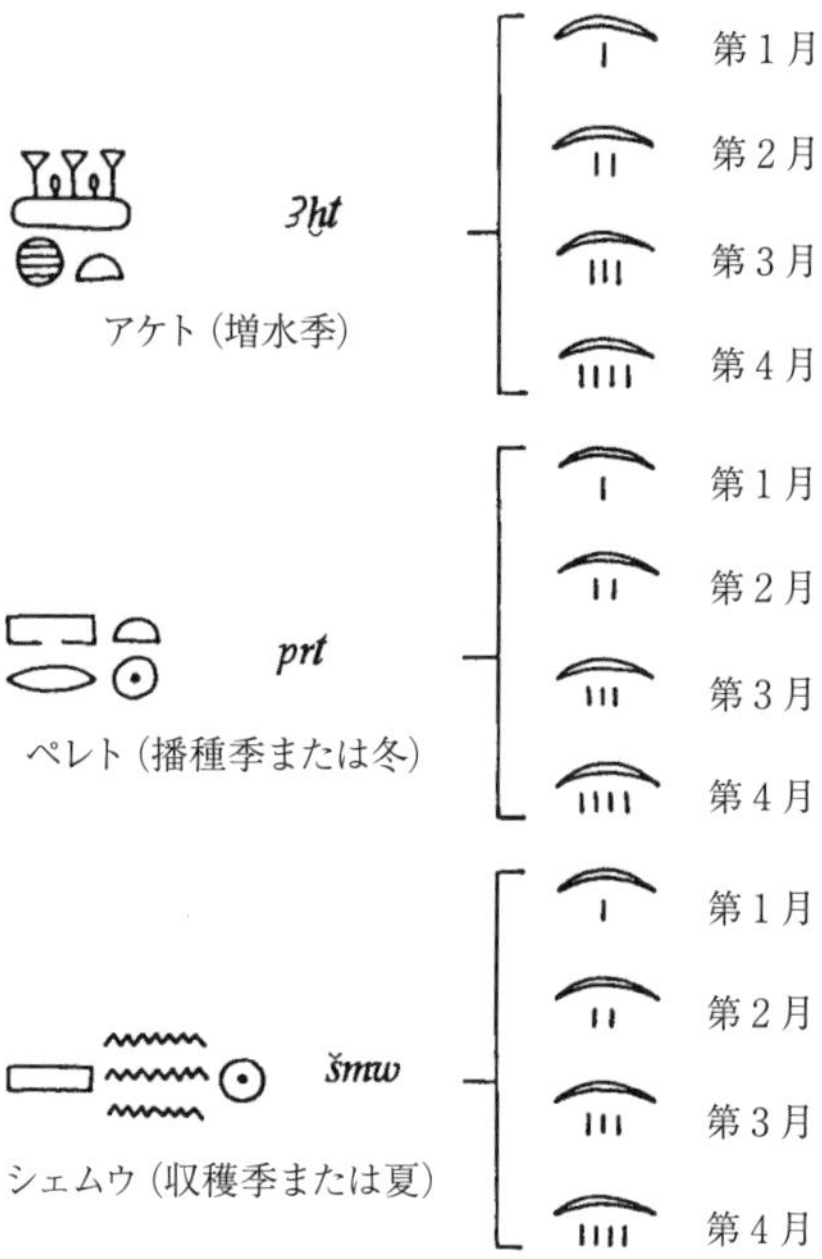

図1　古代エジプトの民衆暦

た五日間を加えて一年を三六五日とする古代エジプトの民衆暦は、一般に「太陽暦」とされるが厳密にはシリウス星の出現を観測することで得られた「恒星暦」ともいえるものである。このエジプトの民衆暦について簡単に説明する。古代エジプトでは一年はそれぞれ四カ月からなるアケト（増水季）、ペレト（播種季）、シェムウ（収穫季）と呼ばれる三つの季節に分けられていた。古代エジプトの暦は、ナイル川流域の農作業と極めて密接な関係があった。一カ月は三〇日からなり、一年は一二カ月で三六〇日、年と年との間に五日間が置かれていた。古代ギリシア人は付加日と呼んだが、古代エジプトでは特別な祭礼の五日であった。民衆暦では、閏《うるう》年を採用することがなかったため、一平均太陽年（一回帰年）三六五・二四二二日との差で約四年間に一日の割合で実際の季節と民衆暦との間にずれが生じるようになっていた（Parker 1950）。古代エジプト人もこのずれに気づいていたが、プトレマイオス朝時代になるまで、この差が改善されることはなかった。ローマのユリウス・カエサル（Julius Caesar）がエジプト暦を導入する際に四年に一度の閏年をおく暦を採用したことが知られている（近藤 一九九八b）。

古代エジプトでは、国土の中央を南から北に貫流するナイル川が毎年夏季に増水して両岸の耕地が冠水する。これは青ナイル川上流のアビシニア高原の夏季モンスーンによる降雨が原因でナイル川の水位が増水するもので、下流のエジプトでナイル川の水嵩が増加し始めるのは七月後半のことであった。ナイル川の増水は、上流からエジプトの農業生産にとって極めて重要な肥沃な黒色のナイル・シルトを耕地に堆積させ、豊かな古代エジプトの農業生産をもたらした。エジプトにおけるナイル川の増水に先立ち、夜明け前の暁天にシリウス星が出現するヘリアカル・ライジング(heliacal rising)という現象が見られる。古代エジプト人はこの現象を「ペレト・セペデト *prt Spdt*：シリウス星の出現」と呼び、シリウス星の出現を祝うとともに、それが民衆暦の何日に起こったのかを古くから記録したのであった。そして、「シリウス星の出現」が民衆暦のアケト(増水季)の第一月(トト月)一日に見られる年は特別な日とされ、古代ギリシア人は「アポカタスタシス」(apokatastasis)と称していた。

現存する最古のシリウス星の出現記録は、中王国第一二王朝センウセレト三世の治世七年のものでファイユームのアル＝ラフーンで発見されたイルラフン・パピルスに記されていた。日付はエジプト民衆暦ペレト(播種季)の第四月一六日である。イルラフン・パピルスの記述で注目すべきことは、このシリウス星の出現が記録される二〇日も前に、シリウス星の出現を祝うための祭礼の準備が行われていたと記されていることである(Long 1974: 261-274)。このことから、中王国第一二王朝時代には、シリウス星の出現そのものが、毎年恒例の祭礼となっていたと想像できる。さらに、その祭礼のための準備が事前になされていることから、この時代には既にシリウス星のヘリアカル・ライジングの日付がほぼ予測されていたと考えられる。二番目に古いシリウス星の出現記録は、新王国第一八王朝アメンヘテプ一世治世九年のシェムウ(収穫季)第三月九日のもので、テーベで発見されたエーベルス・パピルスに記されている。三番目は、エジプト南部のエレファンティネ島の第一八王朝時代の神殿址で発見された「シェムウ(収穫季)の第三月二八日にシリウス星の出現を祝う祭礼がおこなわれた」という内容の碑文であり、トトメス三世のものとみられるが、王の治世年は不明である。四番目は後四世紀後半のアレクサンドリアの天文学者テオン(Theon)が記した「メノフレス(Menophres)の紀元」である。「メノフレス」と呼ばれるファラオの治世第一年アケト(増水季)のトト月一日にシリウス星の出現(アポカタスタシス)が見られたというものである。この「メノフレス」が、どの王にあたるのかについて、後述するケンソリヌス(Censorinus)の記録との関連から、前一四世紀末の王に比定され、セティ一世(在位：前一二九四―前一二七九年頃)やメルエンプタハなどの王たちが候補にあがっている。また、このメノフレスを王名ではなく、メンフィス(Memphis)のエジプト名であるメンネフェル(*Mn-nfr*)に由来するというものもある。五番目は、テーベ西岸の第二〇王朝のラメセス三世の葬祭殿(マディーナト・ハーブ神殿)に残された暦で、アケト(増水季)のトト月にシリウス星の出現が見られたと記されている。ただし、この記録が第一九王朝のラメセス二世治世のものか、第二〇王朝のラメセス三世治世のものかを決めることはできないし、しかもアケト(増水季)トト月の何日かも不明である。六番目は、前二三八年にアレクサンドリアの北東のカノポスに神官たちが集まり決議した宣言(「カノポス勅令」の名で知られる)にシリウス星の出現を祝う祭礼がシェムウ(収穫季)の第二月一日に実施されたと記録されている(Long 1974: 261-274)。

このカノポス勅令は、プトレマイオス三世(在位：前二四六―前二二一年)治世で、実年代が判明しているシリウス星の出現の記録であり、実年代と古代エジプト民衆暦とを互いに確認しあえる貴重な記録である。七番目は、後三世紀のローマの作家ケンソリヌスによる著作で、古代エジプト民衆暦のトト月の一日にアポカタスタシスが起こったと記されているが、この現象が起きた年は、そこに記されたローマ帝国の執政官の名前などから後一三九年に確定された。アポカタスタシスの年が明確にできたことでケンソリヌスの記述は貴重である。後一三九年を基準に過去に遡って推算することで過去の出現記録の年代を明らかにすることができた。

一ソティス年は、約三六五・二五日であり、一年が三六五日の民衆暦との間に毎年四分の一日ずつの差を生じていく。即ち、約四年に一日の割合でずれるのである。この差がちょうど一年分になるには、四年の三六五倍、つまり一四六〇年かかるわけである。一四六〇ソティス年が一四六一民衆年にあたるため、この一四六〇年を一般に一ソティス周期としている。しかし、この一四六〇年という数字はあくまでも概数であって、正確な値を示すものではない。

まず、最大の要因として、地球の歳差運動を考慮に入れる必要性がある。地球の自転軸は、黄道面に対して二三・四度の傾きを持っているため、天の北極が、黄道の極を中心として、半径二三・四度の円を描きながら、約二万六〇〇〇年で一回転していく。このため、春分点が黄道上を太陽の年周運動とは反対方向に、毎年約五〇秒の割合で移動していくこととなる。春分点が移動していくため、春分点を基準とする一太陽年は、毎年短くなっていくが、逆に恒星を基準とする一恒星年は毎年長くなっていく。

また、シリウス星は、太陽からの距離が八・七光年と非常に近い恒星なので、毎年の固有運動は赤経でマイナス〇・五三七秒、赤緯でマイナス一・二一〇秒と極めて大きく、これも考慮に入れたほうが良い。M・F・インガム(M. F. Ingham)は、天文学的影響を加味して、ソティス周期の長さを計算している(Ingham 1969: 36-40)。ケンソリヌスの記述をもとに、アポカタスタシスが後一三九年に起こったとして、この年をひとつの紀元と仮定し、インガムの推算値を使い過去へ遡っていくと、その前のアポカタスタシスが起こった年は、後一三九年から一四五二年前の前一三一四年となる。さらに、その前のアポカタスタシスは、前二七六八年となる。

アポカタスタシスが起こった年を、前二七六八年と前一三一四年として計算を実施するにあたっては、まず、年代の判明しているカノポス勅令から計算して誤差を検証する方法を採る。アポカタスタシスが、前一三一四年に起こってから、このカノポス勅令まで何年が経過したかを計算することによって実年代を求めていくのである。

カノポス勅令は、シェムウ(収穫季)の第二月一日にシリウス星の出現を記録している。この日はアケト(増水季)ト月一日から二七〇日が経過しており、二七〇日ずれるために何年かかるのかを計算する。約四年間で一日ずれるので二七〇に四を掛けた一〇八〇年と略算できる。ただし厳密には、前一三一四年から後一三九年までの間の一恒星年の平均は、三六五・二五一二六日となり、一日ずれるために三・九七九九年かかる。そこで、この数値に二七〇を掛けると一〇七五年となり、カノポス勅令は前一三一四年から一〇七五年後の前二三九年と推算できる。ここで実際の前

表1 シリウス星の出現記録

	出典	王名・治世年月日	算出年代(西暦)
1	イルラフン・パピルス	センウセレト3世治世7年 ペレト第4月16日	前1871年±3年
2	エーベルス・パピルス	アメンヘテプ1世治世9年 シェムウ第3月9日	前1540年±3年
3	エレファンティネ島の碑文	トトメス3世治世年不明 季節月日不明	前1464年±3年
4	メノフレスの紀元	メノフレス王?治世1年 アケト第1月(トト月)1日	前1314年±3年
5	マディーナト・ハーブ神殿の暦	ラメセス2世またはラメセス3世 治世年不明 アケト月日不明	前1314年ー前1198年 ±3年
6	カノポス勅令	プトレマイオス3世治世9年 シェムウ第2月1日	前239年±3年 (前238年)
7	ケンソリヌスの記述	アントニヌス・ピウス帝2年 アケト第1月(トト月)1日	後139年

二三八年とは一年の差が生じるが、連続する四年間は、ほぼ同じ出現が起きるため、前二三九年という推算値は十分に誤差範囲内となる。後一三九年にアポカタスタシスが起こったことを考えると、後一三九±三年の範囲で決定できる。後一三九年のアポカタスタシスを使ってカノポス勅令の年を推算した結果、よく一致していることが証明された。このため、ケンソリヌスの記述も、プトレマイオス三世の治世九年の年代も、ほぼ正確であることが確認された。

次にシリウス星の出現記録を時代の古い順に計算していく［**表1**］。イルラフン・パピルスの記録は、ペレト(播種季)の第四月一六日であり、アケト(増水季)のトト月一日から二二五日経過している。中王国第一二王朝の年代は、前二七六八年と前一三一四年との間に位置するので、計算する場合は、前二七六八年を紀元とすることになる。前二七六八年から前一三一四年までの間の一恒星年の平均は三六五・二五〇八五日となり、一日ずれるためには三・九八六四年かかる。そのため、二二五日のずれは三・九八六四を掛けた八九九七年となり、第一二王朝センウセレト三世治世七年は、前二七六八年から八九九七年が経過した前一八七一年となる。また、エーベルス・パピルスの日付を計算すると、アメンヘテプ一世治世九年は、前一五四〇年となる。さらに、エレファンティネ島の碑文は、前一四六三年となる。また「メノフレスの紀元」は、前一三一四年のことになり、この年代は第一八王朝最後の王ホルエムヘブ(在位:前一三二三—前一二九五年頃)の治世にあたり、前述した第一九王朝セティ一世やメルエンプタハ王の治世とするには、約一〇〇年も新しくなってしまうため、実年代から考慮して、メノフレスが、地名のメンフィス(古代名メンネフェル)に由来する可能性が有力である。マディーナト・ハーブ神殿の暦については、アケト(増水季)のトト月にシリウス星の出現が起こったのは前一三一四年から、二九日間が経過して出現が第二月に移行する約一一六年後の前一一九八年までの間であると推算された。この推算値からマディーナト・ハーブ神殿の暦がラメセス二世のものかラメセス三世のものかを確定することはできなかったが、ラメセス三世治世を前一一九八年まで遡らせることは、やや困難であり、ラメセス二世が記したものをラメセス三世が写した可能性が高いと結論付けられた。

古代西アジアでも、天文現象の観測記録によって編年を推算できる例がいくつか存在している。バビロン第一王朝の一〇代目の王であるアンミ・ツァドゥカ(Ammi-Saduqa)の二一年間の治世で観測された金星の朝夕の見え方を記録した粘土板文書の写本で、ニネヴェのアッシュルバニパル王の王宮文書庫から発見され、大英博物館の所蔵(WAK 160)となっている。この粘土板には王の名は刻されていなかったが、一九一二年にドイツ人天文学者のフランツ・X・クグラー(Franz X. Kugler)が、この粘土板がバビロン第一王朝のアンミ・ツァドゥカ王と関連があることを初めて明らかにした。さらに粘土板にある「黄金の玉座の年」という記述から、アンミ・ツァドゥカ王の治世八年にあたるとされている。アンミ・ツァドゥカ王のこの「金星粘土板」は発見後、数多くの研究が行われており(Weir 1972; Pingree 1975)、天文計算することでバビロン第一王朝の年代の推算が実施されてきた。現在のところ同王の治世一年については、前一七〇二年、前一六四六年、前一五八二年の三つの説が提示されており、高年代説、中年代説、低年代説と呼ばれている。アンミ・ツァドゥカ王の治世は中年代説が一般に使用され、王の在位は前一六四六—前一六二六年とされている。

古代西アジアの年代としては、中年代説が一般的ではあるが、隣接する古代エジプトの年代との整合性などを加味して、高年代説などを考えるグループもある。今後は、シリウス星の出現記録や金星粘土板の再検討や皆既日食や月食・掩蔽《えんぺい》などの天体現象を利用することで、エジプトを含む西アジア全体をカバーする新たな編年体系を構築することが必要である。

参考文献

内田杉彦(二〇〇七)『古代エジプト入門』岩波ジュニア新書。

小口裕通(二〇〇四)「ヌジ土器」日本オリエント学会編『古代オリエント事典』岩波書店。

河合望(二〇二一)『古代エジプト全史』雄山閣。

木村靖二・岸本美緒・小松久男編(二〇一九)『詳説世界史 改訂版』山川出版社。

近藤二郎(一九九八a)「アメンヘテプ三世とその時代」前川和也ほか『岩波講座 世界歴史』第二巻、岩波書店。

近藤二郎(一九九八b)『エジプトの考古学』〈世界の考古学〉4、同成社。

近藤二郎(二〇〇二)「古代オリエントの世界 2 エジプト」佐藤次高編『西アジア史Ⅰ』〈新版世界各国史〉8、山川出版社。

近藤二郎(二〇二〇)「エジプト古王国時代の巨大ピラミッド」国立歴史民俗博物館ほか編『日本の古墳はなぜ巨大なのか――古代モニュメントの比較考古学』吉川弘文館。

近藤二郎(二〇二一)『星座の起源――古代エジプト・メソポタミアにたどる星座の歴史』誠文堂新光社。

杉勇ほか(一九六九)『岩波講座 世界歴史』第一巻、岩波書店。

シュマント゠ベッセラ、デニス(二〇〇八)『文字はこうして生まれた』小口好昭・中田一郎訳、岩波書店。

G・チャイルド(一九五一)『文明の起源』上・下、ねず・まさし訳、岩波新書。

中田一郎(二〇〇七)『メソポタミア文明入門』岩波ジュニア新書。

日本オリエント学会編（二〇〇四）『古代オリエント事典』岩波書店。
畑守泰子（一九九八）「ピラミッドと古王国の王権」前川和也ほか『岩波講座　世界歴史』第二巻、岩波書店。
藤井純夫（二〇〇一）『ムギとヒツジの考古学』〈世界の考古学〉16、同成社。
ヘロドトス（一九七一―一九七二）『歴史』上・中・下、松平千秋訳、岩波文庫。
前川和也ほか（一九九八）『岩波講座　世界歴史』第二巻、岩波書店。
前田徹ほか（二〇〇〇）『歴史学の現在　古代オリエント』山川出版社。
前田徹（二〇〇二）「古代オリエントの世界　1　メソポタミア」佐藤次高編『西アジア史Ⅰ』〈新版世界各国史〉8、山川出版社。
前田徹（二〇〇三）『メソポタミアの王・神・世界観――シュメール人の王権観』山川出版社。
前田徹（二〇二〇）『古代オリエント史講義――シュメールの王権のあり方と社会の形成』山川出版社。
Altenmüller, Hartwig (1984), "Pyramidentexte", *LÄ*, Band V, Wiesbaden, Otto Harrassowitz.
Altenmüller, Hartwig (1992), "Bemerkungen zu den neu gefundenen Daten im Grab der Königin Twosre (KV14) im Tal der Könige von Theben", C. N. Reeves (ed.), *After Tut'ankhamun*, London, Routledge.
von Beckerath, Jürgen (1995), *Chronologie des pharaonischen Ägypten*, MÄS Band 46, Mainz, Verlag Philipp von Zabern.
von Beckerath, Jürgen (1999), *Handbuch der Ägyptischen Königsnamen*, MÄS Band 49, Mainz, Verlag Philipp von Zabern.
Bowman, Alan K. (1986), *Egypt after the Pharaohs 332 BC-AD 642: From Alexander to the Arab Conquest*, Berkeley/Los Angeles, University of California Press.
Childe, V. Gordon (1936), *Man makes himself*, London, Watts & Co.
Dreyer, G. (1987), "Ein Siegel der frühzeitlichen Königsnekropole von Abydos", *MDAIK*, Band 43, Harrassowitz.
Hornung, Eric, Rolf Krauss, and David A. Warburton (eds.) (2006), *Ancient Egyptian Chronology*, Handbook of Oriental Studies, Leiden, Brill.
Ingham, M. F. (1969), "The Length of the Sothic Cycle", *The Journal of Egyptian Archaeology*, 55.
Kitchen, K. A. (1986), *The Third Intermediate Period in Egypt*, London Aris and Phillips.
Lehner, Mark (1997), *The Complete Pyramids*, London, Thames and Hudson.
Long, R. (1974), "A Re-examination of the Sothic Chronology of Egypt", *Orientalia*, 43.

Malek, Jaromir (1999), *Egyptian Art*, London, Phaidon Press Limited.（近藤二郎訳『エジプト美術』〈岩波 世界の美術〉、岩波書店、二〇〇四年）

Manetho, W. G. Waddell (trans.) (1940), *History of Egypt and Other Works* (Loeb Classical Library 350), Cambridge, Massachusetts, and London, Harvard University Press.

Parker, R. A. (1950), *The Calendars of Ancient Egypt, SAOC* 39, Chicago.

Peet, Thomas Eric (1930), *The Great Tomb-Robberies of the Twentieth Egyptian Dynasty*, Oxford, Oxford University Press.

Reeves, C. N. (1990), *Valley of the Kings: the decline of a royal necropolis*, London, Kegan Paul International.

Reiner, Erika, and David Pingree (1975), *Babylonian Planetary Omens, Part I, The Venus Tablet of Ammisaduga*, Malibu, Getty Research Institute.

Ryholt, Kim S. B. (1997), *The Political Situation in Egypt during the Second Intermediate Period, c1800-1550 BC, CNI Publications 20*, Copenhagen, The Carsten Niebuhr Institute of Near Eastern Studies, University of Copenhagen, Museum Tusculanum Press.

Said, Edward W. (1978), *Orientalism*, New York, Pantheon Books.（板垣雄三・杉田英明監修、今沢紀子訳『オリエンタリズム』上・下、平凡社、一九九三年）

Sallaberger, Walther, and Ingo Schrakamp (eds.) (2015), *History & Philology*, ARCANE 3, Thurnhout, Brepols.

Shaw, Ian (ed.) (2000), *The Oxford History of Ancient Egypt*, Oxford, Oxford University Press.

Taylor, J. H. (1992), "Aspect of the History of the Valley of the Kings in the Third Intermediate Period", C. N. Reeves (ed.), *After Tut'ankhamun*, London, Routledge.

Weir, John D. (1972), *The Venus Tablets of Ammizaduga*, Istanbul, Nederlands Historisch-Archaeologisch Instituut.

展望 | *Perspective*

ギリシアとヘレニズム

——ポリスと周辺世界のダイナミズム

橋場 弦

一、問いなおされる古代ギリシア史

ながらく西欧近代文明の源流としてその意義を疑われることのなかった古代ギリシアの歴史は、一九八〇年代以降、大きく書き換えが進んでいる。「古典古代」と呼ばれる文化遺産の中でも、とりわけ「ギリシアという名の栄光」(エドガー・アラン・ポー)に精神的故郷を求めた欧米近代人は、その実、近代市民社会の価値観を古代ギリシアに逆投影し、他方で異教・同性愛・不合理などのギリシア人の心性からは目を背けた。西欧近代と古代ギリシアは、たんに一神教と多神教の差異にとどまらず、多くの面でたがいに異質な他者である(Cartledge 1993)。西欧がアイデンティティの源泉としてきたギリシア文明の歴史的意義は、ポストコロニアリズムの流れを受け、今日さまざまに問いなおされている。

このような背景を念頭にこの「展望」では、ギリシア人の歴史的世界がどのように出現し展開したかを通史的に叙述する。その際、次の三点に注意しながら筆を進めたい。

第一に、本巻全体の構成から明らかなように、西アジアやエジプトの古代文明と古代ギリシアとの関係を従来以上

に重視すること。ギリシア文明の黎明期が中近東の先進文明から受けた文化的影響は、決定的であった。「ヨーロッパ的自由の起源」であるギリシアと「専制支配のオリエント」とを二項対立させるオリエンタリズムは、すでに根拠を失い、むしろ東地中海世界全体の中にギリシアをどう位置づけるかが問われている。

第二に、ギリシア人とその周辺の世界を、多面体としてとらえること。二〇世紀末にM・H・ハンセンが主宰したコペンハーゲン・ポリス・センター(CPC)の国際共同研究は、常時一〇〇〇ほどもあったポリスと呼ばれる都市国家の多様性を鮮明に浮かびあがらせ、アテナイ(アテネ)をポリスの代表格と考えた従来の「アテナイ中心史観」に反省を迫っている(Hansen & Nielsen 2004)。またポリスだけがギリシア人社会なのではなく、さらにギリシア人が周辺異民族との関係なしに生存できなかったことも明らかである。「人間はポリスを持つ動物である」というアリストテレスの定義とは裏腹に、現実のポリス世界は、それ自体で完結した世界ではありえなかった。

第三に、時代的な連続性を意識すること。ミケーネ時代(前一六―前一二世紀)からヘレニズム時代(前三―前一世紀)に至るギリシア史を、一つの連続体としてとらえる視座が今日強く求められている。ポリスの出現がミケーネ文明を視野に入れずには説明できないのと同様に、ポリスが政治的独立を失って衰退したとこれまで考えられてきたヘレニズム時代の意義も、それに先立つ古典期との連続性において再検討せねばならない。

ギリシア文明の構造的な探究は、後出の「問題群」と「焦点」に譲ることにして、以下では青銅器文明からヘレニズム時代に至る古代ギリシア史の流れを、いくつかの論点に触れながら叙述してみたい。なお本巻ギリシア史にかかわる記述中、「前五〇八/七年」のような年代表記があるのは、当時の暦年が七月に始まるため西暦の二年にまたがるという事情による。

二、ポリスの誕生と展開

自然環境

強力な王権の下に統治された西アジアやエジプトの大国家とは異なり、その影響を受けつつも、ギリシア人が自由人成年男性市民の共同体による独自の都市国家を形成したのはなぜか。自然環境の特徴は、この問題にある程度のヒントを与えてくれる。

古代ギリシア人は、ギリシア本土・クレタ島・キュクラデス諸島を源郷とし、のちに地中海と黒海の沿岸全域にも拡散して、西はイベリア半島東部から東はキプロス、北は現ウクライナに至る広大な地域に定住した。山がちで谷あいに小さな平地が散らばるギリシア本土の地勢は、個々の都市国家をたがいに切り離し、それらの強い政治的独立と地域割拠を促した。他方、複雑な海岸線と無数の島々に富むエーゲ海は、きわめて好適な海上交通の媒体となり、ギリシア人と周辺諸民族は、海をなかだちに古くから広いネットワークを形成した。

ギリシア中南部の土壌は、やせて岩が多く、穀物の大規模耕作には向かない。その一方で良質な大理石と陶土を産出し、羊・山羊の牧畜にも適している。気候は典型的な地中海性気候で、夏は暑く乾燥し、冬は温暖で雨が少ない。年降水量は現在のアテネ周辺で東京の四分の一にも満たず、降雨はきわめて不安定で干ばつと洪水をくり返す。河川の多くは涸れ川で、農業は天水に頼らざるをえず、穀物よりはオリーブ・ブドウ・イチジクなどの果樹栽培に向いていたから、アテナイのような大都市は、しばしば食糧危機に見舞われた。エーゲ海の海上支配圏をめぐる抗争は、黒海沿岸からの穀物輸送路をめぐる争いでもあった。大河や肥沃な大平野をもたぬギリシアに大規模灌漑農業の発達する余地はなく、もともと超越的権力の育ちにくい風土があった。地中海世界に共通する風土的特性をミクロ生態学の視点から考察し、その長期的変動を「強化」と「減退」のくり返しとしてとらえたP・ホーデンとN・パーセルの大著は、古代・中世における地中海文明史の構造を、新たなパラダイムによって解き明かしている(Horden & Purcell 2000)。

ミケーネ文明

中期青銅器時代(前二二〇〇—前一六〇〇年ごろ)の開始とともに外部からギリシア本土に移住して来た印欧語話者、すなわち原ギリシア人は、先住民の非印欧語系の人びととの文化的混交から、しだいにギリシア文化の原型を形成していった。

同じころ、エーゲ海南端の巨大な島クレタでは、非印欧語系のミノア人が、西アジア・エジプトの先進文明の影響を受けて、すでに高度なミノア文明を築いていた。本土のギリシア人たちはこのミノア文明をモデルに、前一六世紀ごろから、ミケーネ・ティリンス・ピュロス・アテナイ・テバイ(テーバイ)などのセンターに王国を築きはじめた。農業生産の増大と遠隔地交易の拡大を背景に、戦士首長が王へと成長したのである。後期青銅器時代(前一六〇〇—前一二〇〇年ごろ)に栄えたギリシア本土の青銅器文明を一般にミケーネ文明、またそれら中規模の王国をミケーネ諸王国(Mycenaean kingdoms)と呼ぶ。王の宮殿は堅固な城壁で囲まれ、外敵に対する防御意識の高さがうかがえる。「メガロン」と呼ばれる宮殿の大広間は大きな炉床をしつらえ、儀式や会議、宴会や応接に用いたらしい。

ミケーネ文明の人びとは、線文字Bを用いて宮殿の財政記録を粘土板に書き記した。四〇〇〇枚近く残された線文字B文書は、ミケーネ諸王国の行政と経済の構造を明るみに出した。王国の頂点にはワナクス(wanax)すなわち王が君臨し、その下には軍司令官であるラワゲタス(lawagetas)を筆頭とする官僚組織があって王国の行政をつかさどった。地方の村落は大多数自由人である農民からなりたち、在地の有力者であるクァシレウ(qasireu)により統率され、農業生産に従事していた(チャドウィック 一九八三)。

ミケーネ諸王国の経済と支配について、くわしくは後出「焦点」の周藤論文に譲るが、二〇世紀末に有力であった「再分配システム論」は、今日あまり支持を得ていない。かわって注目されているのは、宮殿を中心とした財宝財政(ウェルス・ファイナンス)の機能である。地方のクァシレウ層は原材料を宮殿工房に供給し、また儀式や軍事によって王に奉仕するが、その見返りに美麗な織布・宝飾品・香油などの奢侈品が中央から分配されるのを期待する。それらは贈与交換の形で彼らにトリクル・ダウンしてゆき、威信財としてその社会的地位を保証する。このしくみが王国内の政治的秩序形成に貢献した、というのである(Halstead 2007)。全体としてミケーネ社会の経済は、宮殿を中心とする経済と、地方の萌芽的な市場経済との二本立てで成り立ち、その二つがたがいにある程度の自律性を保っていたというのが、現時点での共通理解であろう(Galaty & Parkinson 2007)。

ミケーネ文明の崩壊と初期鉄器時代

ミケーネ諸王国の宮殿は、前一二〇〇年ごろ、突如ほぼすべてが破壊され、姿を消した。王も官僚組織も線文字Bも、宮殿経済のシステムとともに消滅し、遠隔地交易も途絶えた。かなり急激に起こったこの変動は、東地中海全体を襲った「前一二〇〇年の破局」と呼ばれる大規模な動乱の一環である。その原因をめぐってはいまだ定説が確立していないが、いずれにせよ東地中海一帯は、こののち数世紀にわたり長く不安定な時代に入る。前一二〇〇年ごろから前七五〇年ごろまで続くこの停滞期は、史料の欠落から、かつて「暗黒時代」(the Dark Ages)と呼ばれていたが、考古学的史料が飛躍的に増大した現在、もはや「暗黒」ではなくなり、かわって「初期鉄器時代」(the Early Iron Age)と称されることが多い。

前一二-前一一世紀にかけて、人口はかつての三〇%まで落ちこみ、生活水準も低下した。成人の身長と平均寿命は前後の時代に比べて縮まり、家屋は小さく粗末になった(Morris 2009: 66)。ただし周藤論文が明らかにするように、ミケーネ文明の社会や宗教の特徴が、初期鉄器時代を経てその後のポリス文明に引き継がれた面は無視できない。崩壊したヒッタイト帝国からは製鉄技術が伝わり、遠隔地交易の縮小で銅やスズが稀少となったことから、青銅にかわり鉄が主要な金属器となる。前一〇五〇年ごろからはエーゲ海を渡ってアナトリア沿岸に移住する動きが加速し、のちイオニアと呼ばれる地域に、ミレトス・エペソス・コロポンなどの居住地が生まれた。この時代には、政治と社会の新たなシステムが模索され、次の時代にポリスを生み出す下地が整えられたのである。

前八世紀の変革

ギリシア人の世界は、前八〇〇年ごろを境に、急速な復興と変革の季節を迎えた。時代はアルカイック期(前八―前六世紀)に入る。前八世紀に連鎖反応的に起こったいくつかの革新が、その後五〇〇年の国家・経済・社会・文化の基礎を作ったことは疑えない。

変化の根本的な原因は、人口の激増であった。前八世紀の間にギリシア人の人口はほぼ倍増したが、これは地中海全域に共通した現象であって、それゆえ文化要因によるものではなく、気候変動のような自然要因が考えられる。前八五〇―前七五〇年ごろ、気候はおおむね高温乾燥から冷涼湿潤へとシフトするが、これが地中海沿岸地域では主要な死因である夏期腸疾患を減らして死亡率を下げ、また降雨量も安定し農業生産を増やして人口増大につながった、という仮説がある(Morris 2009: 66-67)。

いずれにせよ人口の激増は土地と食糧の不足を招き、ギリシア人は否応なく対応を迫られた。その一つが、移住・植民によって新たな農地を獲得しようとする動きである。それはまず海外への拡散という形で現れ、ギリシア人の世界をエーゲ海周辺の源郷から一挙に地中海と黒海の全域に拡げる結果となった。西方では、はやくも前七五〇年以前、イタリア半島西岸の島に植民市ピテクサイ(現イスキア)が建設され、前七二八年にはシチリア島東岸にメガラ＝ヒュブライアが建国された。また移住先は海外に限らず、アテナイやスパルタのように中心市から外部にしだいに居住地を拡げる、いわゆる内国植民もあった。前一〇〇〇年ごろ一五〇〇人程度であったアテナイの人口は、前七〇〇年には五〇〇〇人以上に増えたという。

「東方化革命」とヘレネス意識の形成

ギリシア人の世界が地理的に一気に拡がったことは、遠隔地交易をふたたびさかんにし、西アジア・エジプトの先進文明に接触する機会を飛躍的に増やした。東方からは象牙製品・宝飾品・ビーズ・乳香などの奢侈品がもたらされ、また商機を求めて多くのギリシア人が東地中海各地に移住した。すでに前九世紀の末、北シリアのオロンテス河口にあるアル＝ミナにはギリシア商人が定住していたが、ここは内陸を経由してバビロンに至る商業路の起点である。エウボイアの都市カルキスやエレトリアからイタケ島をへてピテクサイに至る交易路を開発したギリシア人は、アッシリア帝国の圧迫から逃れて地中海に進出していたフェニキア商人と競合するとともに、経済・文化の活動を通して彼らと深く交流した。

ドイツの宗教史学者W・ブルケルトの言う「東方化革命」(the Orientalizing Revolution)とは、前七五〇−前六五〇年ごろ、西アジア・エジプトとの交流から生まれたギリシア人の文化的革新を指す(Burkert 1992)。彼らは東方の工芸技術を学んだのみならず、ギリシア世界に来住した遍歴職人や預言者・浄祓者との交流を通して、中近東の宗教・神話に強く影響を受けた。ギリシア古典文化の基層には、東方からの影響が明らかな痕跡を残している。前八世紀におけるギリシア世界の新しい展開は、このように東地中海世界全体の動向を視野に入れて考えねば、真の姿を現さない(岡田 二〇〇八)。

ギリシア人がヘラスの民、すなわちヘレネスとして共通の民族意識を自覚するには、長い時間が必要であった。J・ホールによれば、ドーリス人・イオニア人・アイオリス人・アカイア人といったギリシア人の下部集団は、前八世紀末以降、各地域で独自に擬制的血統意識が育った結果生まれたもので、方言がその起源ではない。もともとヘラスとは、ギリシア中部のスペルケイオス川流域を指す地名にすぎず、同地のデメテル＝ピュライア女神の隣保同盟に参加する周辺地域住民をヘレネスと呼んでいた。この隣保同盟がデルポイ(デルフィ)の神域を勢力下に収めた前八世紀末―前七世紀なかばごろ、これら下部集団共通の始祖としてヘレンが案出され、その血統神話がヘレネスという民族意識(ヘレニシティ)を生み出した。そして異民族に対し、ギリシア語を話す民族を一般にヘレネスと総称するようになったのは、ペルシア戦争以後のことであったという(Hall 2002)。

ポリスの出現

さて前八世紀の変革でもっとも重要な出来事が、ポリスと呼ばれる都市国家の出現である。くわしくは後出「問題群」の佐藤論文を参照してほしいが、平均的なポリスの領土面積は二五―一〇〇平方キロメートルで、こぢんまりした町と呼ぶにふさわしい。それに比して、領土が桁外れに巨大なアテナイとスパルタは(それぞれ約二五〇〇と約八四〇〇平方キロメートル)、少なくともその点、例外的で特異なポリスであった。ポリスをアテナイ型とスパルタ型の二分法で考えたかつてのモデル(太田 一九七七：八九頁)は、今日通用しない。

ポリスはいつ、どのような経緯で誕生したか。これは大変な難題である。ポリスを「都市センターと後背地からなりたち、成年男性自由人を主体とする政治共同体」と仮に定義した場合、考古学的に都市の遺構は確認できても、その社会組織までは解明できないからである。また伝統的に「都市国家」(city-state)と訳されるポリスであるが、そもそもこれを「国家」(state)と見なしうるかについては近年大きな論争がある。詳細は佐藤論文に譲ろう。

ポリスがどこから発生したかについて、学説は、(一)フェニキア人の都市国家をモデルにキプロス島から始まった、(二)ギリシア本土で誕生し、そこから各地に広がった、(三)植民市で誕生し本土に逆輸入された、という三説に分かれる。近年支持を集めているのは(三)の植民市起源説で、ポリスが最初に誕生した候補地としては、シチリア島(シュラクサイ(シラクサ))、南イタリア(メガラ＝ヒュブライア)や、アナトリア沿岸のイオニア(スミュルナやミレトス)などにおける植民市があげられる。たしかに植民市は、公平な土地分配と市民共同体による自治という展開に適合的な条件を備えていた。現に南イタリアの植民市メタポンティオンでは、農地を直線によって等間隔に区分した遺構が発見されており、土地の平等な分配を想起させる(Carter 2000)。

とはいえ、いずれか一つの説に議論を収斂《しゅうれん》させることは困難で、これらの説を複合する考え方もあるだろう。非常に大まかな言い方をすれば、ポリスは前九〇〇–前七〇〇年ごろ、地中海全域にわたるギリシア人の拡散がもたらした結果として成立したと言えよう。

集住(シュノイキスモス)、すなわちいくつかの村落が一カ所に移住するプロセスは、かならずしもポリス成立に不可欠の要因ではない。ミケーネ文明崩壊でバラバラになった村落が集住によって再統合されポリスを形成したとするかつての説明モデルは、ミケーネ諸王国が存在した本土の一部とクレタ島にしか適用できない。集住によって形成されたポリスとして史料上確認できる事例は、前四七一年のエリスまでしかさかのぼれない。

その一方で、ギリシア人がポリスを形成しなかった地域も多い。本土北西部のエペイロス・アカルナニア・ロクリス・アイトリア、ペロポネソス半島のアカイア・エリス・メッセニア、アナトリア南西部のカリア・リュキアの各地域では、村落に分かれて居住する集団がゆるく結合して政治的独立を主張した。このような結合体をエトノス(ethnos)と呼ぶが、これをポリスの形成が遅れた後進地域と見なす従来の考え方にかわり、ポリスと並び立つ政治共同体として独自の意義を見いだす説が有力になっている(Morgan 2003)。

「善き秩序」

ポリスの国制は、「バシレウス」と呼ばれる門閥貴族が参政権を独占する貴族政から始まったが、その体制は前七世紀になると、はやくも動揺を始める。市民が二手に分かれて争う党争(スタシス)が各地で顕在化し、社会の不安定要因となったのである。

党争に悩む各国は「善き秩序」(エウノミア)の回復を切望し、それに対する第一の処方箋として成文法を制定した。国制法を記した最古のギリシア語碑文は、クレタのドレロスのものである(前六五〇年ごろ、『ギリシア碑文補遺』二七、六二〇。佐藤論文参照)。コスモス(秩序監督官)の職に同一人物が一〇年以内に再任されることを禁じた法で、特定の人物に権力が集中することへの警戒心がうかがえる。

他国にさきがけ「善き秩序」の回復に成功したのは、スパルタであった。前七世紀に社会不安に直面したスパルタの支配エリートは、王権の再強化によって危機を克服し、その国制は成文法「大レトラ」に写しとられた。それは二人の王、長老会、および民会からなり、長老会が提出した議案を民会が採決した。前六世紀には民会で選ばれる五人のエポロイ(監督官)がこれに加わった。全市民が重装歩兵の完全武装を整えたフルタイムの戦士となる固有の体制も、同じころ成立する。スパルタは、武具の自弁と共同食事に必要な財産資格を市民権の要件と定め、それを満たす者をスパルタ市民と認める一方、満たさぬ者をペリオイコイ(周辺民)として市民団から排除した。

一九八〇年代以降の研究の飛躍的進展により、従来のスパルタ像のかなりの部分は、実体のない「スパルタの幻影」であることが明らかにされた(古山 二〇一八、Powell 2018)。第二次メッセニア戦争後の土地再分配の結果、重装歩兵層が増大し、それが民主化に寄与したとする従来の説明は影響力を失っている。一般に、重装歩兵の密集戦術が国制の民主化を促進したという「重装歩兵革命論」は、近年かなり修正を迫られている(Kagan & Viggiano 2013)。第二次メッセニア戦争も土地再分配も、ともに史実性が薄弱であり、スパルタにおける土地所有は私的所有が原則であった。またスパルタはあらゆる点で民主政の要件を満たさない。その国制は役人や門閥の権限が大きく、いわば改良型の貴族政であった。

「法の平等」へ——民主政の誕生

スパルタとは正反対に、経済的弱者を市民団に包摂することで「善き秩序」の回復を目指したのがアテナイであった。ソロンの改革(前五九四年)は、負債の帳消しと債務奴隷禁止により貧困層を救済する一方、所有地からの年生産高によって市民を四等級に分け、それぞれに応分の参政権を定めた。出生エリートにかわり富裕エリートを支配層として再定義し、成文法による党争の調停を目指したのである。だがソロンの国制もまた、エリートの再定義による貴族政の改良版にすぎなかった。

僭主政も同様であった。非合法に政権を奪取して国家を独裁下に置く僭主政は、党争に対する第二の処方箋として、すでに前七世紀から各国で出現していた。しかし前五四六/五年にアテナイで政権を確立した僭主ペイシストラトスは、従来の貴族政の構造には手をつけなかった。広大な領土の各地に貴族が盤踞する大国アテナイを統合し、党争を収束させることは、既存の処方箋では不可能だったのである。

前五一一/〇年に二代目僭主ヒッピアスが追放されたのち、前五〇八/七年、民衆の支持を得た貴族クレイステネスは、貴族政の支配構造そのものの変革に着手した。旧来の四部族制を廃止し、自然集落である区(デモス)を単位に新たに組織された一〇部族は、まったく人工的な原理で編成された市民団の下部組織である。貴族の人身支配の鎖はあちこちで寸断され、かわって緊密に組織された新しい市民団は、社会のすみずみにまで裾野を拡げた。部族制改革は、「アテナイ人」というアイデンティティを全市民に植えつけ、巨大国家アテナイを一つのネイションに統合することに成功したのである。G・アンダーソンは、ここに誕生した市民団を「想像の共同体」と呼ぶ(Anderson 2003)。

民会は国家の意思決定機関となり、議題の準備は新たに創設された五〇〇人評議会に委ねられた。参政権は成年男性市民に平等に分配され、民衆はエリートの政策を吟味・承認し、時には制裁を加える存在となる。この新たな体制は、「法の平等」(イソノミア)と呼ばれた。事実上の民主政誕生である。ここにアテナイ人は、民主政というもっとも適合的な統合の様式を手にしたのであった。

三、古典期のギリシア世界

ペルシア戦争

古典期(前五―前四世紀)における国家と社会についての構造的・制度的な考察は、「問題群」の佐藤論文と「焦点」の栗原論文に委ね、ここからは国際関係と諸国の国制に焦点を絞って叙述を続けよう。

アッシリア帝国崩壊後、メディアと新バビロニアを滅ぼして強大になったアケメネス(ハカーマニシュ)朝ペルシアは、やがて西アジアとエジプトを統一し、ダレイオス(ダーラヤワウ)一世の治世までにアナトリア西岸および その沿岸諸島に住むギリシア人に支配を拡げた。前四九九年、イオニア諸市はミレトスを中心にアケメネス朝への反乱を起こす。いわゆるイオニア反乱である。背景には、スキタイ遠征失敗によるアケメネス朝の威信低下や、ペルシアによる強制移住政策への恐怖があった。反乱にはアテナイとエウボイアのエレトリアから援軍が送られたが、前四九四年ミレトスは陥落、反乱は失敗した。

前四九〇年夏、アテナイとエレトリアの懲罰を目的に、ペルシア艦隊はキュクラデス諸島とエウボイアを攻撃、エレトリア住民を奴隷としたのち、アッティカ北東岸のマラトンに上陸した。手引きしたのは二〇年前に追放された僭主ヒッピアスである。アテナイ人にとってアケメネス朝との戦いは、誕生したばかりの民主政を旧僭主の手から守る戦いでもあった。当時動員できるほぼすべての重装歩兵を集めたアテナイ軍は、将軍ミルティアデスの指揮下でペルシア軍撃退に成功し、アテナイ民主政は体制を一層強固なものにした。

陶片追放(オストラキスモス)がアテナイでさかんに用いられたのは、これ以降のことである。陶片追放が僭主出現の予防を目的に創設されたとする従来の説は、今日あまり支持されない。かわって、対立する有力者の一方を一定期間政界から退去させることで、党争が破壊的な内乱に発展するのを防ぐための制度とする説が有力である(Forsdyke 2005)。

ダレイオス一世から王位を継いだクセルクセス(クシャヤールシャン)は、一〇年後、前回をはるかに上回る規模の遠征軍をみずから率い、ギリシアにふたたび侵攻した。スパルタとアテナイを中心に迎撃を決意したギリシア諸国の海軍は、前四八〇年九月末、アテナイの南に浮かぶサラミス島と本土との間の狭い海峡にペルシアの大艦隊をおびき寄せ、各個撃破して潰走させた。ギリシア艦隊全三七八隻のうち二〇〇隻を提供したアテナイは、一気に国際的威信を高めた。翌四七九年夏、ボイオティア地方のプラタイアイで行われた陸戦で、ギリシア軍はふたたび大勝し、ペルシア遠征軍はギリシア本土からほぼ駆逐された。父祖墳墓の地を防衛しようとするギリシア軍の戦意が高かったのに対し、帝国各地から強制的にかり集められたペルシア軍は士気上がらず、また山がちなギリシアの地形はペルシア軍の大兵力の展開を困難なものにし、結果的に敗北につながったのである。

それまで恐怖の対象でしかなかったアケメネス朝を撃退したという自信は、ギリシア人の自意識に決定的影響を与えた。自分たちは男らしく勇敢で自由を尊ぶ民族であるのに対し、異民族(バルバロイ)は女々しく怯懦で奴隷的であるという二項対立的な自民族中心主義が、以後彼らの意識に刷り込まれてゆくのである。この視点はそのまま西欧近代に引き継がれ、オリエンタリズム的西欧中心主義の古典的根拠となった(Cartledge 1993)。なお後出「焦点」の阿部論文は、アケメネス朝とギリシア人との関係性についてくわしく考察している。

デロス同盟とアテナイ民主政

前四七八年、再度のペルシア侵攻に備え、アテナイを盟主とするデロス同盟が結成された。同盟軍の指揮権はアテナイが握り、大多数の同盟国は軍船提供に代えて同盟貢租金(ポロス)を納めた。本部と同盟金庫はデロス島に置かれたが、同盟財務官はアテナイ人から選挙され、同盟貢租金の査定もアテナイに委ねられていたから、同盟は当初からアテナイの強力な主導権の下におかれていた。同盟国は、エーゲ海周辺一帯からマルマラ海までひろがり、最盛期で二〇〇を数えた。アテナイ海軍を主力とするデロス同盟は、それを維持する莫大な費用をまかなうため、貨幣の形で貢租金を徴収する財政システムを備えていたのが特徴的で、この点はアケメネス朝の徴税制度とよく似ている。こうした同盟の性格は、本来対等であるべきアテナイと同盟国との関係を、次第に支配従属関係へと置きかえていった。

前四六二/一年、アテナイではエピアルテスの改革によって民主派が主導権を握った。翌年、貴族派・親スパルタ派の首領キモンが陶片追放され、かわって民主派・反スパルタ派のペリクレスが指導者となったアテナイは、デロス同盟の支配圏をギリシア本土中部にまで広げ、それがスパルタとの軋轢《あつれき》を生むようになった。このころから前四四六年まで続く両国の一連の紛争は、第一次ペロポネソス戦争とも呼ばれる。

一方、エピアルテスの改革はアテナイから貴族政的要素を一掃し、民会・五〇〇人評議会・民衆裁判所の三機関が実権を掌握した。役人は大多数が抽選で選ばれ、任期一年で再任は認められず、市民が「順ぐりに支配し支配される」という民主政の原則が実現を見た。最高意思決定機関である民会は、年に一〇回(のち前四世紀後半には四〇回)開催され、市民には財産の多少にかかわらず平等に一人一票の投票権が与えられた。軍船のこぎ手である下層市民の発言力が増した民主政は徹底し、以後マケドニア軍に廃止される前三二二年までを、ラディカル・デモクラシーの時代と呼ぶ。

対ペルシア反乱に加勢して行われたエジプト遠征が前四五四年に失敗すると、ペリクレスはペルシアに奪取されることを恐れて同盟金庫をデロス島からアテナイのアクロポリスに移した。以後同盟貢租金の六〇分の一は、アテナ女神への初穂料として公然とアテナイ国庫に収められ、その金額を巨大な石碑に刻んだ「同盟貢租表」がアクロポリスに建立された。

前四五〇年ごろを境に、ペルシアとの戦争状態は事実上終結する。かつては前四四九年に「カリアスの和約」が締結された結果と信じられていたが、今ではその史実性を否定する意見が強い。デロス同盟は存在意義を失ったが、ペリクレスは同盟解散を主張する反対派を抑え、これを存続させる。ここに同盟は、アテナイによる支配機構としての性格を露わにした。アテナイには毎年国家歳入に匹敵する額の同盟貢租金が運びこまれた。前四四七年から一五年かけて建造されたパルテノン神殿と黄金象牙製のアテナ女神像およびアクロポリス前門は、同盟支配が直接間接にもたらした富が形を変えたものである。

前四四六年にはエウボイア島が同盟から離反、同時にスパルタ王プレイストアナクスがアッティカに侵攻を開始した。だがおそらくペリクレスによる私的折衝の結果、王は撤退し、両国の間に三〇年の和平条約が締結された。これによりスパルタとアテナイはたがいの勢力圏を承認し、以後アテナイはスパルタの支配圏外に勢力を拡大していった。

ペリクレスは南イタリアやトラキアに植民市を建設し、イオニアではサモス島の離反を容赦なく鎮圧、また黒海南岸にはみずから遠征して穀倉であるボスポロス王国と盟を結んだ。異民族トラキア人の住むトラキアは、黒海からの穀物輸送の中継地であるのみならず、金銀などの貴金属や軍船の建造に欠かせない木材の供給地としてきわめて重要であり、そこをいかに安定的に支配するかは、アテナイの死活問題でもあった。

ギリシア古典文化は黄金期を迎え、アテナイはその中心地となった。外港ペイライエウスは東地中海最大の貿易港として繁栄し、ギリシア各地からソフィストと呼ばれる文化人が訪れた。アイスキュロス・ソポクレス・エウリピデスの悲劇やアリストパネスの喜劇が演劇祭で上演され、真夏には守護神アテナ女神の誕生日を祝うパンアテナイア祭が盛大に挙行された。ペリクレスは有名な葬送演説(前四三一年)の中で、アテナイの文化的・経済的隆盛を次のように称揚している。

われらは、心の労苦を癒やす機会を、諸国のうちでもっとも多く備えている。四季を通じて催される競技や祭典を楽しみ、目にも美しい家々を日々愛《め》でながら苦悩を忘れ去る。またわが国が偉大であるゆえに、全世界からあらゆる物産がもたらされる。われらは自国のみならず他国の人びとが生み出したさまざまなよき果実をも、いながらにして同じように味わうことができる。(トゥキュディデス『戦史』二、三八)

「アテナイ帝国」

近代以後しばしば「アテナイ帝国」(the Athenian Empire)と呼ばれたデロス同盟は、同盟諸国に利益と不利益のどちらを多くもたらしたのか。ギリシア・ローマ史の泰斗M・I・フィンリーは、この問題を「帝国の貸借対照表」と呼んだ(Finley 1978)。

全ギリシア世界がスパルタとアテナイの両陣営に分かれ、それぞれ寡頭政と民主政のイデオロギーをかかげて対立するという構図は、トゥキュディデス『戦史』が如実に描き出しているだけに、とくに東西冷戦構造の時代には容易に受け入れられた。しかしこうした図式は、前五世紀の現実を適切に表すものではない。

アテナイは同盟国に民主政を強制したと考えられがちだが、それを確実に証明できる事例は、前四五三/二年のエリュトライに限られる(『ギリシア碑文集成』一(三)、一四)。当初大多数の同盟国は寡頭政か僭主政であり、アテナイはその現状をあえて変更しなかった。同盟国の離反はきびしく鎮圧したが、逆に忠実でありさえすれば、どの国制に従うかはさほど問題としなかった。

同盟貢租金の取り立てを厳格化し、その査定額を一気に二―三倍に跳ね上げ、全同盟国にアテナイの度量衡と銀貨の使用を強制するなど(『ギリシア碑文集成』一(三)、六八、七一、一四五三)、苛烈な帝国主義の証拠とされた一連のアテナイ民会決議碑文は、かつて字体の特徴(いわゆる「三本線のシグマ」)から前五世紀中葉のものと考えられていた。しかしH・B・マッティンリがこれに異議を唱え、多くの支持を集めた結果、この定説はほぼ否定され、それら碑文の多くは前四二〇年代以降に年代が引き下げられた(Mattingly 1996; 師尾 二〇〇四)。つまりこれらの決議は、ペロポネソス戦争の激化で戦費調達に迫られた結果であって、前五世紀中葉からすでにアテナイが帝国主義的支配を強めていたという証拠にはならない。

むしろデロス同盟は海上交易の安全を確保し、度量衡と貨幣の統一によって(今日のユーロ圏のように)エーゲ海全域に共通市場を創出するなど、同盟国にある程度の経済的利益をもたらした、とも考えられる。のちペロポネソス戦争の末期、ほぼすべての同盟国がアテナイからの離反の道を選んだのは、その利益がもはや期待できなくなったからであった。アテナイは、かつて信じられていたほどには、帝国主義的でも専制的でもなかったと考えるべきであろう。

ペロポネソス戦争

前四三一年五月末、アテナイとスパルタは同盟諸国を巻きこむ大戦争に突入した。二七年間続くペロポネソス戦争である。歴史家トゥキュディデスはその根本的な原因を、「アテナイ人の勢力が強大化してスパルタ人に脅威を与えた結果、やむなく開戦に踏み切らせた」ことにあると述べる(『戦史』一、二三)。急速に支配圏(アルケ)を拡張するアテナイに、スパルタは恐れを感じ、ギリシア世界の覇権をかけた全面戦争に踏み切った、と彼は言う。

スパルタはアッティカ領内に侵入し耕地を破壊したが、ペリクレスは全市民を城壁内に避難させて陸戦を避け、逆に圧倒的に優勢な海軍でペロポネソス半島沿岸を攻撃する戦略に出た。しかし前四三〇年春から突如アテナイ市内を襲った疫病は猛威をふるい、戦力をいちじるしく減退させたのみならず、戦争指導者であったペリクレスその人の命をも奪った。かわって登場したクレオンの指導下でアテナイは戦争を継続するが、彼がエーゲ海北岸の要地アンピポリスの奪回に失敗して戦死すると、翌前四二一年に「ニキアスの和約」が成立し、いったん戦争は収まる。

しかし支配圏のあくなき拡張を求めるアテナイ人は、前四一五年夏、シチリア島に空前の大遠征軍を送った。だが二年後、遠征は惨めな失敗に終わる。戦争はふたたび火の手を上げ、アケメネス朝から得た軍資金でスパルタは海軍を仕立て、戦線はアナトリア西岸に移った。同時にスパルタ軍はアッティカ北部のデケレイアに要塞を築き、以後夏冬を問わずアッティカ領内を蹂躙《じゅうりん》するようになった。

戦費の負担にあえぐアテナイの富裕者は和平を渇望し、彼らに支持された寡頭派(旧貴族派)は前四一一年夏、民主政を転覆して四〇〇人による寡頭政権を樹立した。だが当初期待されたスパルタとの和平も、ペルシア王からの資金援助も、ともに実現に失敗した。四〇〇人政権は同年秋崩壊し、五〇〇〇人の中間政体を経たのち、翌年夏に民主政が復活した。敗色は一段と濃厚になり、同盟国は次々に離反した。戦線は、アテナイへの穀物輸送路を扼するヘレスポントス海峡に向けて収斂していった。前四〇五年秋、同海峡の北岸アイゴス＝ポタモイで最後の決戦に敗れたアテナイは、翌年四月ついに降伏。「アテナイ帝国」は、ここに消滅した。

アテナイ民主政は再度転覆され、スパルタ駐屯軍の後押しで、極端な寡頭政である三〇人政権が成立した。ソクラテスの弟子クリティアスやカルミデスを首謀者とする三〇人政権は、富裕な市民や在留外国人一五〇〇名を処刑し財産を没収するなど暴政を行ったが、やがて海外から戻ってきた民主派との内戦に敗れて崩壊、翌前四〇三年秋に民主政が回復した。

トゥキュディデスはペロポネソス戦争の直接の契機を、開戦前年のコルキュラとポティダイアにおける地域紛争の拡大に求める。しかしすでにその二年前、アテナイ人は神々への借入金を清算し、財政面で戦争準備を始めていたことが、「カリアス決議」(『ギリシア碑文集成』一(三)、五二AB)から明らかである。また開戦のきっかけとしては、スパルタの友邦メガラをアテナイの商業圏から締め出した「メガラ決議」(前四三二年三月ごろ)の影響の方が大きい。このようにトゥキュディデスは、大戦にかかわる重要な出来事に言及しないことが多い。また前四一六/五年、アテナイは遠征直前にシチリア西部の都市エゲスタと同盟を更新したことが碑文から明らかであるが(『ギリシア碑文集成』一(三)、一一)、『戦史』にその記述は見当たらない。「アテナイ帝国」の性格をめぐる議論と同様、トゥキュディデスの記述を相対化し、他の古典史料や碑文・貨幣を用いて、ペロポネソス戦争の経緯を多角的に再構成しようとする研究動向が今日では一般的である。

前四世紀の国際情勢

さてギリシア世界の覇権は、いっとき勝者であるスパルタに移ったかのように見えた。しかし二大覇権国の間にそれなりにパワー・バランスが保たれていた前五世紀とちがい、その一方が敗れ去った後の前四世紀は、かえって国際関係が混迷することになった。

スパルタの覇権に不満をもつテバイ・コリントス・アルゴス・アテナイの四カ国は、前三九五年、アケメネス朝の支援を得てスパルタとコリントス戦争を始めた。結局この戦争は前三八六年、アケメネス朝との関係を修復したスパルタがペルシア王と結んだ「大王の和約」(アンタルキダス条約)で幕を下ろした。これはアナトリア沿岸の諸ポリスがふたたびペルシア王の支配下に入るのとひきかえに、他のギリシア諸国の独立自治を認めるという内容で、ギリシア世界にはじめて「普遍平和」(コイネ・エイレネ)の枠組みをもたらした点では画期的だった。しかしその実スパルタとペルシア王との一方的取り決めであり、他の諸国に不満を残す結果となった。

前三七八年、アテナイはあらたに第二回アテナイ海上同盟を結成した。今回は同盟国の独立自治を保証し(その国際法上の根拠は「大王の和約」に求められた)、アテナイ駐留軍や貢租金を同盟国に強制せぬという約束でスタートした同盟は、反スパルタ感情を抱く国々を中心に七五以上の加盟国を得た。しかしアテナイの覇権主義的姿勢がふたたび露呈するにつれ、やはり同盟国の離反を招く結果となる。同盟市戦争(前三五七—前三五五年)に敗れたアテナイは、二度と海上覇権を回復できなかった。

かわって覇権国の座に上ったのは、ボイオティア地方の主要都市テバイであった。コリントス戦争後、テバイはスパルタに極端な寡頭政(一〇人政権)を強いられたが、前三八二年にアテナイの支援を受けて民主政を樹立し、同時にボイオティア連邦の盟主として強い存在感を示すようになった。エパメイノンダスとペロピダスという優秀な指導者を得たテバイは、前三七一年のレウクトラの戦いでスパルタを大敗させ、二年後にはメッセニアをスパルタの隷属から解放する。ギリシア本土の覇権は、スパルタからテバイに移った。

しかしテバイの覇権も、一〇年ほどしか続かなかった。前三六〇年代後半に指導者二人があいついで戦死すると、テバイは急速に衰えた。ギリシア世界は覇権国が次々に没落し、国際秩序はいっそう混乱した。クセノポンの『ギリシア史』は、前三六二年のマンティネイアの戦いがスパルタ・テバイ双方の痛み分けに終わった結果、「ギリシア世界の混沌と混迷は以前にもまして深まった」と述べて全巻を閉じている。

不安定な国際関係とは裏腹に、前四世紀の第2四半期は、全般的に民主政の盛期であった。E・ロビンソンによれば、前五世紀後半にピークを迎えた民主政ポリスの数は、その後アテナイの敗北とともにいったん減少するが、前四世紀前半になるとスパルタの覇権失墜と反比例するように勢いを盛りかえす(Robinson 2011)。テバイがスパルタの支配をはねのけて民主政を採用した経緯は先に述べた。また前四〇三/二年に再建されたアテナイ民主政が、寡頭・民主両派の党争を克服し、市民団を再統合した実績が他国で高く評価されたことも、このころの民主政拡大の要因だろう。旧デロス同盟圏であったイオニア地方などではアテナイ型の民主政が目立つ一方で、アテナイの敵国であったシチリア島のシュラクサイにも独自の民主政が成立したことは見のがせない(橋場 二〇二二)。

マケドニアの台頭

前四世紀後半のギリシアにおいて最終的に覇権を確立したのは、ポリス世界の外部から台頭したマケドニア王国であった。バルカン半島北部のマケドニア王国は、ギリシア本土と黒海沿岸やアナトリアを結ぶ交通の要衝としてのみならず、貴金属や材木など天然資源の宝庫としても、ギリシア人には無視できぬ存在であった。アルゲアダイ王家が世襲する王国は、ペルシア戦争以後の国際関係に重要な役割を果たしただけでなく、芸術家や知識人を宮廷に招聘するなどギリシア文化の摂取にも熱心であった。バルバロイと見なされていたマケドニア人は、それゆえにこそギリシア人の血統を対外的に強く主張し、ヘレネスの一員として認知されることを悲願とした。

イリュリア人の侵入や内部の権力闘争に悩まされてきたマケドニア王国は、前三五九年に即位したピリッポス(フィリッポス)二世が行政と軍隊の再編に成功してから、急速に大国としての存在感を高めていった。王権を強化したピリッポスは、デルポイの管理権をめぐる第三次神聖戦争(前三五六—前三四六年)に介入することで、ギリシア世界における地位を確たるものとした。この戦争でピリッポスと敵対したアテナイは、「ピロクラテスの和約」(前三四六年)で彼の要求を受諾せざるをえなかった。

その後、反マケドニア政策を唱道する弁論家デモステネスの提議により、アテナイはテバイと連合してピリッポスと対決する道を選んだ。前三三八年、両国の連合軍は全ギリシアの自由と独立をかけ、カイロネイアの戦いでマケドニア軍との決戦に臨んだが、結果は惨敗に終わった。翌年ピリッポスはスパルタをのぞく全ギリシア諸国とコリントス同盟(ヘラス同盟)を結び、その盟主となる。ピリッポスは「普遍平和」を宣言し、アケメネス朝討伐を公約に掲げてギリシア世界を傘下に収めた。各国は相互不可侵と独立自治を認められる一方、軍事・外交の自由を奪われ、国制の変更も禁じられた。以後各ポリスは、マケドニア王国とその後継諸王朝の巨大な権力の下で存続を図ってゆかねばならなくなった。

従来、北辺僻陬《へきすう》の未開国として扱われてきたマケドニア王国は、王権の性格や政治制度について近年研究が進んでいる。王はかつて考えられていたような「平等者中の第一等者」ではなく、強い専制権力の持ち主であった。王権は王個人の人格と分かちがたく結びつき、彼自身が政治的軍事的に有能でなければ維持できぬ性格のものであった。ピリッポスは全土の貴族を統合し、彼らに宮廷や軍隊での役務と地位を与えることによって王国の再編強化に成功したが、それは「ヘタイロイ」と呼ばれるエリート貴族と彼との人格的紐帯なしには不可能であった。王がエリート貴族を招いて開く私的な饗宴に、王の非公式な諮問機関としての機能を見る澤田典子の指摘は卓見である（Sawada 2010; 澤田 二〇二二）。

四、ヘレニズムからローマへ

ヘレニズムという時代

前三三六年にピリッポスが暗殺されたのち、息子アレクサンドロス（三世）が王位を継ぎ、前三三四年には東方遠征に出発した。アケメネス朝を滅ぼし、エジプトからインド北西部に至る大帝国を建設したアレクサンドロス大王が、前三二三年に急逝した後、彼の帝国はその後継者の地位をめぐる遺将たち（ディアドコイ）が繰りひろげる後継者戦争の舞台となった。アテナイ民主政は翌前三二二年、マケドニア進駐軍によって一旦廃止された。だがその後アテナイ市民は独立と自由を求めて何度も蜂起し、前一世紀までに前後四回にわたって民主政を回復している。

前三〇一年のイプソスの戦いの結果、帝国再統一の可能性は消え、その後、アンティゴノス朝マケドニア、セレウコス朝シリア、およびプトレマイオス朝エジプトの三国分立体制が確立し、東地中海周辺と西アジアは相対的安定期を迎える。ギリシア語の共通語コイネーが国際言語となり、プトレマイオス朝の都アレクサンドリアは多くの知識人を迎える文化の中心地として栄えた。

だが西地中海を統一した共和政ローマの勢力は、やがてギリシア世界にも進出する。前三世紀末から数度のマケドニア戦争を経て、ギリシアの諸王朝はあいついでローマの支配下に入り、前一四八年には属州マケドニアが、前一二九年には属州アシアが成立した。前三〇年、最後の王クレオパトラ七世の自殺をもってプトレマイオス朝が滅亡し、ギリシア人の世界は最終的にローマ帝国に組み込まれた。大王の東方遠征からプトレマイオス朝滅亡までを、ヘレニズム時代と呼ぶ。

この時代をはじめて明確に定義したのは、プロイセン学派の首領J・G・ドロイゼンである。彼はキリスト教発展の土壌を育んだ時代としてその歴史的意義を評価したのであるが、にもかかわらず、その後ながらくヘレニズム時代は、古典期の独創的文化遺産を模倣継承するだけの頽廃的な衰退期と見なされてきた。しかし現実には、ヘレニズム時代にも、依然としてポリスや民主政は健在であった。詳細は後出「焦点」の長谷川岳男論文に譲るが、マケドニアの支配をもってポリスの主権喪失ととらえ、それゆえに国家としてのポリスが消滅したと考えるのは、主権(sovereignty)という近代的概念に慣れすぎた私たちの錯覚なのである。

ヘレニズムは近代に創出された時代概念であり、当事者であるギリシア人たちに、以前とちがう新時代に生きているという自覚はなかった。ヘレニズムにかえて「古典末期」(late classical)「後古典期」(post-classical)などの用語を使う研究者もいる。ポリスが市民生活の基盤であることに変わりはなく、アレクサンドロス大王の東方遠征によって西アジア各地に建設された都市は、やはり伝統的なポリスの理念にもとづく諸制度と景観を備えていた。ヘレニズム時代はポリスが滅びた時代ではなく、むしろその地理的範囲を大きく東方に拡げた時代であった。

生きつづけるポリスと連邦

ヘレニズム時代のポリスの国制と社会については、これも長谷川岳男論文に委ねよう。その一方で、ギリシア本土では連邦組織が新しい展開を見せた。ボイオティア連邦のように特定の地域アイデンティティにもとづいた連邦組織にかわって、アイトリア連邦やアカイア連邦など、広域にわたる新しい連邦が前三世紀なかばから形作られるようになる。岸本廣大は、前三—前二世紀のギリシアを「広域な連邦の時代」と呼ぶ(岸本 二〇二一)。

前二世紀なかばにローマの属州に組みこまれると、ギリシア諸国が自律的な行動を選択する余地は失われた。だがローマ帝政期に入っても、ポリスや連邦がその伝統的な枠組みを捨て去ることは、ついになかった。アテナイの民会や評議会は、その権限を縮小し形骸化しながらも、廃止はされなかった。碑文で確認できる最後の民会決議は、後三世紀前半のものである(『ギリシア碑文集成』二(二)、一〇七九、一〇八六)。古代ギリシア史の終焉は、岸本が示唆するように、古代そのものの終焉に重なると考えるべきであろう。

参考文献

『ギリシア碑文集成』= *Inscriptiones Graecae.*
『ギリシア碑文補遺』= *Supplementum Epigraphicum Graecum.*

太田秀通(一九七七)『東地中海世界——古代におけるオリエントとギリシア』岩波書店。

岡田泰介(二〇〇八)『東地中海世界のなかの古代ギリシア』〈世界史リブレット〉、山川出版社。

岸本廣大(二〇二一)『古代ギリシアの連邦——ポリスを超えた共同体』京都大学学術出版会。

澤田典子（二〇二二）『古代マケドニア王国史研究――フィリッポス二世のギリシア征服』東京大学出版会。

周藤芳幸（二〇〇六）『古代ギリシア　地中海への展開』京都大学学術出版会。

チャドウィック、ジョン（一九八三）『ミュケーナイ世界』安村典子訳、みすず書房。

橋場弦（二〇二二）『古代ギリシアの民主政』岩波新書。

古山正人（二〇一八）「スパルタ史研究の現在」『史学雑誌』一二七編七号。

師尾晶子（二〇〇四）「前5世紀アッティカ碑文の成立年代決定法に関する検討」『西洋古典学研究』五二号。

Anderson, Greg (2003), *The Athenian Experiment: Building an Imagined Political Community in Ancient Attica, 508-490 B.C.*, Ann Arbor, University of Michigan Press.

Burkert, Walter (1992), *The Orientalizing Revolution: Near Eastern Influence on Greek Culture in the Early Archaic Age*, Margaret E. Pindar & Walter Burkert (trans.), Cambridge, Mass., Harvard University Press.

Carter, Joseph Coleman (2000), "The Chora and the Polis of Metaponto", Friedrich Krinzinger (ed.), *Die Ägäis und das westliche Mittelmeer: Beziehungen und Wechselwirkungen 8. bis 5. Jh. v. Chr.*, Wien, Verlag der österreichischen Akademie der Wissenschaften.

Cartledge, Paul (1993, 2nd ed. 2002), *The Greeks: a Portrait of Self and Others*, Oxford, Oxford University Press.（橋場弦訳『古代ギリシア人――自己と他者の肖像』白水社、二〇〇一年、新装復刊二〇一九年）

Finley, Moses I. (1978), "The Fifth-century Athenian Empire: a Balance Sheet", Peter D. A. Garnsey & C. R. Whittaker (eds.), *Imperialism in the Ancient World*, Cambridge, Cambridge University Press.

Forsdyke, Sara (2005), *Exile, Ostracism, and Democracy: the Politics of Expulsion in Ancient Greece*, Princeton, Princeton University Press.

Galaty, Michael L. & William A. Parkinson (2007), "1999 Introduction: Putting Mycenaean Palaces in their Place", Galaty & Parkinson (eds.), *Rethinking Mycenaean Palaces II: Revised and Expanded Second Edition*, Los Angeles, The Cotsen Institute of Archaeology, University of California.

Halstead, Paul (2007), "Toward a Model of Mycenaean Palatial Mobilization", Galaty & Parkinson (eds.), *Rethinking Mycenaean Palaces II: Revised and Expanded Second Edition*, Los Angeles, The Cotsen Institute of Archaeology, University of California.

Hall, Jonathan M. (2002), *Hellenicity: between Ethnicity and Culture*, Chicago, University of Chicago Press.

Hansen, Mogens Herman & Thomas Heine Nielsen (eds.) (2004), *An Inventory of Archaic and Classical Poleis: An Investigation Conducted by the Copenhagen Polis Centre for the Danish National Research Foundation*, Oxford, Oxford University Press.

Horden, Peregrine & Nicholas Purcell (2000), *The Corrupting Sea: A Study of Mediterranean History*, Oxford, Blackwell.

Kagan, Donald & Gregory F. Viggiano (eds.) (2013), *Men of Bronze: Hoplite Warfare in Ancient Greece*, Princeton, Princeton University Press.

Mattingly, Harold B. (1996), *The Athenian Empire Restored: Epigraphic and Historical Studies*, Ann Arbor, University of Michigan Press.

Morgan, Catharine (2003), *Early Greek States beyond the Polis*, London, Routledge.

Morris, Ian (2009), "The Eighth-century Revolution", Kurt A. Raaflaub & Hans van Wees (eds.), *A Companion to Archaic Greece*, Malden/Oxford, Wiley-Blackwell.

Powell, Anton (2018), "Sparta: Reconstructing History from Secrecy, Lies and Myth", A. Powell (ed.), *A Companion to Sparta*, vol. 1, Hoboken, Wiley-Blackwell.

Robinson, Eric W. (2011), *Democracy beyond Athens: Popular Government in the Greek Classical Age*, Cambridge, Cambridge University Press.

Sawada, Noriko (2010), "Social Customs and Institutions: Aspects of Macedonian Elite Society", Joseph Roisman & Ian Worthington (eds.), *A Companion to Ancient Macedonia*, Oxford, Wiley-Blackwell.

コラム｜*Column*

歴史と探究、歴史の探究

上野愼也

ヘロドトスの時代に歴史(学)はなかった。それを意味する言葉もなかった。彼の著作に付けられた「ヒストリアイ」というタイトルが「歴史」という意味を帯びていたとしても、本文中で何度か使う「ヒストリアイ」関係のことばは全て「探究」である。『歴史』(『探究』)は「ハリカルナッソスの人ヘロドトスの探究(した結果)は次の通りである」と始まる。著者名に続く「探究」は事実上、本文第一声と言ってよい。

探究に注ぐヘロドトスの眼差しは鋭い。例えば「エジプト誌」と呼ばれる『歴史』第二巻の冒頭である。エジプトのメンフィスで神官団から、ヘロドトスはプサメティコス王の実験にまつわる所伝を聞く。元来、エジプト人は自らを最古の民と考えていたが、王はその真贋をたしかめるべく、あれこれと訊ねて回った。一向に埒があかず、王は実験に踏み切る。新生児を家畜の群れの中で育てて、人語を遠ざけ、最初に発する人語らしきものを採取しようというのである。その語を有する言語が人類最古の言語であり、その話者が最古の民に違いないとの仮説である。子がはじめて発した言葉は「ベコス」であった。当時小アジア中西部に居住していたプリュギア人の言葉で「パン」を意味する。そこでプリュギア人が最古の民であることが明らかとなった——ヘロドトスが長々と記録する所伝のあらましである(二、二)。

王の仮説はおかしい。たとえ正しくとも、プリュギア人がエジプト人よりも前に出現したという結論は、エジプト人が二番目に出現したことを意味しない。二番目以降に出現したと言うべきである。しかし、実験結果を受けて「エジプト人はプリュギア人が自分たちよりも前に現れ、自分たちはその他の人々に先んじて生まれたものと考えるようになっている」(二、二、一。訳文は稿者)。おかしいままに放置してある。

ヘロドトスは「メンフィスでヘパイストス神官団と話し込んで他にもあれこれと耳にした。さらにテバイとヘリオポリスへ赴き、メンフィスの所伝に賛同するかどうか知りたいと考えた。ヘリオポリスの人々はエジプトで一番、故事に通じていると言われている」(二、三、一)。現地での聞き込みで判明した、往古のエジプトの様子が続く。曰く、暦が発明された、十二神を見出して神号を定め、神殿の建立が始まった、初代の王ミンの時代、エジプトは一面、沼沢地であった——。二巻冒頭を飾るベコス譚の当否には一言もない。

ヘロドトスは、以下、沼沢地説の正しさを証明するべく、一帯の地理、地形を元に推論を重ね、イオニアで行われている「往古、エジプトはデルタのみを指し、それ以外の領域は版図外であった」との誤解を批判する。「少なくともデルタ地帯はエジプト人自身の主張と私の見立ての通り、河が土砂を運び、いわば最近になって姿を現したものである。エジプト人に国土そのものがなかったのに、何をわざわざ益体もなく、人類で一番最初に生まれたなどと思い込んでいたのか。子どもを実験台にして最初にどんな言葉を口にするのかなどということをたしかめる必要もなかったはずである。エジプト人はイオニア人が（エジプトと）呼ぶデルタ地帯とともに出現したのではなく、人類の出現以来存在しており、国土が広がるにつれ、多くの者がこれまでの場所にとどまったり、川を下ってきたりしたということであろう」（二、一五、二―三）。最古の民への関心は希薄である。プリュギア人は影も形もない。人類の出現以来、エジプト人も古い大地に住んでいたことが指摘されるばかりである。恐らく、最古の民をめぐる問題の立て方自体に問題があるということであろう。

　ヘロドトスは沼沢地説の検証を進める過程で、エジプトの国土を形成したナイル川についても議論を展開している。自分の知りうる限り情報を提示する傍ら、プサメティコス王が水源地とされる湖水に縄を下ろし、水深を測定する実験をしたところ、水底に届かなかった故事を紹介する。この故事が事実ならば「激しい渦や、逆巻く水流が生じていたのではないか。（湖面を挟んで聳える）山々に水流が衝突しているために、水中へ下ろした縄が湖底に着くのを妨げたのであろう」（二、二八、五）。ベコス譚に続き、仮説も準備も覚束ない実験で真偽を見定めようとする王、慎重な見聞と検分による入念な推理のヘロドトスという対比が、ここにも鮮明である。

　エジプト事情は『歴史』にとって必須の要素である。ヘロドトスはそのエジプトを素材として、自らの掲げる探究とは何かを具体的に提示しているのではないか。「ここまでは私がこの目で見、思慮をめぐらせ、探究したところを述べてきたけれども、ここからは私が耳にしたところに基づいてエジプト人の話を述べていくこととする」（二、九九、一）。「エジプト誌」はヘロドトスの意図のもと、構成原理の異なるパーツから成る。探究を展開する前半で実験を信奉するプサメティコスを批判するのは当然であろう。二巻冒頭のベコス譚は「物語的歴史」の産物ではなく、あるべき探究の反面教師として配置されたものと言ってよい。

　古代の「歴史家」たちの著作に史実を探るとき、われわれは「歴史」のない世界のものの見方を見落として来なかっただろうか。彼らの著作の意図を踏まえて、彼らの見る世界を見てきただろうか。「探究《ヒストリエー》」が「歴史《ヒストリエー》」を意味するようになり、歴史学の探究が縦横無尽に展開されるようになった昨今、ヘロドトスの『歴史』を今一度『探究』として繙く機が熟しているのではないか。探究に注ぐ眼差しと手法、事態の観察と言語化の手際を学ぶべき時節が到来しているのではないか。ここに新しい古代が像を結ぶ可能性がある。新しい歴史学の天地が開ける可能性もあるだろうか。

問題群 | *Inquiry*

古代オリエント文明の骨格
——都市・農村社会と遊牧部族社会の形成

藤井純夫

本巻で扱うのは、世界史記述の起点となる古代オリエント史と、これに続く古代ギリシア史の二つである。本稿ではその前史、すなわち、新石器時代初頭の食糧生産革命（より広義には、新石器革命 Neolithic revolution）から古代オリエント文明成立直前までの、約五〇〇〇年間の歴史を略述する。文明前史への言及には、歴史叙述の起点として孤立しがちな古代オリエント文明を人類史に連結して定位するという重要な意義がある。そのためには、視野の拡大が必要であろう。本稿では、農耕牧畜集落の出現から、都市の誕生、国家の形成へと至る「肥沃な三日月地帯 Fertile crescent」[1]中心の一線的な通史ではなく、これまでマイノリティとして軽視されてきた周辺遊牧部族社会の動向をも組み込んだ、より包括的な叙述を試みる。

叙述の前半は、文明前史の考古学データが多く蓄積されているレヴァント地方（地中海東岸一帯の地域。現在の国名で言うと、トルコ南東部、シリア、レバノン、イスラエル、パレスチナ自治区、ヨルダンにまたがる地域）に集中する。後半は、メソポタミアに力点を移す。文明前史の五〇〇〇年間にわたって共存し、現在においてもなお並立して中東世界を特徴付けている都市・農村社会と遊牧部族社会——この二つの社会の成り立ちと相互関係に留意しながら、本来、複線的であったはずの文明前史を正しく複線的にたどってみようというのが、ここでの新たな試みである。駆け足の叙述であるから詳細なデータは割愛し、要点のみを記す。

一、農耕牧畜の始まり(先土器新石器時代B)

西アジアの北半には、二〇〇―二五〇ミリ以上の年間降水量を持つ、冬雨型の丘陵地帯が広がっている。この「肥沃な三日月地帯」(2)に、コムギ・オオムギの粗放天水農耕とヤギ・ヒツジの日帰り放牧を生業基盤とする農耕牧畜集落が現れたのは、紀元前九〇〇〇―前八〇〇〇年頃のことである[図1]。西アジア考古学の時代区分でいうと、先土器新石器時代B(PPNB: Pre-Pottery Neolithic B, 紀元前九〇〇〇―前六五〇〇年頃)の前半が、これに相当する[図2]。それ以前には、原人ホモ・エレクトゥスによる「出アフリカ」(=入ユーラシア)から起算して約一八〇万年、新人ホモ・サピエンスによる二度目の「出アフリカ」から数えても十数万年に及ぶ、永い旧石器時代があった。

食料生産革命の経緯

食料生産革命の予兆は、旧石器時代の終盤から認められる。後に栽培化または家畜化された野生動植物の多くは、遅くともナトゥーフ文化(Natufian, 紀元前一万三〇〇〇―前一万年頃)の段階には、主要な食料の一つとして広く利用されていた。この時代には小型の集落も出現しており、植物性食物の収穫や加工に際しては、鎌や石臼などの農具がすでに用いられていた。続く先土器新石器時代A(PPNA: Pre-Pottery Neolithic A, 紀元前一万―前九〇〇〇年頃)には、依然として野生動植物の利用段階でありながらも、数ヘクタール規模の集落が形成されている。ティグリス川中流のテル・ムレイベット(Tell Mureybet)やヨルダン渓谷中部のイェリコ(Jericho)は、この時期の代表的な集落遺跡である。

先土器新石器時代Bの農耕牧畜は、数千年に及ぶこうした助走・試行段階を経て徐々に成立した。したがって、食料生産「革命」という用語は、変化の大きさを強調してはいても、そのスピードまで示唆しているわけではない。

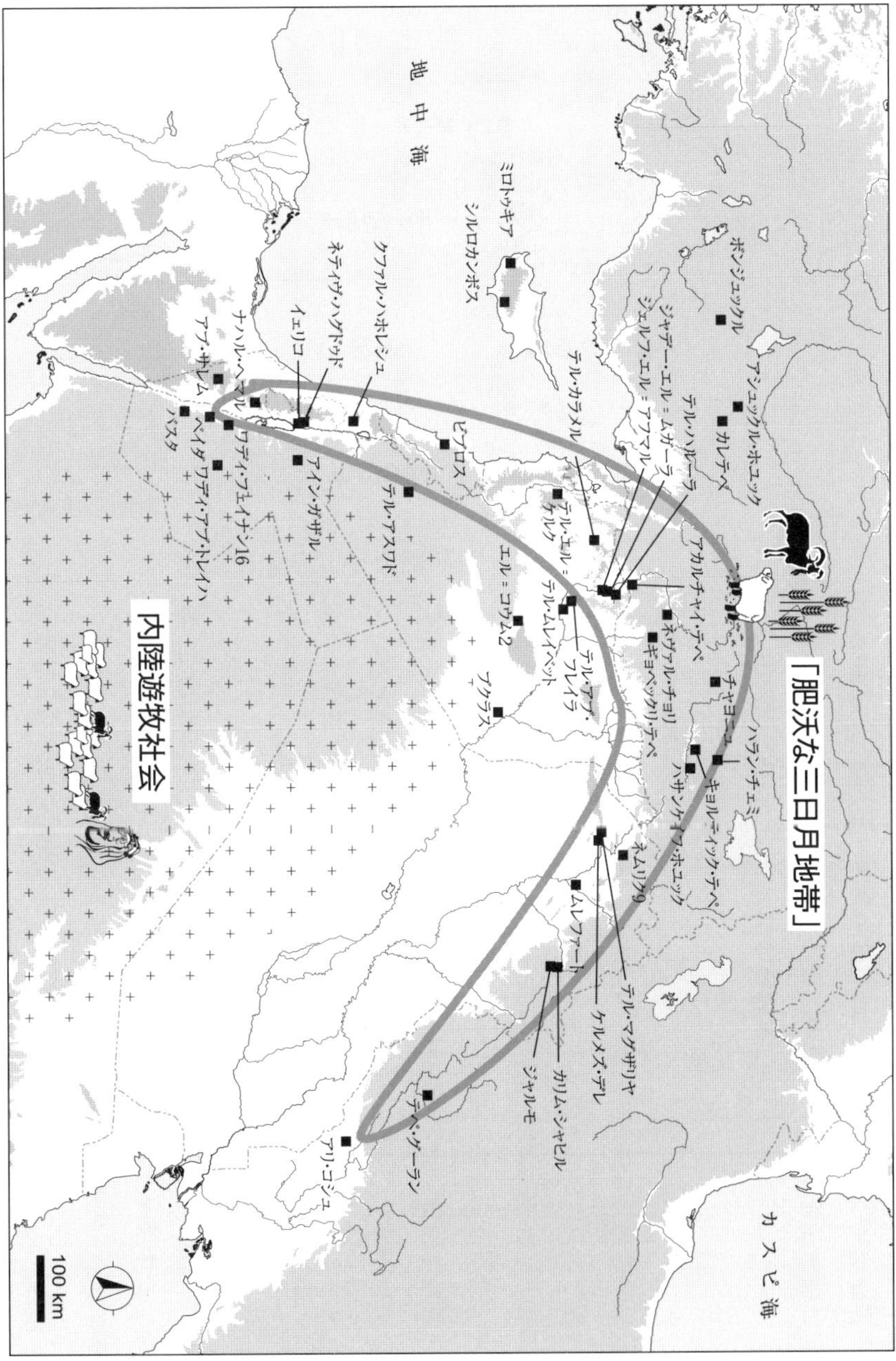

図1　西アジア先土器新石器文化の集落分布

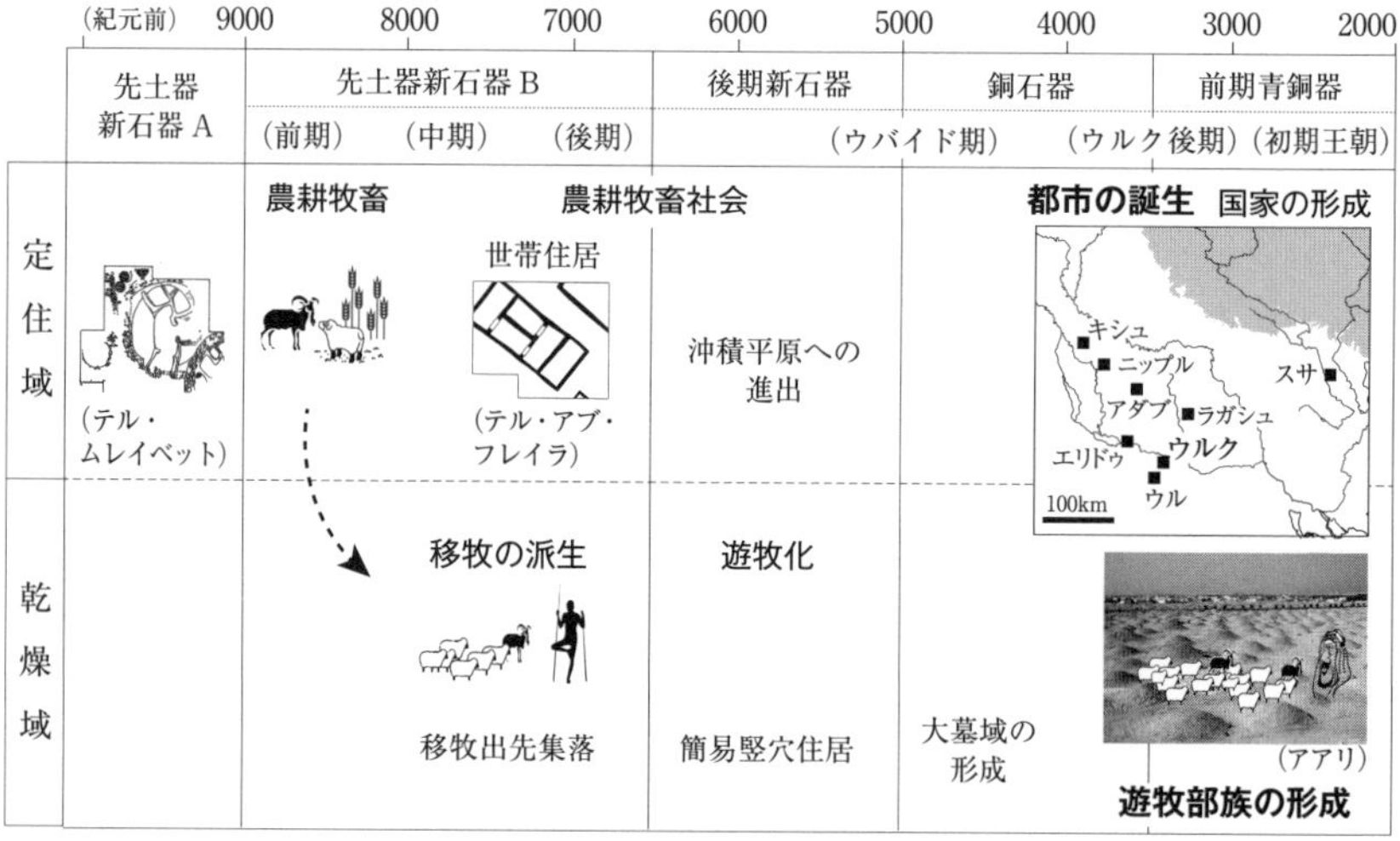

図2 西アジア文明前史の大きな流れ

事実、「革命」後しばらくの間は、野生動植物の利用が食料獲得活動の中で大きな比重を占めていた。

栽培コムギ・オオムギや家畜ヤギ・ヒツジが集落出土の食物残滓の大半を占めるようになったのは、先土器新石器時代Bの後期(紀元前七五〇〇—前六五〇〇年頃)、特にその後半になってからである。この段階からは、家畜のウシやブタも加わった。各種の農具も、この時期に出揃っている(有村 二〇一〇)。一方では、集落の大型化・固定化が加速し、シリア北西部のテル・エル＝ケルク(Tell el-Kerkh)やヨルダン高原のアイン・ガザル('Ain Ghazal)のように、面積一〇ヘクタール以上、家屋数にして数百戸規模の「巨大集落」(mega-settlement)が、出現している(常木 一九九五)。旧石器時代の狩猟採集民が数十名程度の小型血縁集団(バンド組織)を単位に移動生活を送っていたことと比べると、これはきわめて大きな変化と言える。大規模集団による定住生活は、人類という生物の生存様式を一変させた。

世帯住居の成立とバンド社会の解体

集落の規模だけでなく、その構成要素にも大きな変化が認められる(藤井 二〇〇一:一四四—一四六頁)。旧石器時代バンド組織に特徴的な大小二種の単室円形遺構群から、両者を一つ屋根の下に統合した矩形複室遺構への変遷が、それである[**図2上段**]。この変遷は、食物加工、調理、摂食、貯蔵、道具製作、休息、就寝などの主な活動を、バンド組織単位から各世帯単位に分解・再統合したこと、つまり世帯住居の成立を意味している(藤井 一九九七)。

遺構型式の変化の背後には、世帯耕作地の成立があると考えられる。バンド組織内で共有されていたコムギ・オオムギなどの生育場所が、農耕の進展とともに共同の耕作地となり、やがては世帯別の耕作地へと変質していったことが、世帯住居成立の直接的な動因であろう。ムギ畑と家畜放牧との密接な関係からすれば、家畜群についても同様の変化があったと推測できる。

耕作地(および家畜群)の世帯所有化は、資源の共有を基本とするバンド社会の解体を招いた。その意味では、先土器新石器時代Bの後期からが本当の農耕牧畜社会と言えるであろう。ただし、この変化はまだ始まったばかりで、住居床下への埋葬や頭蓋骨崇拝などの呪術的な集団祭祀は、依然として根強く残っていた。こうした精神面も含めて、バンド社会からの完全な離脱が始まったのは、集落外墓域が形成された後期新石器時代以降と考えられる。

西アジア新石器時代の農耕牧畜起源論

西アジア新石器時代における農耕牧畜の起源については、オアシス仮説や人口圧仮説など、様々な意見が提示されてきたが、明確な解答はまだ得られていない(藤井 二〇〇一：二六一二九頁)。おそらくは、今後もそうであろう。農耕牧畜の起源が、自然環境はもとより、人の側の社会・文化・心理・認知共感能力、さらには両者間の歴史的関係性をも含めた超高次元の事象と判明した以上、特定の要因に基づく因果論的な起源論は、もはや成立しそうにないからである。当面有望なのは、旧石器時代の終盤から先土器新石器時代Aにかけて進行した複雑社会狩猟採集民による定住化過程の再評価であろう(本巻三宅論文)。これを中心にその前後の事象連鎖を洗い直し、因果論としてではなく、あくまでも複雑系の中の全体的なベクトルとして、農耕牧畜に至る経緯を整理し直す必要がある。その作業は、現在進行中である。

二、移牧の派生(先土器新石器時代B)

先土器新石器時代B後期の「肥沃な三日月地帯」で農耕牧畜社会への移行が始まると、その影響は直ちにその外側にも及んだ。定住域の本村と周辺乾燥域に設けた小型出先集落との間を、家畜を連れて季節的に往復する移牧(pastoral transhumance)が、始まったのである。

移牧の背景

移牧開始の一因は、定住域本村における農牧分離の必然性にあったと考えられる。そもそも先土器新石器時代Bの農耕牧畜集落には、穀物栽培と家畜放牧との間で土地の利用が競合するという厄介な問題が、当初から潜在していた(藤井 二〇二二:一一〇頁)。なかでも穀物の播種季や登熟季には、是非とも家畜の群れを遠ざけておく必要があった。この問題は、耕作地や家畜群の規模が大きくなればなるほど深刻化するわけで、しばらくの間は日帰り放牧の距離延長で対処するとしても、最終的には農牧の季節的分離へと向かわざるを得ない。その意味では、先土器新石器時代B後期における農耕牧畜の進展こそが、逆に集落の家畜群を周辺乾燥域に押し出したとも言えるであろう。

移牧出先集落

移牧のための乾燥地出先集落が最初に発見されたのは、ヨルダン南部、ジャフル盆地のワディ・アブ・トレイハ遺

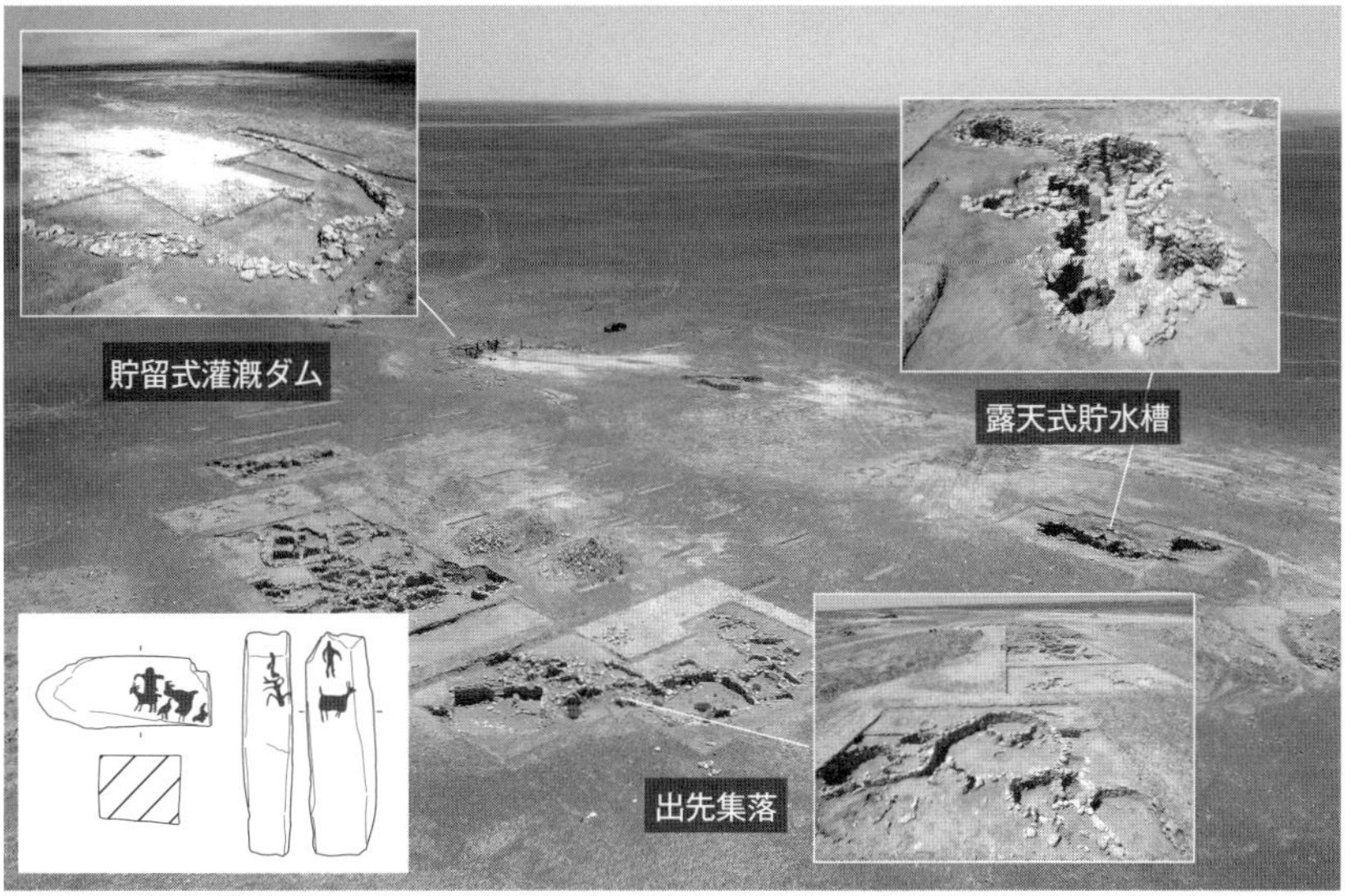

図3　先土器新石器時代Bの移牧出先集落(ワディ・アブ・トレイハ遺跡，ヨルダン，北西上空から)

跡(Wadi Abu Tulayha)においてである(Fujii 2013: 55-59)。この遺跡は、「肥沃な三日月地帯」の南西端に位置するベイダ(Beidha)やバスタ(Basta)などの定住集落から五〇キロほど内陸に入った礫沙漠に位置しており、三つの建築要素で構成されている[図3]。中心となるのは、遺跡の北半を東西にのびる全長約一〇〇メートルの線状集落である。第二は、集落の南を流れる小型ワディの北岸に掘られた露天式の貯水槽(面積約三〇平方メートル、床深約二メートル)である。その下流には、第三の要素であるU字形の石造ダム(堤長約一二〇メートル、堤高約〇・五メートル)が位置していた。先土器新石器時代Bの移牧出先集落における貯水槽・ダムの発見は、西アジアの大規模水利技術が後期新石器時代の大河川下流域における農業灌漑に始まったという従来の定説を完全に覆した。

　線状集落は一〇件前後の遺構群によって構成されていたが、それらは同時に建造されたのではなく、(壁面の切り合い・接合関係などから見て)総じて東から西へと順次更新されていったと考えられる。したがって、各時点における実際の居住人口は集落の最終的な見かけよりもずっと少なく、数十人程度であったと推定される。また、多くの遺構に見られる一時的な入口封鎖の風習は、この集落が特定の季節にのみ居住されていたことを示唆している。この地域における冬雨型の降水パターンから見て、春から初夏にかけての数カ月間の居住が予想される。

この季節的な出先集落から、家畜ヤギ・ヒツジの骨が出土した(Hongo et al. 2013)。これらは、「肥沃な三日地帯」の内側に位置する本村から移牧によって連れ出された個体であろう。事実、出先集落から出土した岩刻画には、移牧先での放牧の光景が表現されていた[**図3左下**]。ただし、集落出土動物骨の大半はガゼルやノウサギなどの野生動物で占められていたので、移牧以上に狩猟が盛んであったと考えられる。集落出土の石器にも、狩猟具や解体具が多数含まれていた。移牧出先集落での狩猟には、本村周辺における動物資源の枯渇を補うという意味があったと考えられる。

この出先集落に飲料水を供給していたのが、露天式の貯水槽である。その最大貯水量は五〇トン前後と算定されるが、これは、数十名程度の小集団による季節的な居住を支えるには十分な量であろう。一方、U字形のダムは、平坦地の砂質土壌を広く、浅く、冠水させるように設計されていることから、狭義の貯水施設ではなく、(地表流水を一旦堰き止めて地中に含浸させ、その後の蒸散を利用して作物を育てる)貯留式灌漑農耕用の堰であったと考えられる。この遺跡の移牧民が小規模な灌漑農耕を営んでいたことは、出先集落からの出土遺物に、コムギ・オオムギ・マメ類などの栽培植物の炭化種子や、鎌刃・石臼・摺石などの農具が含まれていることからも裏付けられる。

移牧出先集落の運営を支えていたこの「農耕・牧畜・狩猟」三位一体型の生業は、定住域本村のそれを圧縮して持ち込んだものと考えられるが、狩猟の比重が大きいという点が本村との大きな違いである。これに関連して注目されるのが、小型円形単室遺構を中心とするバンド組織的な遺構構成である。この二つの事実は、当時の移牧が本村の構成員全員ではなく、(移牧と狩猟に携わる)青年男子を中心に行われ、そのため復古的な(いわば、若衆宿的な)集落運営がなされていたことを示唆している。本村と異なり、ダム冠水域内の小規模な耕作地も、おそらくは共同利用されたのであろう(実際、分割するほどの面積はない)。定住域の本村では失われつつあったバンド社会の輪郭が、移牧の局面で擬制的に復活していたのである。このことは、後の遊牧化を考える上でも重要である。

移牧出先集落の意義

移牧出先集落の発見は、「肥沃な三日月地帯」の内側だけに限定されていた西アジア新石器文化の考古学的景観を、内陸乾燥域に向かって大きく拡大した。類似の小型集落は、ジャフル盆地北東のワディ・グワイール一六号遺跡(Wadi Ghuweir 16)でも確認されている(Fujii et al. 2011)。この出先集落にも、やはり露天式の貯水槽と貯留式灌漑農耕用の石造ダムが伴っていた。このほか、ダムだけで構成された遺跡も、数件確認されている。これらは、移牧出先集落の離れ耕作地と考えられる。移牧出先集落の発見は、「定住農耕」対「遊牧」という従来の二項対立的な遊牧起源論に代わって、定住集落からの移牧、移牧からの遊牧という、より連続的な立論を可能にした。

三、農耕牧畜社会の拡大(後期新石器時代)

再び「肥沃な三日月地帯」の内側に戻って、その後の展開を追ってみよう。後期新石器時代(Late Neolithic, 紀元前六五〇〇—前五〇〇〇年頃)の定住域では、先土器新石器時代Bの終盤に成立した農耕牧畜集落の再編が始まった。巨大集落が解体する一方で、メソポタミアの沖積平原に新たな集落が進出し、その一部が後に都市へと発展していったのである。

巨大集落の解体

集落再編の一因は、気候の乾燥化であろう。後氷期の西アジアは、一時的な「寒の戻り」であるヤンガー・ドリアス期(Younger Dryas Episode, 紀元前一万一〇〇〇－前九五〇〇年頃、Alley et al. 1993)を除いて、総じて温暖化・湿潤化の傾向にあったと考えられている。その環境下で先土器新石器時代Bの農耕牧畜が始まったわけであるが、後期新石器時代初頭からの乾燥化(8.2ka event)は、この流れを反転させた(Bottema 1995)。西アジアのようにもともと降水量の少ない地域では、わずかな乾燥化が植生全体の大きな変化を引き起こす。巨大集落の解体やメソポタミア沖積平原への進出は、この文脈の中で理解することができる。

もう一つ考えられるのが、先土器新石器時代B後期の初期農耕村落が抱えていた内部的な矛盾である。世帯を基本単位とする村落社会への移行は、集落内に依然として潜在していたバンド組織的な社会統合とはもともと相容れないものであった。巨大集落はこの矛盾の中で急成長したわけであるが、巨大化によってその矛盾が露呈したとも言える。新天地としてのメソポタミア沖積平原への進出は、そのはけ口となった。

沖積平原への進出

メソポタミア低地への進出は、遺跡の考古学的景観を一変させた。水利に関係した新たな景観としては、サマッラ文化(紀元前六三〇〇－前五七〇〇年頃)のチョガ・マミ遺跡(Choga Mami)に見られる灌漑水路や、同じくサマッラ文化のテル・エッ＝サワン遺跡(Tell es-Sawwan)で確認された土塁・環濠などがある。また、ウバイド後期のテル・アバダ遺跡(Tell Abada)では、大型の住居内に複数の倉庫が組み込まれており、灌漑農耕による農業生産力の拡大を裏付けている。

遺跡景観の変化という点では、集落外墓域の出現も重要である。先土器時新石器代Bの集落では住居床下への二次埋葬が主流であったことと比較すると、集落外共同墓地への一次埋葬は、それまで曖昧であった冥界と世俗世界との区分が明確になったこと、すなわち真に世俗的な集落が成立したことを意味している。後期新石器時代における世俗集落の出現は、それに先行して成立した世帯住居と共に、文明形成の第一歩となった。

当然、出土遺物の内容も一変した。旧石器時代から中心を占めていた狩猟用の石器が衰え、代わって鎌刃や脱穀橇用の橇刃、農耕用の耕起具などの農業関連石器が主流を占めるようになった。土器の出現も、この時代の大きな特徴である。メソポタミアの南北を広く覆ったウバイド式の彩文土器は、その代表例である。この時代以降、衰退した石器に代わって、土器の様式が時代区分の指標となった。

西アジア農村の原風景

後期新石器時代の集落では、周囲に世帯単位の農地と共同利用の墓地が広がり、それらを横切って各世帯の家畜が日帰り放牧に出て行くという、西アジア農村の原風景が現出した。旧石器時代バンド社会からの離脱が進み、名実ともに世帯を単位とした農村社会が成立したのである。なお、この時代には首長制を示唆するような大型の建造物や威信財はまだ確認されておらず、社会の階層化は進んでいなかったと考えられている。

エジプトに西アジア型の農耕牧畜文化が広まったのが、この時代である。それまでのエジプトではウシや雑穀を中心とする北アフリカ型の農耕が行われていたが、西アジアにおける集落の再編と後述する遊牧化の進行が、こうした拡散に繋がったのであろう。同様の拡散は、エジプトのみならず、北はトルコ北東部からコーカサス方面へ、東はイラン高原からトルクメニスタン方面へ、南はペルシア湾岸からオマーン半島方面へ、それぞれ向かったことが確認されている。内陸乾燥域を除く西アジアの全域に定住農村が出現したのである。

四、移牧から遊牧へ（後期新石器時代）

気候の乾燥化は、定住社会の再編を促すと同時に、周辺乾燥域の遊牧化をも後押しした。完新世初頭からの湿潤環境が反転したことによって、「肥沃な三日月地帯」の内外が文明期の社会体制へと変貌し始めたのである。遊牧化は、より集約的な農業へと収斂《しゅうれん》しつつあった定住域農村社会の完全弁、バックヤード形成の過程でもあった。

遊牧化の兆候

遊牧化の兆候は、三つの事象に現れている。第一は、移牧出先集落に付属する水利施設の衰退である。ワディ・アブ・トレイハの調査では、貯水槽やダムが沙漠の砂に徐々に埋没し、機能不全に陥ってゆく過程が確認されている。第二は、これに並行して進行した食糧獲得戦略の変化である。同遺跡出土の動植物の分析データは、線状集落の最終段階における穀物利用の低下と野生動植物資源への回帰を示している。第三は、移牧出先集落自体の廃絶である。東から西に向かって順次更新されてきたワディ・アブ・トレイハの線状集落は、南西端の小型遺構を最後に完全に放棄された。これは、この出先集落で数百年にわたって続いてきた移牧の終焉を意味している。

要するに、後期新石器時代初頭からの気候乾燥化が移牧出先集落の生命線である水利施設の機能不全をもたらし、それが飲料水の不足や貯留式灌漑農耕の衰退へと波及、最終的には移牧出先集落自体の廃絶と遊牧への移行を余儀無くした、ということであろう。遊牧化の要因としてもう一つ指摘できるのが、同時代の定住域で進行していた集落再編の影響である。移牧は定住域本村の安定的な運営の下に成り立つ生活様式であるから、本村の再編は移牧を動揺させたに相違ない。

1 ワディ・アブ・トレイハ
2 ハシュム・アルファ
3 ジャバル・ジュハイラ
4 ハラアト・ジュハイラ

図 4　後期新石器時代の初期遊牧民遺跡(ジャフル盆地，ヨルダン)

遊牧化の痕跡

遊牧化の具体的な痕跡も、確認されている(Fujii 2013: 100-103)。中ほどまで砂に埋没した貯水槽に短期逗留した小集団の存在が、それである[図4-1]。床面には浅い炉が設けられ、その傍には石臼が置かれていた。床深約二メートルの貯水槽が半分埋まれば、隣接出先集落の竪穴住居と同じ深さになる。それを仮の住居に見立て、キャンプしたのであろう。炉から出土した炭化物の放射性炭素測定年代は、この出来事が移牧出先集落の廃絶直後、すなわち先土器新石器時代Bの後期末に起こったことを裏付けている。

これに後続するのが、ジャフル盆地の最も内奥で発見された後期新石器時代初頭の小型キャンプ遺跡、ハシュム・アルファ(Khashm ʻArfa)である(Fujii et al. 2017)。このキャンプは、数件の竪穴円形住居と、同じく数件の屋外炉で構成されており、家畜ヒツジ骨とともに狩猟用の石器を多く出土した[図4-2]。竪穴住居の代わりに岩陰を用いていることを除けば、ジャバル・ジュハイラ遺跡(Jabal Juhayra)も、同様である[図4-3]。これらの事実は、ジャフル盆地の初期遊牧民が移動の先々で簡易の竪穴住居を建てていたこと(または岩陰を利用していたこと)、その移動はバンド組織レベルの小集団を単位に行われていたこと、そしてこの段階になっても依然として狩猟が盛んに行われていたこと、を示している。その意味では、移牧と同様に、最初期の遊牧には旧石器時代的な生活様式への部分的回帰という側面があったことになるが、家畜を伴っている点がそれとの決定的な違いである。

先史遊牧民の考古学的可視性

ところで先史遊牧民には、「考古学的可視性」(archaeological visibility)という厄介な問題がつきまとっている(藤井 二〇〇〇)。遊牧民はテントを携えて小集団で移動し、その際に携行する持ち物も少ない。そのため、彼らは遺跡を形成せず、仮に形成しても考古学的に捉えることは難しいのではないか、という議論である。

この前提に立つと遊牧民考古学は成り立たないことになるが、事実は異なる。ハシュム・アルファ遺跡の竪穴住居は、テント以前の遊牧民の存在を実証している。竪穴住居の上屋に皮革やフェルトなどが用いられた可能性はあるが、これは天幕やロープの張力を利用して立てる本来のテントではなく、旧石器時代から続く単なる小屋掛けであろう。このような石囲いの小屋掛け簡易住居は、青銅器時代の遊牧民まで広く用いられている。したがって彼らの足跡は、この面から十分に捕捉可能である。そもそも本格的な毛織テントの製造や利用には紡錘車や機織り機などの道具のみならず、運搬用の大型家畜も必要であるが、後期新石器時代の遊牧民にはその証拠は認められない。

水利施設の存在も、初期遊牧民の考古学的可視性を保証している(Fujii 2020)。移牧時代と異なり、初期遊牧民は、キャンプ地から離れた遠隔地にもそれを配置している。その分、件数も増えている。型式的には貯水槽への一本化が進んだが、これはダム冠水域内での貯留式灌漑農耕がもはや維持できなくなったためであろう。このような変化があったとはいえ、先行する移牧出先集落から乾燥地適用型の水利技術を継承したことが、円滑な遊牧化に繋がったと考えられる。

もう一つ重要なのが、ジャフル盆地のハラアト・ジュハイラ(Harrat Juhayra)やカア・アブ・トレイハ(Qa' Abu Tulayha)で発見された「擬集落」(Pseudo-settlement)である[図4-4]。擬集落とは、移牧出先集落の外観を模した祭祀用の擬似集落のことを言う。この特異な建造物は、相似形の基本ユニット(止面壁にケルンを伴う矩形住居型の擬似墓)を横方向に順次継ぎ足していくことで形成されており、初期遊牧民のリーダーの地位継承儀礼に用いられた集団祭祀施設と考えられている(藤井 二〇〇九：五二五―五三二頁、Fujii 2013: 70-77)。移牧民の段階では本村にのみ集団祭祀施設が認められたが、それが乾燥地でも独立して建造されるようになったことは、遊牧社会成立の一つの証と言える。ちなみに、地位継承儀礼に特化した集団祭祀施設は、遊牧社会でのみ確認されている。その意味で、擬集落は血縁重視の遊牧社会に特有の祭祀遺構と言えるであろう。類例は、北はシリア中部のビシュリ山系から南はサウジアラビア北西部のタブーク高原まで、「肥沃な三日月地帯」外側の乾燥域に広く分布しており、遊牧化が各地で並行して進んでいたことを示唆している。同じ地域に密集する大型の追い込み猟施設、カイト・サイト(Kite site)も、初期遊牧民が運営していたと考えられる。

遺物の存在も、初期遊牧民の考古学的可視性を担保している。ハシュム・アルファ遺跡でも見たように、後期新石器時代の遊牧民は、依然として狩猟用・解体用の石器や、竪穴掘削用の土掘り具、ビーズ製作用の砥石・石錐などを多用していた。やや後の銅石器―前期青銅器時代の遊牧民も、羊毛刈り用の板状石器(タブラー・スクレイパー Tabular scraper)を日常的に用いていた。装身具も引き続き製作され、その一方では、威信財としての石製・銅製棍棒頭などが新たに加わっている。先史遊牧民が考古学的痕跡を残さないというのは、遺物の面から見ても、大きな誤解である。

五、都市・農村社会の形成(銅石器時代―前期青銅器時代)

「肥沃な三日月地帯」内側の文明前史を年代的にも、また内容的にも締めくくるのは、メソポタミア編年で言うウバイド後期(前五三〇〇―前三八〇〇年頃)からウルク後期(前三三〇〇―前三一〇〇年頃)までの約二〇〇〇年である。後期新石器時代に始まった沖積低地への進出が農業生産の飛躍的拡大となって結実し、終盤には都市や文字記録システムのような文明の諸要素が出揃う。これに伴い、先土器新石器時代以来の文化の拡散方向が反転し、メソポタミア南部からその四方へ都市の文化が逆流し始めた。

農業生産の拡大

ウバイド後期(ウバイド3―5期)の文化は、南北メソポタミアを中心に、北はアナトリアの南東部から、南はイラン南西部やペルシア湾岸地域まで、西アジアの中心域を広く覆った。この時代には、後期新石器時代に一旦は縮小した集落の規模が回復し、例えばキシュ(Kish)やエリドゥ(Eridu)、ウル(Ur)のように、新石器時代の巨大集落に匹敵するものも現れた。

メソポタミア南部で農業生産が飛躍的に拡大したのも、この時代である。メソポタミアやエジプトは天然の資源が乏しいにもかかわらず文明が興隆した、というのが古代オリエント文明に言及する際の常套句であるが、事実は異なる。第一に、農業生産の三大要件である耕作土、水、太陽光は、他の地域に優って、無尽蔵にあった。降雨量こそ不足していたものの、大河川の流水はそれを補って余りあった。後には塩害という問題が惹起したとはいえ、圧倒的な農業生産力はそれだけでも十分に文明の基盤となり得た。

加えて、魚や水鳥などの水産資源、粘土や砂、石灰岩、葦、瀝青《れきせい》などの建材、優れた建材であると同時に最強の果樹でもあるナツメヤシ、膨大な数の家畜もあった(唯一、不足していたのが銅、銀、ラピスラズリなどの鉱石・貴石類であるが、これは遠隔貿易によって輸入された)。沖積地開拓のタイミングも良かった。先土器新石器時代末からの世帯経済は、家族のための意欲的な開拓を後押ししたと考えられる。

神殿の登場

後のメソポタミア文明を特徴付ける神殿の建築も、この時代から始まっている。シュメール最古の都市の一つであるエリドゥでは、ウバイド期以降の各層で同じ場所に神殿が建て替えられ、およそ二〇〇〇年間に及ぶ神殿建築史をたどることができる(岡田 二〇〇〇:一三三―一三四頁)。これは神殿の建つ土地自体が聖地とみなされたためであるが、同じことは後述する遊牧部族の大墓域についても言える。一方、首長の住まいらしき大型の遺構はウバイド期にはまだ確認されておらず、次のウルク期になって初めて登場している。神殿の先行は、メソポタミア文明の初期に特徴的な神権に基づく社会統合を裏付けている。

都市の誕生

ウルク後期には、世界最古の都市、ウルク(Uruk)が誕生した。総面積約七〇ヘクタール(後に約二五〇ヘクタールにまで拡大)にも及ぶ都市域の中には、複数の神殿が建ち並んでいた。ウルクの後、やや遅れて、エリドゥやニップル(Nippur)などの、シュメール諸都市がこれに続いた。これらの都市は人と富、情報の結節点として、やがては公権なるものの培養・拡大装置として、周囲の農村を巻き込みながら大きく成長していった。この成長が、西アジアを文明の次元へと押し上げたのである。

都市の出現は、神権と並ぶ世俗権力の台頭の過程でもあった(王の神格化による両権力の統一は、アッカド王朝第四代の王、ナラム・シン以後のことである)。その証拠となるのが、初期王朝期の王宮に先立つ首長館・行政館の出現である。実例は、北メソポタミアのガウラ遺跡第Ⅸ層(ウルク中期)などで確認されている。

この時代には、社会の階層化も進行した。それは、墓の構造・型式の違いや、副葬品の格差(特に銅製品などの威信財の有無)などに現れている。専業集団の出現も、階層化を裏付ける。高速回転ロクロを用いた陶工集団の存在は、その一例である。これ以外にも、織物工房、木工所、印章・ビーズの製作工房などが確認されている(小泉 二〇〇一)。首長館や専業工房の出現に応じて、都市の街区も整備された。

文字記録システムの発明

ウルク後期には、世界最古の文字記録システムも発明された。ウルク遺跡の第Ⅳa層(ウルク後期)と第Ⅲ層(ジェムデト・ナスル期)から出土した、およそ五〇〇〇枚もの(一部に絵文字を含む)楔形文字粘土板文書が、それである。ウルク古拙文書と総称されるこの時期の粘土板文書は、その大半が神殿に貢納する家畜や穀物などの種類と数量を記録した出納簿であった。この事実は、神殿を中心とする都市の経済が出納簿を必要とするまでに拡大・複雑化していたことを示している。逆に言えば、そのような事態に対処するために文字が発明されたとも言える。出納の業務に当たった役人や書記の存在も含めて、ウルク後期はまさに文明直前の段階にあった。

こうした農産物の管理の痕跡は、新石器時代にまで遡ることができる。その証拠となるのが、多くの初期農耕村落から出土した封泥・封球、またはそれらに押印・封入された様々な形の小粘土塊(通称、トークン)である。このトークンには、文様のないプレーン・タイプと、刻み文様を入れたコンプレックス・タイプがあり、後者から線描の絵文字やその発展形としての楔形文字が生まれたと考えられている(Schmandt-Besserat 1992)。文明前史の五〇〇〇年間が、楔形文字を育てたのである。

ウルク・ワールド・システム

ウルク後期文化のこうした先進性がより広い文脈で発揮されたのが、ウルクを中心とする広域交易網、別名「ウルク・ワールド・システム」(Algaze 1993)である。主要な交易路の一つであったユーフラテス川沿いには、ハブバ・カビーラ南(Habuba Kabira)やジャバル・アルーダ(Jabal Aruda)のような中継地植民都市が造営された。遠距離交易で搬入された品目の中心は、アナトリアやイラン方面からの銀鉱石・銅鉱石である。メソポタミアからは、穀物や毛織物などが搬出された。これを技術的に支えていたのが、舟や荷車などによる水陸大量輸送の発達である。ウルク・ワールド・システムは、(圧倒的な農業生産力を背景に王権へと成長しつつあった)強大な首長権によって独占的に運営されたと考えられている。国家形成にとっての遠距離交易の意義が強調されるのもそのためであるが、システムの基本概念である「中心」と「周縁」の対比がどの程度まで適用可能かは、議論が分かれている(小泉 二〇一六)。

ウルク・ワールド・システムに似た文明への胎動は、エジプト先王朝時代ナカダⅡ期の大集落、ヒエラコンポリス(Hierakonpolis)でも観察されている。この集落では、初期の神殿やエリートの墓地が確認されており、王権への途上にあったことが窺える(本巻馬場論文)。この時代のエジプトも、エン・ベゾール(En Besor)やテル・エラニ(Tell Arani)のような交易拠点を、東地中海世界との中間点に配置していた。

六、遊牧部族社会の形成(銅石器時代−前期青銅器時代)

「ウルク・ワールド・システム」の外側では、それに呼応するかのように、遊牧部族の形成が進んでいた。そのことを示唆するのが、遊牧化の初期段階(後期新石器時代–銅石器時代前半)には見られなかった乾燥地大墓域の出現である。この現象はペルシア湾南岸地域で最も顕著に認められ、バハレーンのアアリ('Ali)、アラブ首長国連邦のジャバル・ハフィート(Jabal Hafit)、オマーンのバート(Bat)などの遺跡では、数百–数千基の墳墓の密集が確認されている。湾岸以外では、例えばサウジアラビア北西部のワディ・グバイ(Wadi Ghubayy)や、ヨルダン南東部のワディ・グワイールなどの遺跡で、同様の大型墓域が調査されている。

大墓域形成の背景

大墓域形成の直接的な原因は、人口の増加であろう。その背景には、8.2ka イベントからの回復途上で到来した後氷期の「気候最適期」(ヒプシ・サーマル期、紀元前五〇〇〇–前三〇〇〇年頃)による降水量の増加があったと考えられる。様々な技術革新も、人口の増加を後押しした。例えば羊毛刈り用の板状石器やミルク攪拌用の土器(チャーン churn)の普及は、家畜二次産品の利用拡大を裏付けている。一方、家畜囲いの複室構造化は、母子隔離を含む家畜管理技術の発達を示唆している(谷 一九九七)。この他、深井戸の掘削に代表される水利技術の発達もあった。湾岸地域では、漁労と海上交易という新たな生業も、人口の増加に寄与した。

しかし、単純な人口増加以上に重要なのが、「被葬者層の拡大」と「埋葬の個別化」である。同じ規模の集団であっても、リーダーだけが埋葬される場合と、集団の構成員全員がそれぞれ個別に埋葬される場合とでは、墳墓の総数にたちまち数十倍–数百倍の差が生ずる。両者の中間には、例えば(集団のリーダーに加えて)世帯の家長も単独で埋葬される場合や、家長とその家族が一つの墳墓に合葬される場合など、様々なバリエーションも想定される。大墓域形成の背景には、こうした葬制の変化もあったと考えられる。

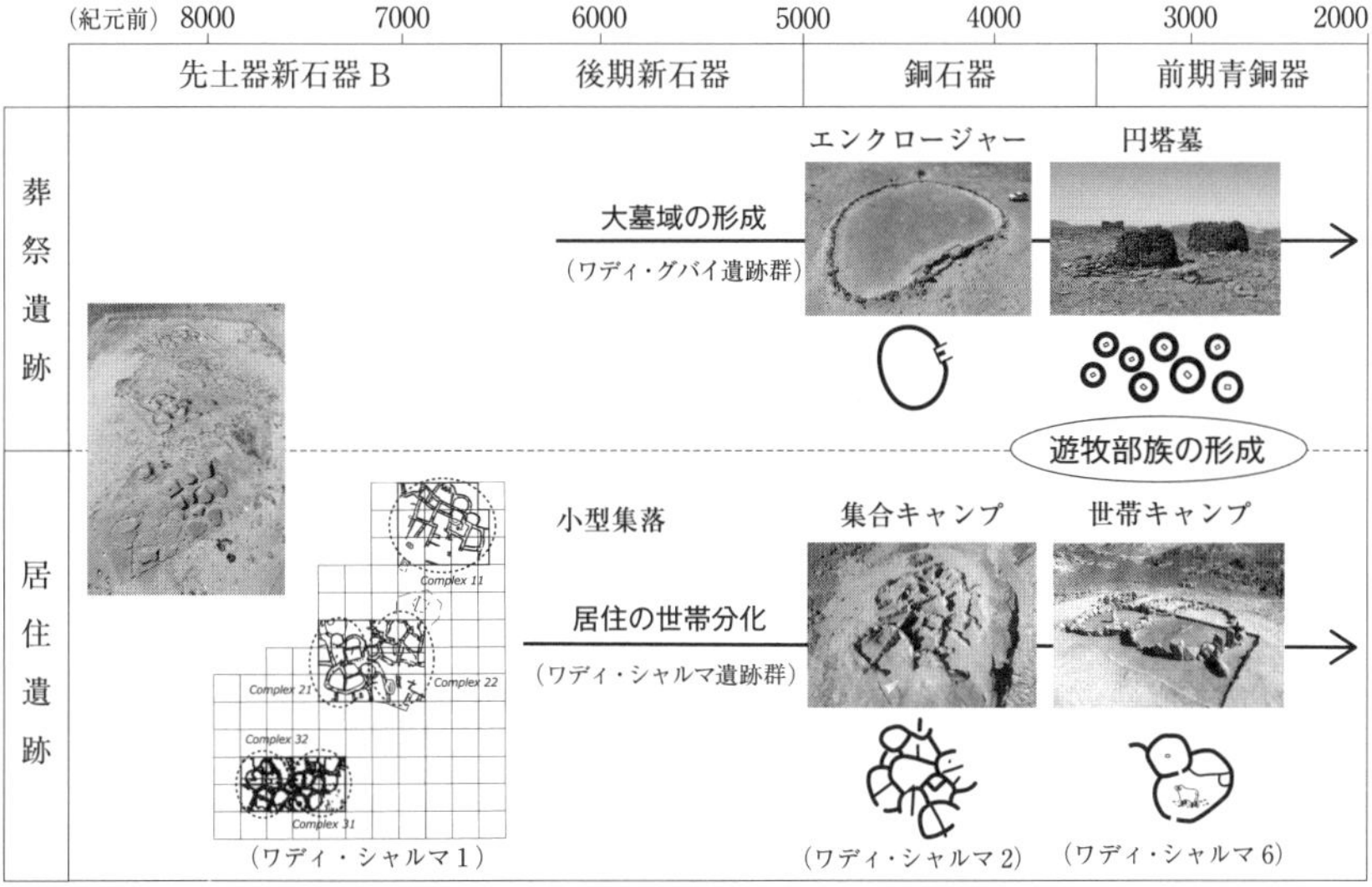

図5　遊牧部族の形成過程（サウジアラビア北西部）

大墓域形成のプロセスと世帯放牧の成立

遊牧民墓域における被葬者層拡大のプロセスは、サウジアラビア北西部のワディ・シャルマ遺跡群（Wadi Sharma）やワディ・グバイ遺跡群で追跡することができる［図5］。この地域では、銅石器時代後半の円形葬祭遺構（エンクロージャーEnclosure）から前期青銅器時代の円塔墓（Tower tomb）への墓制変遷が確認されているが、前者が大型かつ一遺跡に一―二件だけであるのに対して、後者は小型で数十件に及んでいる。したがってこの墓制変遷は、葬祭の単位が地域の遊牧民集団からそれを構成する各世帯へと分解・縮小していったことを示している。

集団から世帯への単位分解は、実生活の面でも認められる。ワディ・シャルマ地区の居住遺跡の場合、ワディ・シャルマ一号遺跡（先土器新石器時代Bの小型集落、面積約〇・一ヘクタール）から、同二号遺跡（銅石器時代の小集団キャンプ、約五〇―一〇〇平方メートル）を経て、同六号遺跡（前期青銅器時代の世帯キャンプ、家畜囲いとしての前庭を除いて約三〇平方メートル）への変遷が確認されている。居住単位の分解・最小化は、集団放牧から世帯放牧への変化を暗示している。

部族による新たな社会統合

大墓域は、このタイミングで出現した。したがってそれは、集団から世帯へと単位分解した遊牧社会の、(「部族」という新たな輪郭に基づく)再統合の象徴と見なすことができるであろう。大墓域の内部構造も、部族の形成を裏付ける。先述のワディ・グバイ遺跡群では、世帯単位の葬祭遺構十数基が集まってクラン(部族の下位集団としての氏族)単位の小墓域を形成し、その小墓域が十数件集まって部族単位の大墓域を構成している(Fujii et al. in press)。この墓域構造は、遊牧部族に特徴的な分節的社会構造を反映している。遊牧社会の部族制は、世帯経済に単位分解した後の社会の再統合という意味で、同時代農村社会の首長制に呼応するものと考えられる。

「ウルク・ワールド・システム」の縁辺部には、こうした遊牧部族社会が出現していた。ヨルダン東部沙漠の遊牧民遺跡で発見されたウルク土器は、ラクダ以前の遊牧部族民による沙漠横断交易を実証している(Müller-Neuhof 2021)。同じことは、レヴァント地方から北メソポタミアにかけて広域分布する羊毛刈り用石器からも言えるであろう。やや後に興隆したペルシア湾・インド洋方面の海上交易を担ったのも、漁労民化した遊牧部族民であった。

七、古代オリエント文明へ(前期青銅器時代後半)

ウルク期以後のメソポタミアは、移行過程としてのジェムデト・ナスル期を挟んで、初期王朝、アッカド王朝、ウル第三王朝へと進んだ(本巻柴田、唐橋論文)。先王朝後のエジプトも、初期王朝(第一―第二王朝)から古王国(第三―第六王朝)へと展開した(本巻近藤、馬場論文)。この間の動向は、都市国家群から領域国家群を経て統一王朝へと至る過程、つまり王権による社会統合の過程と要約することができる(前川 一九九八、前田 二〇一七)。それはまた、都市による周辺農村の併合過程、すなわち都市・農村社会の形成過程でもあった。

文明期の遊牧部族社会

これに対峙していたのが、周辺乾燥域の遊牧部族社会である。ただし、この時代においても両者は常に連動していた。その典型が、シュメール語でマルトゥ(MAR.TU)、アッカド語でアムル(Amurru)と総称された西セム系の遊牧部族民による、メソポタミア定住域への浸透・移住である。東方からはグディ人も侵入し、アッカド王朝崩壊の一因となった。人口の流入だけではない。やや後には、バビロンやマリ、バハーレンなどに、アムル系の王朝が成立した。しかし、これは文明期だけの現象ではない。粘土板文書の蛮族侵入史観では常に文明の破壊者、簒奪者として言及される遊牧民であるが、乾燥域から定住域への人口流入は、その逆の流出とともに、後期新石器時代から連綿と続いていたのである。マルトゥやアムルはその末裔であって、古代文明が発明した文字記録によって初めてその名が書き留められたにすぎない。

おわりに

定住域の都市社会と周辺乾燥域の遊牧部族社会――新石器時代の初頭から五〇〇〇年にわたって築かれてきた農村社会にこの二つが新たに加わった時点から、西アジアは文明へと突入していった。他の地域がそうであったように、都市と農村だけでも文明には到達したであろう。しかし、遊牧部族社会を欠く古代オリエント文明は、我々の知る古代オリエント文明とはまったく別のものになっていたはずである。その意味では、遊牧部族社会の共存こそが古代オリエント文明に独自の奥行きを与えたとも言えるであろう。

同じことは、現代の中東社会にも当てはまる。近代化に伴う国民国家への統合の一方で、遊牧部族社会は、実態としても、また集団ないしは個人のアイデンティティの拠り所としても、依然としてその命脈を保っている。都市・農村社会も、遊牧部族社会という融通無碍な相互補完装置に手こずりながらも、決して手放そうとはしていない。中東社会の持つこの特殊な奥行きが、我々の中東理解を困難にしているのである。

こうした視点から西アジアの文明前史を見直す必要がある、というのが本稿冒頭の提案であった。同じ提案は、四半世紀前の『岩波講座 世界歴史』(藤井 一九九八)でもしたが、その段階では先史遊牧社会の調査データが乏しく、仮の展望を示すにとどまった。今回は、筆者自身の調査データを組み入れ、記述の複線化を図ったが、複線の織りなす動態の理解にまでは至っていない。筆者が担当することはもうないだろうが、次回の出版では、複雑系としての文明前史がより良い形で叙述されることを願っている。

注

(1)「肥沃な三日月地帯」は、シカゴ大学のエジプト学教授、ブレステッド(James Henry Breasted 一八六五―一九三五年)が、二〇世紀の初頭に提唱した歴史地理学的概念で、本来は古代オリエント文明を構成する都市遺跡の分布範囲を指していた。その後、ほぼ同じ域内で(後期)新石器時代の集落遺跡が発見されたため、「肥沃な三日月地帯」は農耕牧畜の起源にまで遡って適用可能な、汎用性の高い用語として拡大利用されるようになった。ところが、第二次世界大戦後の調査によって、(後期新石器時代に先行する)先土器新石器時代Bの農耕牧畜集落が発見され、その分布がブレステッドの言う「肥沃な三日月地帯」よりも標高の高い丘陵地に集中することが判明したため、用語の示す範囲に混乱が生じた。そのため、本稿では二通りに使い分けている。前半は(新石器革命の舞台を指す用語として)西アジア北半の丘陵地帯に対して用いており、後半では(古代オリエント文明の揺籃地を指す用語として)南半の沖積平原に適用している。この使い分けは、遺跡分布が時代によって大きく変動したイラク方面では不可欠である。一方、変動幅の小さかったレヴァント地方の場合は、厳密な使い分けは必要ない。

（2） 本稿では、古代のメソポタミアからエジプトまでの地域一帯を指す歴史地理的名称として古代ギリシア語起源の「オリエント」を用い、そのような名称の存在していなかった先史時代の記述には単純な地理名としての「西アジア」を用いる。

参考文献

有村誠（二〇一〇）「西アジア先史時代のムギ農耕と道具」『ムギの自然史——人と自然が育んだムギ農耕』北海道大学出版会。

岡田保良（二〇〇〇）「古代メソポタミアの宗教建築」『世界美術全集 東洋編』第一六巻、小学館。

小泉龍人（二〇〇一）『都市誕生の考古学』同成社。

小泉龍人（二〇一六）『都市の起源——古代の先進地域＝西アジアを掘る』講談社選書メチエ。

谷泰（一九九七）『神・人・家畜——牧畜文化と聖書世界』平凡社。

常木晃（一九九五）「肥大化する集落——西アジア・レヴァントにおける集落の発生と展開」『文明学原論』山川出版社。

藤井純夫（一九九七）「西アジア初期新石器文化における住居遺構の判定基準——件数比・面積比・活動痕跡」『住の考古学』同成社。

藤井純夫（一九九八）「「肥沃な三日月地帯」の外側——ヒツジ以前・ヒツジ以後の内陸部乾燥地帯」『岩波講座 世界歴史』第二巻、岩波書店。

藤井純夫（二〇〇〇）「乾燥地考古学の諸問題——一．遊牧民の考古学的可視性」『沙漠研究』第一〇巻四号。

藤井純夫（二〇〇一）『ムギとヒツジの考古学』同成社。

藤井純夫（二〇〇九）「沙漠のドメスティケイション——ヨルダン南部ジャフル盆地における遊牧化過程の考古学的研究」『国立民族学博物館調査報告』第八四巻。

藤井純夫（二〇二二）「「後ろ手に縛る」——食糧生産革命と複雑社会の形成」『レジリエンス人類史』京都大学学術出版会。

前川和也（一九九八）「メソポタミア文明の誕生」『世界の歴史1：人類の起源と古代オリエント』中央公論新社（中公文庫、二〇〇九年）。

前田徹（二〇一七）『初期メソポタミア史の研究』早稲田大学出版部。

Algaze, G. (1993), *Uruk World System: The Dynamics of Expansion of Early Mesopotamian Civilization*, Chicago, University of Chicago Press.

Alley, R. B., D. A. Meese, C. A. Shuman et al. (1993), "Abrupt increase in Greenland snow accumulation at the end of the Younger Dryas event", *Nature*, 362.

Bottema, S. (1995), "The Younger Dryas in the eastern Mediterranean", *Quaternary Science Reviews*, 14-9.

Fujii, S. (2013), "Chronology of the Jafr prehistory and protohistory: A key to the process of pastoral nomadization in the southern Levant", *Syria*, 90.

Fujii, S. (2020), "Late Neolithic cultural landscape in the al-Jafr Basin, southern Jordan: A brief review in context", *Studies in Ancient Art and Civilization*, 24.

Fujii, S. (2020), "Pastoral nomadization in the Neolithic Near East: Review from the viewpoint of social resilience", *Resilience and Human History: Multidisciplinary Approaches and Challenges for a Sustainable Future*, Singapore, Springer Nature Singapore Pte Ltd.

Fujii, S. (in press), "Transition in settlement form at the Wadi Sharma sites and its correlation with pastoral nomadization in NW Arabia", M. Luciani (ed.), *Mobility in Arabia*, Wien, Austrian Academy of Sciences Press.

Fujii, S., T. Adachi, M. Yamafuji, and K. Nagaya (2017), "Khashm al-'Arfa: An early Neolithic encampment in the eastern Jafr Basin, southern Jordan", *Annual of the Department of Antiquities of Jordan*, 58.

Fujii, S., L. A. Quintero, and P. J. Wilke (2011), "Wadi Ghuweir 17: A Neolithic outpost in the northeastern al-Jafr Basin", *Annual of the Department of Antiquities of Jordan*, 55.

Hongo, H., L. Omar, H. Nasu, P. Krönneck, and S. Fujii (2013), "Faunal remains from Wadi Abu Tulayha: A PPNB outpost in steppe-desert of southern Jordan", *Ancient Near Eastern Studies Supplement Series (Archaeozoology of the Near East X: the Proceedings of the 10th ASWA Meeting)*, Leuven, Peeters.

Müller-Neuhof, B. (2021), "The smoking Gun? An Uruk deposit from the Black Desert in Jordan", *Klänge der Archäologie: Festschrift für Ricardo Eichmann*, Wiesbaden, Harrassowitz Verlag.

Schmandt-Besserat, D. (1992), *Before Writing: From Counting to Cuneiform*, vol. 1, Austin, University of Texas Press.

問題群｜*Inquiry*

古代メソポタミアにおける神々・王・市民

柴田大輔

はじめに

紀元前四千年紀、南メソポタミア(現在のイラク南部)の南西部に位置するウルクにおいて、多くの住民を束ねた行政組織——あるいは人類最古の「国家」——が成立し、前三五〇〇年から前三二五〇年にかけての時期には、この行政組織における物資の出納を記録する手段として、人類最古の文字である楔形文字の原型が発明された(1)。楔形文字は様々な言語を表記する文字システムとして徐々に発展し、紀元後一世紀ごろに放棄されるまでメソポタミアを中心とする古代西アジア世界において広く用いられ、当時の社会と文化を築く「基底」になった。この楔形文字の発明と放棄が古代メソポタミア史の起点と終点になる。

本稿の課題は、古代メソポタミア世界に生きた人々が育んだ社会、そして勃興した国家の様相を論述することだが、四〇〇〇年に近い歴史のなかで広大な地域に展開した多様な社会と国家の具体的な変遷の詳細を限られた紙幅で説明することはできない。よってここでは、都市、神殿、王宮という三つの制度に着目し、地理的には特に南メソポタミアにフォーカスを当て、諸問題に関する現在の研究状況を踏まえながら、簡単な見取り図を提示したい。また前四・

三千年紀の状況を考慮しつつも、力点は前二・一千年紀に置く。

一、都市と市民

古代メソポタミア文明はしばしば都市文明と呼ばれるように、その成立と発展には都市という居住形態が極めて重要な役割を果たした。都市の外側にも小規模な農村があり、後で紹介する季節遊牧を生活の基盤にした人々なども数多く活動していたものの、都市は地域社会のハブになり、また広い領域を統治した諸国家も都市をその主たる支配基盤にしていた。

都市はシュメール語でイリ(iri)、アッカド語でアール(ム)(*ālu(m)*)と呼ばれたが、両語とも小規模な集落から大都市までを包括する居住地の一般名詞であり、「都市」に相当する当時の言葉はない。都市は更地に新造されるケースもあったが、多くの場合、人々は以前から存続していた居住地に住み続け、その結果、盛り上がった居住地の堆積である遺丘のうえ、あるいはその周りに都市が建設されることになった。都市は周囲を市壁で囲まれ、市壁には複数の市門が設けられた。中世以降の西アジア都市と同様、しばしば内部の居住地はこれらの市門を元に区画分けされ、シュメール語でダグゲア(dag-ge4-a)、アッカド語でバーブトゥ(ム)(*bābtu(m)*)などと呼ばれた街区に分けられた――アッカド語のバーブトゥ(ム)は「門」を意味するバーブ(ム)(*bābu(m)*)から派生した語である。また一つの区域には、同じ社会階層や職業の人々――例えば後述する聖職者や起業家など――が集住する傾向もあったようだ。このような都市中心部の外側には後背地が広がり、そこには耕作地――麦畑、菜園、果樹園――のほか、大小の居住地も点在していた。通常の農村に加え、軍略上の拠点には都市を防衛する砦、都市に繋がる主たる水路や陸路に面した位置には商人の居留地などが建造されることもあった。さまざまな手工業の工房の区域も時代と地域によっては市壁の外に築かれたようだ(van de Mieroop 1997: esp. 63-100; Charpin 2015: 193-220)。

都市住民の民家は日乾煉瓦で建てられた。中庭を中心とした建築が主流であり、中庭の周りに居間や応接間、あるいは浴室や台所などの部屋が配置された。居間には家族の祭壇が設けられ、さらにその地下には家族墓が築かれることもあった。一方、家屋の外壁には出入り口のほかには窓が設けられず、外側から隔離された私的な生活空間を形成していた(Miglus 1999)。次節で論じるように、神殿や王宮も基本的には同様の建築様式をしていた。個々の家屋のサイズは区画によって大きく異なり、例えばウルにおいて発掘された前二千年紀前半の一般居住地区では最大の家屋でも一七〇平方メートルに留まる一方、ラルサで発見された同じ頃の居住地区の場合は家屋の平均サイズが五〇〇平方メートルに及んでいた(Charpin 2015: 197-199)。

こういった家屋はシュメール語でエ(e_2)、アッカド語でビートゥ(ム)(*bītu(m)*)と呼ばれた。ただし両語ともに建物としての「家」だけではなく、そこに住んでいた人々、すなわち家族とその使用人からなるハウスホールド――世帯、家政組織――も指し、このようなハウスホールドこそが古代メソポタミア社会を構成する基本単位になっていた。古代メソポタミアのハウスホールドは明らかな父系であり、夫が家父長的な世帯主となった。妻は結婚によって夫の住居に転入し、遺産も原則として父系で相続された。単婚が主流であり、また、一軒の家屋には一つの核家族とその使用人たちが居住したように、核家族が中心になった(Postgate 1992: 88-138; Charpin 2015: 193-220)。

後ほど詳述するようにメソポタミアの都市には神殿と王宮という大組織があり、時代と地域によってその規模は異なるものの、多くの人々が組織に帰属していた。しかし、遅くとも前二千年紀初頭には組織から社会的・経済的に独立した市民層も形成されていた。こういった都市の自由民にも当然ながら明確な貧富の差、そして社会階層があった。たとえば前二千年紀前半では奴隷を除く都市住民が少数の上層市民(*awīlum*)と数多くの平民(*muškēnum*)に分けられており、その社会的地位には大きな差異があった。『ハンムラビ法典』においても両者に対する量刑は大きく異なっている(中田 一九九九)。さらに、裕福な市民たちは少数ながらも奴隷を所有することもあった。奴隷はその主人の「所有物」となったが、前一千年紀のバビロニアのように奴隷が所有者のために交易などの経済活動を統括することもあった(Molina et al. 2009-11; Jursa et al. 2010: 232-240)。

独立生計を営んでいた市民たちは多かれ少なかれ耕地や果樹園・菜園を市壁の内外に持ち、耕作していたようだ。奴隷に耕作させる、あるいは小作に出すことも多かった。裕福な市民は商会を起こして交易や貸金などのさまざまな事業を営むか、あるいは、投資家としてほかの商会の事業に出資し、配当金を得ることもあった。市民によるそのような事業の詳細が判明している事例に、前一九世紀前後における都市国家アッシュルの交易商会(本巻山田論文参照)、前六世紀前後の南メソポタミア諸都市における商会などがある。後者では、バビロンのエギビ家などといった裕福な一族が複数の都市にまたがる大きな商会を組織し、さまざまなビジネスを展開していた。当時、南メソポタミアを支配していた新バビロニア帝国やアケメネス(ハカーマニシュ)朝ペルシアによる租税の取り立ての代行業などである(Jursa et al. 2010: 153-315, 766-768)。こういった商会は一族経営を基本とし、そこでは女性の構成員が経営に関わる重責を担うこともあった。

このような都市の外側にも多くの人々が居住しており、都市住民とも交流していた。なかでも特筆すべきは季節遊牧を生活の基盤にしていた人々である。彼らは多くの羊とともにキャンプ生活を行っており、季節の変遷、特に雨季と乾季の交代に伴い、牧草地を求めてその居住地を大きく移動させた。このような遊牧者は武装して都市を襲撃することもあった。季節遊牧者自体は時代を通じて活動していたものの、特定の時期にそのような襲撃が目立つ。その代表が前二〇〇〇年前後と前一〇〇〇年前後であり、前者ではアムル系、後者ではアラム系の遊牧集団が都市を襲撃し、当時の領域国家——ウル第三王朝とアッシリア王国——の支配を脅かした。両ケースとも、襲撃に成功した遊牧集団の一部は征服した都市に定住するか、もしくはその近郊に新しい居住地を建造し、さらには国家を形成するようになった。前二千年紀前半のアムル系諸王国——その中にはハンムラビ王のバビロンも含まれる——、そして前一千年紀前半のアラム系諸王国である。これらの国家はときに都市と遊牧集団の両方に立脚していた。このような季節遊牧者の社会構成においては部族的紐帯が極めて重要な役割を果たし、それは都市に定住した遊牧者とその子孫、そして彼らの国家も同様だった。特に前二千年紀前半のアムル系諸王国による抗争では、それぞれの王国の王家が帰属する部族系統が肝要であり、同系統の王国が同盟を結ぶ、さらには亡国の王族を亡命者として庇護することも多かった(Durand 2004; Shibata 2023)。

小規模な集落から大都市に至るまで、居住地の有力市民たちはアッカド語でプフル(ム)(*puḫru*(*m*))などと呼ばれた民会を組織しており、それを中心とした一種の自治組織が形成された。[2]「都市」を意味する語が実質的にこのような自治組織を指すこともあった。そういった自治組織に直接由来する史料は少なく、その実情は必ずしも詳らかにはならないものの、さまざまな史料に散見される自治組織への言及は、自治組織が時代を通じて遍在しており、都市などの居住地のローカル・ガバナンスはこういった自治組織に委ねられていたことを明示する。強大な領域国家が国土を統治していた時代も同様であった。例えば前八・七世紀のアッシリア帝国は古代西アジア史上でも有数の強大な権力を掌握していたが(本巻山田論文参照)、その統治下に置かれた南メソポタミアの諸都市においては市民の自治組織が機能していた。それらの自治組織は単なる受け身の非支配層ではなく、たとえばバビロンやニップルのような南メソポタミア古都の自治組織は帝国とも交渉し、税を優遇する特権などを認めさせていた(Barjamovic 2004)。さらに小規模な都市国家の中には、その領主の権限が弱く、市民の自治組織が国家のガバナンスにおいて明確なイニシアティヴを握っていた事例も知られている。北メソポタミア(現在のイラク北部とシリア東部)の事例だが、前一九世紀前後の都市国家アッシュル、前一四・一三世紀にユーフラテス川大湾曲部に栄えた都市国家エマルなどである。

後で触れるとおり、古代メソポタミアに興った国家はおおむね王宮組織を基盤とする王制によって統治され、その中には前一千年紀のアッシリア帝国やアケメネス朝ペルシアのような強大な中央集権国家も含まれる。それを表層的に理解したがために、専制的な「古代オリエント」(古代西アジア)と民主的な古代ギリシアの対比がことさらに強調されてきた。このような対比が西欧中心主義の産物であることは広く知られているとおりだが、対比は単に西欧中心主義的なだけではなく、歴史的な事実に照らしても的を外している。

二、神殿と神々

楔形文字文書が伝える古代メソポタミアの宗教伝統は、典型的な多神教的神観に基づく。神々は、コスモロジカルな「自然」の構成要素の神格化——太陽などの天体、天空や淡水、冥界、あるいはエビフ山(現在のジェベル・ハムリン)のような特定の場所・地形——、そして、人間の文化・社会的領域——戦争や性愛など——の統括者としての性格を持った。このような神々は諸都市の神殿において祀られ、それら祀られた神々の頂点に立った大神が特定の都市の守護神として崇められた——ウルクのイナンナ神などである。

神殿は古代メソポタミア文明の全ての時代を通じて存立していた。「宗教的」と性格づけられる施設の事例は新石器時代まで遡るが(本巻三宅論文参照)、以下に紹介するメソポタミアの神殿に該当する最古の事例は、前六千年紀の中頃から後半に年代づけられるエリドゥの試掘坑 XVII 層で発見された建築遺構である(Safar et al. 1981: 86-87)。前四千年紀ウルクの行政組織も何らかの形でその守護神イナンナの神殿と関係していたと推測されている(3)。時代を下ってメソポタミアがセレウコス朝やアルサケス(アルシャク)朝の支配下に置かれたヘレニズム時代や古代末期になっても、バビロンやウルクの神殿組織はメソポタミア文明の最後の継承者として存続しており、これらの神殿組織の滅亡とともにメソポタミア文明は終焉を迎えた(Clancier 2009)。

神殿はシュメール語やアッカド語で「家」と呼ばれた。たとえばニヌルタ神の神殿であれば、「ニヌルタの家」と表記された。ほか、個々の神殿あるいは神殿内の聖所には主としてシュメール語で綴られた固有の祭儀名も与えられた。バビロンのマルドゥク神殿のエサギル(「頭を上げる家」の意)などであるが、こちらも常に「……家」と名付けられた(George 1993)。

神殿は原則として都市の内部に築かれ、なかでも都市の守護神を祀った神殿は市内の中心付近に建造される傾向にあった。ほかの建築物と同様に神殿も改築・再建されたが、同じ位置における再建が明確に意識され、事実、数千年以上にもわたって同じ場所に何度も再建された神殿址が発掘によって出土している(Heinrich 1982; Miglus 2011-13)。

神殿建築はほかの一般家屋より遥かに大きく、また複雑だったものの、基本的な建築様式は一般家屋と共通していた。多くの部屋の中でも最も重要な場所は主神を祀った至聖所であり、神殿正門から中庭を抜けて内奥へと向かう一連の部屋の端に位置していた。中庭から至聖所に入る戸口への立ち入りは祭儀の執行者、あるいは至聖所での仕事が必要な金細工師などの一部の職人にのみ許されており、前一千年紀にけそれらの有資格者とその職務・地位がまとめて「神殿に入れる者」(*ērib-bīti*)と呼ばれた(van Driel 2002: 88-90)。大神殿ではこのような主神の至聖所のほか、主神の「親族」や「家来」などに連なるさまざまな神々、あるいは精霊や妖怪、さらには王の像や大祭で用いられた神の戦車や貴重な粘土板などの重要な「物品」が祀られており、その神殿の祭儀的パンテオンを形成していた。大都市における守護神の神殿の場合は遅くとも前二一世紀以降、このような神殿建築の隣にアッカド語でジックラトゥ(*Ziqqurratu*)などと呼ばれた高層建築も建設され、その頂には主神のさらなる聖所が築かれた。神殿建築の境内の外側にも、神殿組織に帰属する施設が設けられたほか、街角に小さな祠や社のような聖所が作られ、庶民のより身近な場所で神々が祀られていた。

神殿では多種多様な祭儀が執り行われていたが、それらの祭儀は大きく日々の祭儀、月々の祭儀、そして年間の決まった時期に催された大祭に分けられる(Sallaberger 1993; Waerzeggers 2010: 111-152)。日々の祭儀の中心は神々への供物の献上である。供物の内容はビールやパンのほか上等な焼き肉などであり、これらの供物は、祭儀の指示書などに明記されているように、神々の「食事」(*naptanu*(*m*)など)とみなされた。なお、神殿の供物のためには羊などの動物も供えられたが、屠畜という行為自体には特別の意味——たとえば「罪の贖い」など——は一切なかった。古代メソポタミアでも厄災回避の技法などで厄災を呪術的に肩代わりさせた動物を殺害することがあったが、神殿の供物はこのような儀礼的殺害とは明確に区別された。月々の祭儀の方では、神々の像に着せられていた衣服の交換、あるいは神々の像の沐浴などが執り行われた。このように神殿における定期的な祭儀は神々の衣食住の世話と性格づけることができ、事実、当時の表現でも神殿祭儀は神々の「扶養」(*zinnātu*(*m*)など)と表現された。ただし、年間の決まった期日に執り行われた大祭は少し趣が異なる。大祭ではしばしば神々の像が神殿建築の外に持ち出され、神像を伴う行進が市内を練り歩いた。さらには都市を出て市外の祭儀施設、あるいはほかの都市の神殿まで神像を車や舟で運ぶ祭儀もあった。このような神殿外での大祭は都市住民も見物でき、さらに国家の政治神学にとって重要な神の大祭には王も参加した(Shibata 2021: 50-57)。ただし、古代メソポタミアの神殿では近隣住民による定期的な共同礼拝は行われなかった。この点が、後代の西アジアに成立した宗教的な施設であるシナゴーグや教会、モスクと決定的に異なる。

神殿には多様な職種の人々が勤務しており、その頂点には、神殿行政を統括する管理職が就いた。この管理職のもとに行政の実務担当、そして祭儀を執り行う狭義の祭司たちが在職していた。清祓《きよはらえ》の担当や聖歌僧などの専門職もおり、そういった専門職を含む祭司たちの中には高度な教育を受けた学僧も多かった。一方で住民の参加する共同礼拝が行われなかったため、祭司達は地域住民の指導者としての役割は担わなかった。前二千年紀前半まではさまざまな女性祭司が史料に登場し、さらに多くの神殿において修道女たちが生活していたことも判明している。しかし、以後の時代は僅かな例外を除き、女性祭司は史料から姿を消す(Waerzeggers 2010: 49-51)。さらに神殿は、祭儀に必要な物品を準備する職人も擁していた。供物として捧げられた料理に用いるパン、ビール、肉料理などを準備するパン職人、醸造職人、屠畜職人など、そして、楽器などの祭具や、神像の衣類・装飾品、時には神像そのものを仕上げた木工職人、石工職人、金細工職人などである。ほか、門番や清掃人なども勤務していた。これらの職員も祭儀に関与しており、後述する聖職禄には当該の職務も含まれているため、現在では多くの研究者がこういった職員も広義の聖職者に含めている。神殿組織の最下層では、土木作業や農作業などの労務を担う数多くの労働者が働いていた(Waerzeggers 2010: 33-76; Still 2019)。こういった職員・労働者のほか、神殿は多かれ少なかれ土地と家畜を資産として所有していた。なかでも南メソポタミアの大神殿の資産は巨大であり、その規模はどうやら時代とともに縮小したようだが、社会全体の経済においてある程度の割合を占め続けた。

神殿の職員・労働者は、神々の「家」という呼称が明示するように、神のハウスホールドとして組織されていた。主神の地位は家父長的な「世帯主」に等しく、神殿に勤務した人々は——最上位の管理職を含めて——主神に仕える「家来」・「奴隷」として働いていた。そして、これらの「家来」・「奴隷」が行っていた活動の主幹が、神々の扶養としての祭祀だった。神殿の所有する耕地や果樹園を耕して麦や、野菜、果実を収穫し、それを神殿のパン職人や醸造職人などが調理・加工してパンやビールなどをつくり、また神殿の所有した家畜を神殿の屠畜職人が解体して肉料理を準備した。他方では、屠られた家畜の皮を革職人が祭具などの革製品に加工し、羊からとれる羊毛を織工が衣類に仕立てて神像に着せた。神殿自らが生産できなかった金属、石材、木材などは交易をはじめとする方法で調達され、それらを材料にして金細工師などの職人たちが神殿工房においてさまざまな祭具を仕上げた。このように神殿は組織を挙げて神々の「生活」を支え、また、それこそが神殿の存在意義だった。

一見すると壮大な浪費にも思える活動だが、この活動により神殿に関わる多くの人々の生計が直接あるいは間接に賄われた。まず、供物や祭具などの準備過程において多くの余剰生産が発生した。農作物の収穫は供物の準備に必要な分量をはるかに超え、定期的に刈り取られる羊毛からも必要以上の布地が大量に織られた。そういった余剰生産を元手にして交易なども実施され、特に神殿は織物産業の一大中心地になった。そして何よりも、神々に捧げられた供物自体が神々の「食後」に「余り物」(*rēhātu(m)*)などという名目で関係者の間で分配され、後述するようにそれが神殿組織にとっての重要な鍵になった(Charpin 1986: 304-325)。

では、神殿組織はどのように運営されていたのであろうか。メソポタミアの神殿や王宮は、組織内で消費される全ての物資を組織内で生産する、自己完結した自給自足の経営体として成立したと考えられている(Renger 2003-05; 前田 二〇二〇：一一七一一七六頁)。前四千年紀ウルクの行政組織もそのような経営体として誕生したようだ(Selz 2020)。神殿も前三千年紀まではこの組織形態をしていたと推測されている。つまり、あらゆる職種の神殿職員・労働者は神殿に帰属し、彼らが生産・加工した物資は一度全て神殿組織の中央部に吸い上げられ、その物資をもとに前記の祭祀が実施されるとともに、職員・労働者にはその生活に必要な物資が日々もしくは月々の配給として再分配された。前二千年紀以降においても、「寺男」(*širku*)・「寺女」(*širkatu*)などと呼ばれた労働者は最末期まで神殿の配給に依存する使用人だった。

しかし、このような組織形態は徐々に変化し、遅くとも前二千年紀初頭までには労働者を除く職員とその業務が二種類の方法で外部化しはじめた。一つ目は業務のアウトソーシングであり、個々の業務が外部の業者に委託されるようになった。交易は早い段階から外部の商人に委託されており、家畜の管理と繁殖も外部の牧羊者が請け負っていた。さらに前一千年紀になると、前述した富裕市民の商会などが多くの神殿業務を代行するようになり、神殿経済の根底である農地経営すらも商会に委ねられた。委託された業者は実際の収穫や利益の中から事前に取り決められた数量あるいは金額のみを神殿に渡し、残りは自らの取り分とした(Bongenaar 2000; Jursa et al. 2010: 194-197, 578-579)。

二つ目は広義の聖職者の雇用形態における変化である。すでに前三千年紀末期ごろから一部の専門職の祭司などは配給のほかにもさまざまな報奨を得るようになった。なかでも最も重要な報奨が先述した供物の「余り物」である。この習慣が徐々に制度化し、前二千年紀初頭までには祭儀に関わる聖職者の地位が、その職務を担当し、それに応じた給与をもらう権限になった。祭儀を執り行った祭司職のほか、供物を準備した醸造職や製パン職などが該当し、時代と共に多くの職種に拡大して直接的・間接的に祭祀に関わる職務がこの制度で雇用された。アッカド語では *isqu*（文字通りには「くじ」の意）などと総称されたこの権限を、現代の楔形文字学では「聖職禄」（prebend）と呼んでいる。ある業務の聖職禄の保持者がその業務を遂行し、それに応じた給与を得たのである（Charpin 1986: 251-269; van Driel 2002: 31-151）。この制度によって聖職者は神殿組織から独立し、さらに聖職禄の相続によってそれを保持する聖職者一族が形成された。加えて、聖職者、特に祭儀を執り行った祭司の着任には聖職禄の保持以外にも様々なイニシエーションや身体的・精神的条件が課され、さらにその父も同じイニシエーションを受けていることが要求されたため、聖職者の地位は特定の一族に限定された（Waerzeggers and Jursa 2008）。また、聖職禄を保持する一族同士で婚姻が行われたため、聖職禄を必要とする神殿の職務は特定の聖職者の一族によって独占され、ほかの一族は職務から排除された（Jursa 1999: 34-39; Still 2019: 27-63）。少なくとも前一千年紀には、このような聖職者の一族が神殿の行政・祭祀を実質的に取り仕切り、また名門の旧家となって都市社会における最上層を占めた（Jursa 1999; Jursa 2013）。

神殿における余剰生産、それを元手にした交易、そしてさまざまな寄進によって多くの神殿は蓄財が進み、神殿は都市の財産管理所としての性格も持つようになった。例えば前二千年紀前半には、このような神殿の財産が市民の危機に際して放出され、神殿が市民の経済的なセーフティーネットになっていたことが知られている。当時、太陽神シャマシュなどの神殿はしばしば市民にローンを融通していたのだが、これらのローンは営利的な金融投資などではなく、明らかに困窮者のための慈善活動であった（Charpin 2015: 149-172; Charpin 2017: 61-84）。さらに、『ハンムラビ法典』の三二条から知られるように、神殿は戦争によって捕虜になった市民の身請けの代金の肩代わりを求められることもあった(中田 一九九九：一六頁)。

上述のとおり、神殿の組織形態は時代とともに大きく変化したが、いずれの時代においてもそれぞれの組織形態によって神殿は都市住民の社会的結節点になった。前三千年紀までの南メソポタミアでは都市における住民の少なからぬ割合が神殿か王宮に帰属しており、神殿は都市社会の経済的な統合機関として機能していた。前二千年紀以降においても聖職禄を保持した市民たちは分担して祭祀を担い、その報酬——特に供物の「余り物」——を受け取ることにより、神々を共同で祀る、神殿を紐帯にした祭祀共同体を形成した。時代と地域によっては市民が供物に必要な食材を輪番制で賄い、その分、供物の「余り物」を受け取った制度も知られている(Postgate 1992: 119-122; Sallaberger 2011-13: 523)。前二千年紀初頭のニップルにおけるニヌルタ神殿の定期的な供物の供給制度などである(Sigrist 1984)。ほかにも市民は折に触れて神殿に寄進し、神殿との関係を深めた。市民の自治組織と神殿が有していた具体的な関係については詳らかではないものの、自治組織に関する豊富な史料が発見されている前一九世紀のアッシュルや前一四—前一三世紀のエマルなどのケースは、自治組織と守護神の神殿が密接な関係にあり、協働していた可能性を示唆する(Fleming 2000: 38-42)。さらに、神殿は時代を通じて都市の中心部にランドマークとして立ち続けることによって、都市と市民のアイデンティティをも体現し、そして、政権交代や住民のエスニシティの交代を超えて都市の伝統を継承した。

宗教的施設を結節点にした共同体やアイデンティティの形成の類例は、のちの西アジア世界にも広く認められるが、それらとの差異も見落としてはならない。確かにシナゴーグや教会、モスクのような宗教施設も共同体を形成する社会的・宗教的な紐帯になったが、そこでは定期的な共同礼拝が共同体形成の重要なファクターになった。また、それらの共同体はしばしば特定の宗教的慣行を共有し、それを軸にした自己・他者認識——現代的にいうユダヤ教徒、キリスト教徒、ムスリムなど——を持つようになった。こういった点においてメソポタミアのケースは全く異なる。近隣住民による定期的な共同礼拝は行われなかったため、その共同体形成はのちの宗教施設の場合とは異なる類型によってとらえる必要がある。また、神殿を紐帯とした都市共同体は特定の宗教的慣行の共有を伴わず、例えば「マルドゥク教徒」や「イシュタル教徒」のような自己・他者認識もほとんど進展しなかった。ましてそういった認識に基づく実体的な共同体――教団組織――は成立しなかった（柴田・中町 二〇一八）。

三、王・王宮・国家

少なくとも同時代史料に依拠した実証的な研究がある程度進展している前三千年紀半ば以降、メソポタミアに繁栄した大小の国家は、わずかな例外――前述した都市の自治組織を中心とする小規模な都市国家など――を除くと、全て王制によって統治された。前二四世紀の初期王朝時代末期まで南メソポタミアの領主たちはいくつかの異なる称号を名乗っていたものの（本巻唐橋論文参照）、以後はシュメール語のルガル（lugal、文字どおりには「大きな人」）、そしてアッカド語のシャルル（ム）（*šarru(m)*）が王を指す一般名詞として定着した。王の地位は原則として世襲され、王朝が形成された。

後で詳述するとおり、神学的観点からすると王は神の委託を受けて国土・人民を統治したものの、神を祀る組織である神殿そのものが王の統治機関になったケースは、少なくとも前二三世紀のアッカド時代以降には全くない。シュメール語で「大きな家」を意味するエガル（e_2-gal）、アッカド語ではその借用語エカッル（ム）（*ēkallu(m)*）と呼ばれた王宮こそが統治機関だった。

神殿と同様、王宮の建築も巨大化・複雑化した一般家屋と呼べる。個々の部屋の機能に着目すると、王宮建築は王の居住エリア、謁見エリア、そして行政エリアに大別できる。居住エリアには王のほかにもその家族が住み、そこには多数の側室たちも含まれた。このエリアの地下にはしばしば王族の墓も築かれた。謁見エリアは居住エリアに隣接しており、その玉座の間において部外者は王と対面した。このエリアは王権神学に関する絵画やレリーフ、そしておそらくタペストリーなどで装飾されることが多かった。その代表例がアッシリア王宮を飾ったレリーフである。行政エリアでは国家の統治行政が遂行されたほか、工房などの施設も設けられた(Heinrich 1984; Postgate et al. 2003-05: 233-273)。

守護神の神殿が概ね都市の中心に位置し、その建築場所の連続性が極めて重視されていたのに対し、王宮建築は場所へのこだわりが少なく、広い土地の確保できるところであれば市内のどこにでも建造された。都市中央部が上の町と下の町に分化していた北メソポタミアでは、王宮が下の町に建造されることもあった。さらに、しばしば新しい王宮建築が別の場所に建設され、王宮組織もそこに転出した。アッシリア帝国のように王宮が異なる都市に移転することさえあった。複数の王宮建築が都市内外において同時に並立することも多かった。

王宮建築の一角が王族の居住エリアで占められていたように、王宮は第一に王のハウスホールドであり、王はその家族だけではなく、王宮組織の成員である家臣たちとも家父長的な関係を持っていた。また、神殿と同様に王宮も広大な土地を領有しており、多くの労働者が王宮に帰属して配給を受けていた。その意味で王宮組織も再分配制に基づく自給自足の経営体という性質をある程度持っていたが、そのような性質は時代と共に神殿以上に弱くなった。確かに王宮もその農地を労働者に耕作させる直営農地から多くの収穫を得ていたが、特に前二千年紀以降になると税収こそが王宮の主たる財源になった。また、領有している土地も多くが家臣に与えられ、その分、家臣にはアッカド語でイルク(ム)(*ilku*(*m*))などと呼ばれた労働・軍事の賦役が課された。そのような税収や賦役の形態は時代と地域によって少し異なる。例えば前一千年紀のバビロニアでは税収のほか賦役も銀で支払われるようになり、さらにその徴収も前述の民間商会に委託された(Postgate et al. 2003-05; Jursa et al. 2010: 246-256, 645-660; Charpin 2012: 183-198)。

王宮は単なる「大金持ち」の私邸ではなく、国家、すなわち統治行政の中枢機関だった。何よりも、神殿とは異なり軍隊を統括した。前一千年紀前半のアッシリア帝国のように、軍事に特化した王宮建築が建造されるケースもあった。王宮は都市社会から明確に距離をとり、都市の社会的結節点ではなく統治機構になった。神殿行政とは異なり、王宮行政には都市の上層市民があまり参画せず、官僚には王の親族か、あるいは強力な家族的背景を持たない異邦人が多かった。さらに前二千年紀後半以降、特に前一千年紀には高位官僚における宦官の登用も増えた。このような王宮官僚の人選には何よりも王個人への忠誠を優先することにより、権力を王に集中させる戦略が認められる(Postgate et al. 2003-05; Charpin 2012: 91-111)。

神殿に勤務していた清祓の専門家、あるいは供犠占いの専門家なども宮廷学者として王宮に在職しており、その学識を王個人と国家の政策に活かしていた。彼らの活躍により王宮は神殿と並ぶ知の拠点になった。なお、王宮・神殿に勤務したこれらの学者の伝統には呪術的な技法も含まれるが、だからといってその伝統を「迷信的」と決めつけてはならない。実のところ『ギルガメシュ叙事詩』のような文芸作品の編纂、王の碑文やさまざまな歴史文書の執筆、さらには地中海世界などに継承された高度な自然科学の探求も同じ人々によって担われたのである(Neumann 2012)。

古代メソポタミア世界には多様な形態をした国家が興亡したが、それらの国家は都市国家と領域国家に大別される。都市国家は前述したような都市を一つ統治した国家だが、厳密にいえばそこには当該の都市の後背地も含まれる。領域国家はそのような後背地を超えて領域を統治した国家だが、その場合も都市とその後背地が領土を形成する一つの単位になった——都市と後背地を複数統治した国家といい換えることもできる。無論両方とも理念型であり、実際にはその中間に位置する複合都市国家——例えば前二五—前二四世紀のラガシュ——のような形態、あるいは複数の都市国家が「合従連衡」した同盟も認められる。領域国家による属領統治は、(一)臣従した在地政権にその旧領土の統治を委託し、臣従国の宗主として君臨した間接統治、(二)支配地を行政州に再編成し、そこに中央政府から知事を派遺した直接統治に二分できる(e. g. Postgate 2010: esp. 20-21)。例えば前二千年紀の北メソポタミアの事例ではあるが、前一六世紀ごろと前一五―前一四世紀ごろにそれぞれ成立し、広大な領土を統治していたミッタニ(いわゆるミタンニ)とアッシリアは、前者が主として間接統治、後者が主として直接統治を敷いていた。ただし実際には両統治方法は混在しており、例えばアッシリアも直接統治した中核領土の外側に間接統治した臣従国が広がっていた。ほか、前二一世紀のウル第三王朝が統治した領土の中核地は行政州に分割されていたものの、各地のローカルエリートが知事に就いて統治していた。ただし、軍事権はウルの中央政府が独占し、中央から各地に派遣した将軍たちに軍隊を統括させた(Sallaberger 1999: 190-196)。

王と王宮は概して神殿よりも優位な立場にあり、神殿はしばしば国家の実質的な附属機関になった。例えばウル第三王朝統治下では二代目のシュルギ王による行政改革の一環として、重要な行政州の一つであるラガシュの諸神殿がこの行政州における各地区を管理する地方行政機関になった(Maekawa 1999; 前田 二〇二〇：一三〇―一四一頁)。一五〇〇年後の前六世紀の新バビロニア帝国においても、南メソポタミア諸都市の神殿は王宮の管理下に置かれ、各神殿の最高管理職には王宮から派遣された王の官僚が就いた。この時代に諸神殿はかつてのような大経済組織ではなくなっており、神殿は経済的にも王に依存していた(van Driel 2002: 70-74; Kleber 2008)。

一方、王の方も神学的・祭儀的な観点からその領土統治には神殿の協力を必要としていた。古代メソポタミア世界ではどの地域でも時代を通じて神こそが国土・人民の主と崇められており、王は神の委託を受けたエージェントとして自らの地位の正当性を担保した。そのような王が権威を仰いだ神とは、都市国家や小規模な領域国家の場合は都市(首都)の守護神であり、大きな領域国家の場合は「神々の王」と呼ばれた最高神だった。前二千年紀前半ごろまではニップルに祀られたエンリルこそがそのような最高神だったが、前二千年紀後半ごろからはバビロンの守護神であるマルドゥクなどを最高神に位置付ける神学も発展した。そのような王と神との関係は祭儀的に実現された。ちょうど都市の神殿における祭祀が直接的・間接的に近隣の市民によって担われたように、王が神々の「扶養者」となり、神殿とその祭祀を支えた。王は神殿のパトロンとなって建物のメンテナンスや拡張工事を行ったほか、その国土を挙げて重要な神々の祭祀を運営した。例えばウル第三王朝ではニップルのエンリル神殿をはじめとする神殿の祭祀、アッシリアではアッシュルの神殿祭祀に必要な物資をそれぞれの領土の行政州が分担して用意した——ちょうど都市の神殿に必要な物資を近隣住民が提供したように。王の采配により国中が共同で神々を「扶養」したのである(柴田 二〇一五)。実のところ、このような広い領域、複数の都市による特定の神の共同祭祀は、すでに前四千年紀末におけるウルクのイナンナ祭祀に認められる(本巻唐橋論文参照)。

おわりに

前一千年紀の後半においてメソポタミアの社会は統治体制の推移と共に徐々に、しかし大きく変化していった。新バビロニア帝国がアケメネス朝ペルシアに滅ぼされたあとも、南メソポタミアの主だった都市では前六世紀の社会体制がそのまま継続していたが、クセルクセス(クシャヤールシャン)王治世の前四八四年に南メソポタミアで試みられた大反乱が鎮圧された際に有力一族が放逐され、組織的な断絶が起こった(Waerzeggers and Seire 2018)。この政変をなんとか生き延びたバビロンのマルドゥク神殿、あるいは、むしろこの政変を契機に新しく成立したウルクのアヌ神殿とそれらの神殿の聖職禄を保持した一族などは、アレクサンドロス大王による征服も乗り越え、南メソポタミアがセレウコス朝やアルサケス朝によって統治された時代まで存続していた(第一巻三津間論文参照)。これらの古い神殿共同体はその制度と慣行を維持し、古代の学知と技術をなんとか留めていたが、共同体の外側では、紀元後の西アジア世界を彩る新たな社会集団が勢いを増し、新しい時代の扉を開いていた。

注

（1）長らくこの年代は前三二〇〇年前後に推定されてきたが、ウルクの遺物の再調査により前五・四千年紀の年代が従来の推定よりも二、三〇〇年ほど遡る可能性が高いことが判明した。

（2）概要は van de Mieroop（1997: 118-141）を参照。個別のケースに関しては Seri（2005）ならびに Fleming（2004）（前二千年紀前半）、Barjamovic（2004）（前一千年紀）も参照。主な関連研究は Barjamovic（2004: 50 n. 7）に集められている。

（3）ただし、この歴史時代最初期における行政組織の性格については専門家の間でも見解が分かれており、この組織を神殿と決めつける姿勢には批判もある。例えば Selz（2020）を参照。

参考文献

柴田大輔（二〇一五）「アッシリアにおける国家と神殿――理念と制度」『宗教研究』八九巻二輯。

柴田大輔・中町信孝編（二〇一八）『イスラームは特殊か――西アジアの宗教と政治の系譜』勁草書房。

中田一郎訳（一九九九）『古代オリエント資料集成1――ハンムラビ「法典」』リトン。

前田徹（二〇二〇）『古代オリエント史講義――シュメールの王権のあり方と社会の形成』山川出版社。

（略称 *RlA* = Erich Ebeling et al.（eds.）（1928–2018）, *Reallexikon der Assyriologie (und Vorderasiatischen Archäologie)*, Berlin, De Gruyter.

Barjamovic, Gojko（2004）, "Civic institutions and self-government in Southern Mesopotamia in the mid-first millennium BC", J. G. Dercksen（ed.）, *Assyria and Beyond: Studies Presented to Mogens Trolle Larsen*, Leiden, Nederlands Instituut voor het Nabije Oosten.

Bongennar, A. C. V. M.（ed.）（2000）, *Interdependency of Institutions and Private Entrepreneurs*, Leiden, Nederlands Instituut voor het Nabije Oosten.

Charpin, Dominique（1986）, *Le clergé d'Ur au siècle d'Hammurabi (XIXe–XVIIIe siècles av. J.-C.)*, Paris, Librairie Droz.

Charpin, Dominique（2012）, *Hammurabi of Babylon*, London, I. B. Tauris.

Charpin, Dominique（2015）, *Gods, Kings, and Merchants in Old Babylonian Mesopotamia*, Leuven, Peeters.

Charpin, Dominique（2017）, *La vie méconnue des temples mésopotamiens*, Paris, Les Belles Lettres.

Clancier, Philippe（2009）, *Les bibliothèques en Babylonie dans la deuxième moitié du Ier millénaire av. J.-C.*, Münster, Ugarit-Verlag.

van Driel, Govert (2002), *Elusive Silver: In Search of a Role for a Market in an Agrarian Environment*, Leiden, Nederlands Instituut voor het Nabije Oosten.

Durand, Jean-Marie (2004), "Peuplement et sociétés à l'époque amorrite (I) les clans Bensim'alites", C. Nicolle (ed.), *Nomades et sédentaires dans le Proche-orient ancien: compte rendu de la XLVIe Rencontre Assyriologique Internationale (Paris, 10-13 juillet 2000)*, Paris, Éd. Recherche sur les Civilisations.

Fleming, Daniel E. (2000), *Time at Emar: The Cultic Calendar and the Rituals from the Diviner's Archive*, Winona Lake, Ind, Eisenbrauns.

Fleming, Daniel E. (2004), *Democracy's Ancient Ancestors: Mari and Early Collective Governance*, Cambridge, Cambridge University Press.

George, Andrew R. (1993), *House Most High: The Temples of Ancient Mesopotamia*, Winona Lake, IN, Eisenbrauns.

Heinrich, Ernst (1982), *Die Tempel und Heiligtümer im alten Mesopotamien: Typologie, Morphologie und Geschichte*, Berlin, De Gruyter.

Heinrich, Ernst (1984), *Die Paläste im alten Mesopotamien*, Berlin, De Gruyter.

Jursa, Michael (1999), *Das Archiv des Bēl-Rēmanni*, Leiden, Nederlands Instituut voor het Nabije Oosten.

Jursa, Michael (2013), "Die babylonische Priesterschaft im ersten Jahrtausend v. Chr.", K. Kainut et al. (eds.), *Tempel im Alten Orient*, Wiesbaden, Harrassowitz Verlag.

Jursa, Michael et al. (2010), *Aspects of the Economic History of Babylonia in the First Millennium BC*, Münster, Ugarit-Verlag.

Kleber, Kristin (2008), *Tempel und Palast: Die Beziehungen zwischen dem König und dem Eanna-Tempel im spätbabylonischen Uruk*, Münster, Ugarit-Verlag.

Maekawa, Kazuya (1999), "The 'Temples' and the 'Temple Personnel' of Ur III Girsu-Lagash", K Watanabe (ed.), *Priests and Officials in the Ancient Near East*, Heidelberg, Winter Verlag.

van de Mieroop, Marc (1997), *The Ancient Mesopotamian City*, Oxford, Oxford University Press.

Miglus, Peter A. (1999), *Städtische Wohnarchitektur in Babylonien und Assyrien*, Mainz, Philipp von Zabern.

Miglus, Peter A. (2011-13), "Tempel. B. II", *RlA*, 13.

Molina, M. et al. (2009-11), "Sklave, Sklaverei. A-E", *RlA*, 12.

Neumann, Hans (ed.) (2012), *Wissenskultur im Alten Orient: Weltanschauung, Wissenschaften, Techniken, Technologien*, Wiesbaden, Harrassowitz

Verlag.

Postgate, J. Nicholas (1992), *Early Mesopotamia: Society and Economy at the Dawn of History*, London, Routledge.

Postgate, J. Nicholas (2010), "The Debris of Government: Reconstructing the Middle Assyrian State Apparatus from Tablets and Potsherds", *Iraq*, 72.

Postgate, J. Nicholas et al. (2003-05), "Palast", *RlA*, 10.

Renger, Johannes (2003-05), "Oikos, Oikoswirtschaft", *RlA*, 10.

Sallaberger, Walther (1993), *Der kultische Kalender der Ur-III-Zeit*, Berlin, De Gruyter.

Sallaberger, Walther (1999), "Ur III-Zeit", P. Attinger, and M. Wafler (eds.), *Mesopotamien*, Annäherungen 3: *Akkade-Zeit und Ur III-Zeit*, Freiburg Schweiz, Universitätsverlag.

Sallaberger, Walther (2011-13), "Tempel. A. I. a. Philologisch. In Mesopotamien. 3. Jt. bis 612 v. Chr.", *RlA*, 13.

Selz, Gebhard J. (2020), "The Uruk Phenomenon", K. Radner et al. (eds.), *The Oxford History of the Ancient Near East*, Volume 1: *From the Beginnings to Old Kingdom Egypt and the Dynasty of Akkad*, Oxford, Oxford University Press.

Seri, Andrea (2005), *Local Power in Old Babylonian Mesopotamia*, London, Equinox.

Safar, Fuad et al. (1981), *Eridu*, Baghdad, State Organization of Antiquities and Heritage.

Shibata, Daisuke (2021), *Šu'ila: Die sumerischen Handerhebungsgebete aus dem Repertoire des Klagesängers*, Wiesbaden, Harrassowitz Verlag.

Shibata, Daisuke (2023), "Assyria from Tiglath-pileser I to Ashurnasirpal II", K. Radner et al. (eds.), *The Oxford History of the Ancient Near East*, Volume 4: *The Age of Assyria*, Oxford, Oxford University Press.

Sigrist, Marcel (1984), *Les šattukku dans l'Ešumeša durant la période d'Isin et Larsa*, Malibu, CA, Undena Publications.

Still, Bastian (2019), *The Social World of the Babylonian Priest*, Leiden, Brill.

Waerzeggers, Caroline (2010), *The Ezida Temple of Borsippa: Priesthood, Cult, Archives*, Leiden, Nederlands Instituut voor het Nabije Oosten.

Waerzeggers, Caroline, and Michael Jursa (2008), "On the Initiation of Babylonian Priests", *Zeitschrift für Altorientalische und Biblische Rechtsgeschichte*, 14.

Waerzeggers, Caroline, and Maarja Seire (eds.) (2018), *Xerxes and Babylonia: The Cuneiform Evidence*, Leuven, Peeters.

コラム | *Column*

シュメール語とアッカド語

唐橋 文

いつの時代も古代西アジアでは複数の言語が用いられていた。そのなかで、最も古い文字記録が残るのがシュメール語とアッカド語である。これら二つの言語の名称自体は、それぞれ、šumeru（シュメール）、akkadû（アッカドゥー）というアッカド語の単語に由来する。前者の語源は不明であるが、後者は、サルゴン王国の首都の名前Akkad(e)（遺跡は未だ発見されていない）に因む。シュメール語が、過去・現在のどの言語とも関係性が認められない孤立言語であるのに対し、アッカド語は、セム系言語の一つで、アラビア語やヘブライ語、アラム語等とともにアフロ・アジア語族に属す。この二つの言語は、メソポタミア南部において長い期間にわたって接触を保ち、発音から、語彙、モルフォロジー（形態）、シンタックス（構文）に至るまで、多大な影響を及ぼし合った。両者は、古代メソポタミアの歴史と文化を語る上で互いに絡み合い、切り離すことのできない関係にある。

現存する最古の楔形文字文書は、メソポタミア南部の都市遺跡ウルクから出土した。これらの文書は、現代の研究者によって「ウルク古拙文書」と称され、紀元前四千年紀後半に年代づけられている。ウルク古拙文書には、助詞や動詞の活用等の文法的要素が記載されていないため、文書の楔形文字が書き表している言語を断定することは難しいが、僅かに観察される文字の読み方（発音）のヒントから、シュメール語の可能性が指摘されている。その後、初期王朝時代（前二九〇〇－前二三五〇年頃）を通して、シュメール人の地（バビロニア南部）では、シュメール語が使用され、シュメール語の王碑文、行政経済文書、文学作品、宗教文書、書簡などが作成された。

シュメール語とアッカド語は歴史時代以前から共存していたと想定されるが、アッカド語を話す人々がシュメール人の地の北側に住み着いた時期を確定することは難しい。前二六〇〇年頃のシュメール語文書にアッカド語の人名や単語が見られるようになり、その後暫くしてアッカド語で記された文書が登場する。アッカド語話者が、シュメール語を表記する楔形文字体系を借用して自分達の言語を書き表すことができるようになった結果である。前二三三〇年頃、バビロニア北部にアッカド人の王朝が興ると、行政経済文書や書簡等にアッカド語が広く用いられ、アッカドの王たちは、シュメール語碑文、アッカド語碑文、あるいは、アッカド・シュメール二言語併用碑文を作らせた［図参照］。なかには、シュメール語の文章にアッカド語の単語が混じっている例もある。

アッカド王朝の滅亡後、バビロニア南部ではラガシュの支配者グデアの文学的に極めて優れたシュメール語碑文を含め

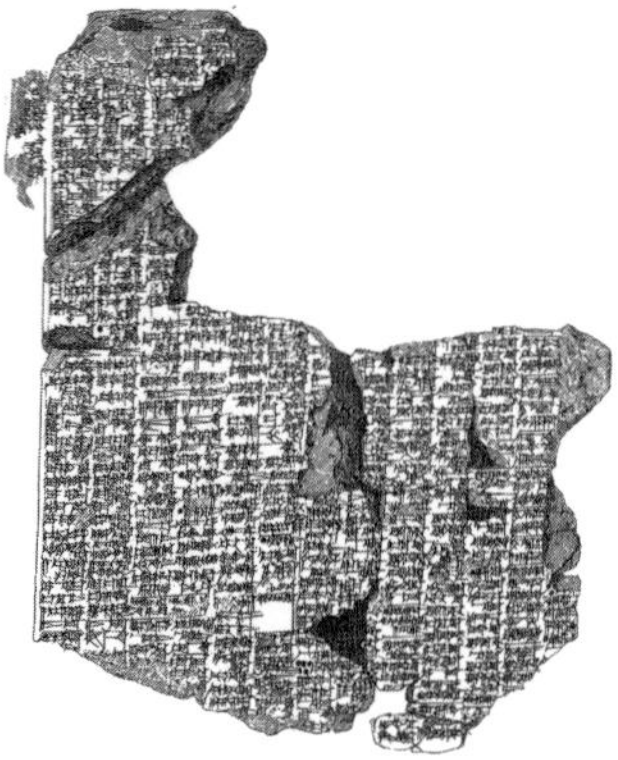

CBS 13972(ペンシルヴァニア大学博物館蔵). アッカド王朝の王たちの碑文がまとめて書写された古バビロニア時代の粘土板文書(表面《おもて》)

て、再びシュメール語による文書が盛んに作成された。ウル第三王朝時代(前三千年紀最後の一〇〇年間)に作成された行政経済文書のうち、今までにおよそ一〇万点が公刊されている。

前二千年紀初頭、再度バビロニアの政治の担い手が変わった後、シュメール語は日常語としての機能を失い、アッカド語がそれに代わった。しかし、学術・文学・宗教等の分野では、依然としてシュメール語が伝統ある重要な言葉と見なされ――この価値観は楔形文字文化の終焉まで維持された――書記官僚を目指すアッカド語話者の教育は、主として、シュメール語の習得が目的であった。特に前二千年紀前半は、勿論アッカド語文書も作成されたが、シュメール語による制作活動が盛んで、王碑文のほか、王や神々を褒め称える詩歌が新たに多数作られ、あるいは口承によっていた作品が書き留められた。現存するシュメール語の文学作品の大部分が、この時代に書記の卵たちが書き取りをした練習用粘土板文書から復元されたものである。この習得と創造の文脈の中で、シュメール語の単語にアッカド語訳が対応する二言語語彙集が作られ、シュメール語テキストが部分的、あるいは全面的にアッカド語に翻訳、あるいは翻案された。こうしたシュメール・アッカド二言語主義は、シュメール語だけでなく、アッカド語の習得にもかなり有効であった。現存するアッカド語の練習用書簡から、アッカド語教育もなされていたことが読み取れるが、アッカド語知識の不足分は、実際の仕事を通して生徒(弟子)が先生(親方)から学んだと考えられている。

前二千年紀後半は、楔形文字とアッカド語の使用が西アジア全体に広がり、アッカド語が国際語としての地位を得た時代であった。エジプト、アッシリア、バビロニア、ヒッタイト等の大国やシリア・パレスチナの小都市国家が、アッカド語を外交書簡に用いて、コミュニケーションを図った。西アジア全域においてアッカド語の重要性が高まり、シュメール語は維持されたものの、アッカド語の文学作品やその他の教材が加えられ、アッカド語学習の比重は大きくなった。

前一千年紀のメソポタミアでは、新たに他のセム系言語(アラム語)の使用が拡大していった。しかし、アケメネス(ハカーマニシュ)朝ペルシアやセレウコス朝支配下のバビロニアでは、書記官僚や神官によって、シュメール語およびアッカド語の習得と使用が紀元後一世紀まで綿々と続けられた。

問題群｜*Inquiry*

古代ギリシアのポリス

佐藤　昇

はじめに

古代ギリシア世界では、現代の研究者に「都市国家」(英語でcity-state、ドイツ語でStaatstadt)と呼び習わされている政治体が無数に営まれていた。前五―前四世紀、およそ現代の研究者には「古典期」(1)として知られる時代、これらの政治体を当のギリシア人たちは「ポリス」と称していた。いったい「ポリス」とは何なのだろうか。都市「国家」と呼ばれもするが、近代「国家」とは別種の政治体と見ることもできる。また古代オリエントの「初期国家」とも様相が異なり、同列に並べることは難しい(van der Vliet 2008)。こうした疑問に対し、かつては古典期の民主政ポリスとして名高いアテナイばかりが主たる考察対象とされてきた。しかし考古学や碑文学の進展により各地の情報が蓄積され、さらに文化人類学や経済学など隣接諸分野からの刺激も受け、ポリス研究は今や実に多様な視角から行われている。本稿では一九九〇年代から現在に至るまで盛んに議論されてきた論点に注目し、ポリスとはいかなる政治体であったのか、具体例とともに検討してゆく。以下では(一)ポリスの形成について概観した上で、(二)「ポリス＝国家」論争を手がかりにポリスの秩序維持機能に考察を加え、(三)ポリス財政をめぐる近年の知見を紹介し、(四)「ポリス宗教」

説を手がかりにポリスの宗教的機能を分析してゆく。

一、ポリス(都市国家)文化の形成

ポリスの規模

ポリスはおよそ人口が集中する都市(アステュ)を中核として形成された(「中心市」とも呼ばれる)。都市の周囲には市壁が巡らされ、その外側には田園や複数の小集落(村落)からなる周辺領域(コラ)が広がっていた。領域の広さはポリスごとに異なるが、六割方が一〇〇平方キロメートル(東京都青梅市程度)以下で、成人男性市民(2)(参政権を有するポリス構成員)数で言えば大半が一〇〇〇—数千人程度だったとされる(Hansen 2006: 76, 106)。古代ギリシア屈指の大ポリス、アテナイですら面積はおよそ二五〇〇平方キロメートル(神奈川県程度)にすぎず、人口では最盛期でもせいぜい市民で五万人、全住民で三〇万人程度だったとされる(現在の東京都豊島区程度)。

一般にポリス創成期とされる前七五〇年頃からヘレニズム時代の半ばに当たる前二〇〇年頃までの間に、およそ一五〇〇のポリスが確認されている(Hansen and Nielsen 2004)。全てが同時に存在していた訳ではないが、それでも古典期に少なくとも一〇〇〇のポリスがあったとされ、エーゲ海を中心とする広範な地域、現在のギリシア、イタリア、トルコ、黒海沿岸、南フランスやイベリア半島東部、北アフリカの一部に至るさまざまな地域でこの小さな政治体が営まれた。地理的広がり、人口の多さ、いずれの点でも世界史上最大規模の都市国家文明が形成されたと評されている(Hansen 2006: Ch.24)。

ポリスの創生

ポリス創生期から遡ること数百年、前一六〇〇年頃にエーゲ海域ではすでにギリシア語を用いる人々によってミケーネ文明が育まれ、のちのポリスとは様相の異なる「王国」が営まれていた(詳細は本巻周藤論文参照)。前一二〇〇年頃、西アジア・東地中海全体を襲った巨大な破局の波は、ミケーネ文明の終焉をもたらし、エーゲ海域は著しい人口減少を経験した。この停滞の時期の先にポリス文化が生み出されることになる。

各地に形成された諸ポリスはそれぞれ自らの政治体制を築いてゆくが、前八世紀頃は「バシレウス」と呼ばれる指導者を中心とする統治体制が主流だったとされる。バシレウスは文化人類学で言うところの「ビッグマン」に相当すると考えられる。この時期、ポリスはまだ指導者とそれに従う者たちで形成された小規模な共同体にすぎず、「原初的国家 primitive state」とも言い難い状況にあった(Hall 2013: 12)。

公職者組織の登場

やがて前七―前六世紀までに諸ポリスは政治体として大きな変化を迎えた。任期もなく、権限の範囲も曖昧なビッグマンによる支配体制から、任期と任務が限定された「公職者」組織による統治へと移行していった。クレタ島のポリス、ドレロスで出土した前七世紀の碑文によれば、「コスモス」と呼ばれる公職者が退任後一〇年間、再任を禁じられており、おそらく任期も一年程度に設定されていたと推定されている(メグズ&ルイス 二)。同じく前七世紀に制定されたアテナイのいわゆる「ドラコン殺人法」には、部族(ピュレ。ポリスの下部組織)を束ねる四名の「部族長」や、司法活動に携わる五一名の「エペタイ」といった公職名が記されている(メグズ&ルイス 八六)。各地で複数の公職が設定され、権限の範囲が限定された職が整備されていった(Hall 2007: 135)。碑文にはしばしば公職者の違反行為に対する罰則や他の公職者・機関による監督責任が明記されており、為政者の権限を制限しようという意思が看取できる。公職への就任は富裕者など社会の最上層に限られており、これらの社会的エリートが相互に牽制しながら、権力を分有していたのである（Osborne 1997）。

民会と評議会

さらに同時期の碑文からは各地で「民会」や「評議会」と呼ばれる組織が、ポリスの審議機関として機能していた様子が窺われる。民会はポリスの成人男性市民全員からなる会議であった。民会の存在自体が民主政であることの指標にはならないが、各地で多くの市民にポリスの意思決定過程への参加が認められていたことは明らかである。評議会の方は、この時代であればどのポリスでも比較的上層の市民に就任資格が限定されていただろう。とはいえ、評議会にも比較的広範な市民が参加していたことは明らかである。前六世紀前半、エーゲ海東部のキオスでは、下部組織である四つの部族から各々五〇名、合計二〇〇名が評議員に選出されていた（メグズ＆ルイス 八）。ペロポネソス半島西部のエリスでも、前六世紀には五〇〇名の議員から構成される評議会があった（『オリュンピア碑文集』七）。市民数が数万を超えるポリスが稀であったことを考慮すれば、市民のうちかなりの割合が評議員としてポリス運営に携わっていたことになる（現代日本では国民一億数千万に対し、国会議員は両院合わせて七〇〇名ほどにすぎない）。

種々の国制

各地のポリスはこうした統治機関、各種公職者制度を前七・前六世紀頃から整備してきた。それぞれが自立していたポリスは、各々の事情に応じて実に多様な政治体制を発展させた。しかし、前五世紀半ばまでに多くのポリスで採用された体制は、およそ「穏健寡頭政」もしくは「民主政」に分類できる。前者の場合、成人男性市民のうち比較的広範な層が、民会に参加するのみならず、評議員や高位公職者にも一定の制限つきながら就任資格を有した。後者の場合、成人男性市民の全てにほぼ制限のない参政権が認められた。

例えば、民主政で名高い古典期アテナイの場合、二〇歳以上の成人男性市民全員(三―五万人)に民会参加資格が認められ、この民会がポリスの最高意思決定機関として機能した。また民会に並ぶ重要な機関、評議会には三〇歳以上の成人男性市民から抽籤《ちゅうせん》で選ばれた者が議員として参加した。時期にもよるが、アテナイ市民の多くが一生に一度は評議員を務めたとされる。各種の公職者も、軍事指揮官職など一部の例外を除き、成人市民男性から抽籤で選ばれ、たいてい一年の任期を務めた。

北アフリカのキュレネは前四世紀末に穏健寡頭政を採用していた。ここではそもそも市民権が二〇〇〇ドラクマ以上の財産を有する三〇歳以上の男性自由人一万人に限定されていた。民会にはこの一万人が全員参加でき、評議会には五〇歳以上の市民から抽籤で選ばれる二年任期の議員五〇〇名が参加した。この他、終身の議員で構成される一〇一人の長老会や各種の公職が設定されていた(『ギリシア碑文補遺』[以下、『補遺』]九、一)。

統治システムの頂点に「僭主」と称される個人が君臨し、この人物が最終的な決定権を握る「僭主政」が敷かれるポリスもあった。現存史料によれば、前五世紀半ば以降も僭主政とされるポリスが著しく減った訳ではなかった(Hansen 2006: 111-112)。しかし僭主もまた民会を招集していたことが知られており、しばしば他の国制に類する統治システムの頂点に立って(ただし自身を警護する特別の衛兵などを従えて)統治を行っていた。よって、僭主政ポリスもおよそ民主政や寡頭政のポリスと同様の統治機構発展の上に成立していたということができる(Hansen 2006: 112-113)。

モエンス・ハンセンなどは、こうした古代ギリシアの精緻な統治制度を高く評価している(Hansen 2006: Ch.17)。ポリスが国家 state と呼ばれるにふさわしいのは、明確な領土と市民を持ち、前述のような政治制度システムを整え、さらに領内の住民に対して法秩序を定義し、これを強制する権能を独占していたが故であると主張し、古代ギリシアのポリスは前近代史において最も包括的に統治の制度化が進展した社会であったと結論づけている。

二、ポリスの秩序維持

「ポリス＝国家」論争

ポリスを都市国家と呼ぶ伝統に対し、「ポリスは国家 state にあらず」との主張がとりわけ一九九〇年代から繰り返されている。問題は多岐にわたり多様な視点から議論が展開されているが、「ポリス＝国家」説を否定する重要な論拠の一つに、暴力独占の問題がある。マックス・ヴェーバー『職業としての政治』によれば、「国家とは、ある一定の領域の内部で（中略）正当な物理的暴力行使の独占を（実効的に）要求する人間共同体である」とされている（ヴェーバー一九八〇：九頁）。しかしモシェ・ベレントによれば、国家的「強制装置」を備えていたのは僭主政のみであり、それ以外のポリスは国家とは見なし得ないという（Berent 2000; 2004; 2006）。ベレントの主張はヴェーバー解釈の問題なども孕み、ハンセンなどから反論も提示されている（e. g. Hansen 2002; cf. Miyazaki 2007）。解釈・定義などの問題は差し当たり脇に置くとして、そもそも古代ギリシアのポリスは統治を行うに当たりいかなる秩序維持の制度を整えていたのだろうか。「正当な物理的暴力行使」を「独占」できていたのだろうか。以下では史料の豊富な古典期アテナイに注目し、同ポリスの秩序維持制度についてベレントやハンセン、エドワード・ハリス（Harris 2013: Ch.1）らの研究に拠りながら具体例に即して検討を試みる。

裁判制度

古典期アテナイの場合、前五世紀には民会、前四世紀には民会及び立法委員会というポリスの公式の機関で法や決議が制定されており、領域内の秩序維持・紛争解決を図るために早くから複雑な裁判制度も整備されていた。「エピアルテスの改革」(前四六〇年代後半)以降は、殺人罪など一部の犯罪を除き、基本的には民衆が裁判員を務める法廷により事件が審理された。裁判員は一般市民からその都度、裁判の種類や規模に応じて数百人が抽籤された。訴訟を提起する権利は一般市民に開放され、被害を受けた市民は基本的に誰もが提訴できた。国家背任罪のようなポリス全体が被害者となる件については、どの市民にも提訴が認められた。訴訟は担当の公職者、機関に提起され、然るべき手続きを経て法廷での正式な裁判に移行した。裁判では裁判員団が原告側・被告側の演説、証言などを勘案し、法に則って判決を下した(橋場 二〇一六:三章、佐藤 二〇一八)。提訴が私人の主体性に依存している点から、自力救済的性格が強い司法制度だったとも言えようが、提訴自体は「暴力」とは言えず、ポリスによる「正当な物理的暴力行使の独占」を否定するものではない。

公職者の懲罰権

法廷以外ではポリスによって公式に設定された種々の公職者たちが、領域内の秩序維持に重要な役割を担った。古典期アテナイでは何百とある公職の多くが、抽籤で選ばれた一般市民によって担われた。公職者は一年の任期中、秩序維持のために種々の権限を行使した。公職者のうち「暴力装置」と呼ぶに相応《ふさわ》しいのは「十一人役」だろう。彼らは牢獄の監視や処刑を司るとともに現行犯略式逮捕の権限も有していた。この場合、逮捕された人間が容疑を否認しなければ、裁判を経ずに死刑を科すこともできた(伝アリストテレス『アテナイ人の国制』〔以下、『国制』〕五二、一、デモステネス二四番二二)。

懲罰権はその他の公職者にも備わっていた。市域監督役には中心市域内全体の、市場監督役には市場の秩序を維持する役目が与えられ(『国制』五〇、二、五一、一)、法律違反者には奴隷ならば笞打ち五〇回、自由人ならば罰金刑を科すことができた(『ギリシア碑文集成』〔以下、『集成』〕二(二)、三八〇)。前四世紀前半に制定された銀貨審査法によれば、穀物監督役、市民団の委員会、交易所監督役には、一〇ドラクマ以下の事案であれば、独自に処罰を下す権限が認められていた(『補遺』二六、七二)。

他方、公職にない私人に暴力行使が認められたのは、後述するようにおよそ例外事案に留まり、公職者に重大な秩序維持機能が備わっていたことが理解できる(Harris 2013: 28-44)。しかし「十一人」を除くと、市民に対する処罰はおよそ一定額以下の罰金刑に留まり、それ以上の係争は法廷に委ねられる場合が少なくなかった。ポリスに対する負債を徴収する場合も身体的暴力は基本的には忌避された。前四世紀半ば、評議会の決議に従い対ポリス負債の徴収にあたった人物は、支払いを拒む人物から抵当を取り立てようとするも、揉み合いとなり、暴行罪で提訴されている(伝デモステネス四七番三四―三九)。こうした事例に照らせば、一般の公職者が秩序維持のための「暴力装置」として十分な機能を果たしていたとは言い難いように思われる。「十一人役」も人口・領域を考えると規模が極めて小さく、また基本的には市民からの訴えに応じて出動するものであった(Berent 2004: 115)。

公共奴隷、兵士

「十一人役」と並んで現代の警察機構に擬せられる組織に「スキタイ弓兵」があった。前五世紀半ば以降、アテナイはポリスとして「スキタイ弓兵」と呼ばれる公共奴隷三〇〇名を保有し、これをある種の警察的な暴力装置として利用していた。ただし、これは基本的に民会開催時の秩序維持などを職務とし、領土内の各地を警備・巡察するものではなかった。また前四世紀初頭には廃止されていたのではないかとも言われている(Couvenhes 2012)。

これとは別に、公職者は任務遂行時にしばしば公共奴隷を随行させている。最高官職アルコンの介添役は命令を強制する際、従者の随行が認められており(デモステネス二一番一七九)、市域監督役も公共奴隷を伴って任務遂行に当たった(『国制』五〇、二)。これらが暴力装置的な働きをした可能性もあろうが(Harris 2013: 38-40)、実際の振る舞いについては判然としないケースが多い。暴力装置として機能したにせよ、公職者に随伴する形でのみ言及されていることから、活動機会は限定的で自主性はなく、暴力の使用にも制限がかかっていたと想定できる。

この他、中心市域外では歩哨部隊や初年兵(エペボイ)がアテナイ市民に武力を行使し、秩序維持に貢献していた可能性も考えられる(Harris 2013: 35-36)。兵士の存在が精神的圧力となり、社会秩序維持に貢献したという可能性も否定はできない。しかしこれらの武力は基本的には外敵を想定したもので、少なくとも古典期に領内住民を統治するために警察的機能を果したということを明示的に証明できる史料は、管見の限り見当たらない。

私人による暴力行使

他方、公職者ではなく一般市民に暴力の行使が認められた事案も確認できる。夜盗、自身への身体的暴力、財産権侵害に対しては正当防衛のために暴力行為が許され、妻や娘に対する姦通についても現場を押さえた場合には実力行使が認められた(デモステネス二四番一一三、二五番五三—五四、六〇)。また殺人罪で国外に追放されていた人物が帰国した場合(デモステネス二三番二八)、民主政を倒壊させ、僭主の座に就こうという人物が現れた場合には、合法的に殺害することも認められていた(『補遺』二一、八七)。しかしながらこれらは限定的な事象にすぎず、初めに挙げた夜盗などの事案も、正当防衛が認められるのは現行犯や罪を自白した場合などに限られ、否認する場合には裁判が認められていた。加えて近代国家においても正当防衛目的の暴力行為は一定程度認められている。総合的にみてアテナイの制度は、私人による暴力行使の範囲をむしろ制限しようとしていたように理解できる。

以上の概観から、(一)統治のための「正当な物理的暴力行使」と呼べるものは、基本的にポリスの権限の下にほぼ独占されていたと評価することができる。少なくとも、私人による暴力は限定的な事案を除き、非合法と考えられていた。他方で(二)正当な暴力の行使を史料上明確に確認できたのは、「スキタイ弓兵」並びに「十一人役」などにすぎず、ポリスの領域や人口、そして連絡・移動手段が限られていた古代の事情を勘案すれば、かなり小規模であり、実効性に疑問符を付けざるを得ない。

司法解決志向と社会の力

実際、古典期アテナイの統治制度は、現代社会であれば合法的暴力による強制執行を想定するような場合でも、司法解決の方を好んでいた。例えば、司法手続きを通じて相手から財産・賠償金などを手に入れることになった場合でも、相手の同意なく家屋に立ち入ることは極めて不当な行為と理解されていた(伝デモステネス四七番五二－六一)。そうした場合、相手が引き渡しを拒否しても暴力的に排除することはせず、公職者に依頼して強制執行をするのでもなく、基本的には新たに「強制執行のための訴訟」(ディケ・エクスレス)を提起することが求められた。弁済を拒否していた者がこの訴訟でも敗訴すれば、負債額と同額をポリスに納めねばならず、支払わなければ公民権停止とされた。

以上を勘案すれば、古典期のアテナイはポリス領内の秩序維持のために多くの公職者・公共奴隷を利用する一方、これらが直接的に身体的暴力を行使するよりも、法廷において司法的に権利を確定、停止することを積極的に選択していたと言える。それでは警察的な組織がごく小規模であるにもかかわらず、アテナイではいかにして秩序が保たれていたのか。これに関しては多様な要素が考えられる。社会的制裁による規範の共有も重要だろう(Hunter 1994)。しかし、例えば多くの市民が公職者、裁判員を務め、そのことによりポリスの秩序維持に関する知識や方針、価値観を広く共有していたことも理由の一つに挙げることができる(Lanni 2016; 佐藤 二〇一八)。古典期のアテナイというポリスは、そのような場を市民たちに提供することで、秩序維持を図っていたとも言えるだろう。

三、ポリスの財政と交易推進策

ポリス財政論

ポリスが政治体として機能するに当たり財政支出と財源は不可欠であった。こうした財政に関する研究、とりわけ諸ポリスの税制度に関する研究は、考古学・碑文学の知見が蓄積されるとともに近年とみに活発に行われてきた（例えば、Gabrielsen 2013; Mackil 2015; Bresson 2016; Fawcette 2016）。多様な議論が交わされる中、直間比率・税率などについて新たな提言がなされ、ポリスの財政が環境や国際・地域市場と密接に関わっていたことも明らかにされてきた。以下では、古典期を中心にヘレニズム時代前期も視野に入れ、諸ポリスの税制度について全般的傾向を概観し、さらにこれと関連してポリスが円滑な交易活動のために果たした役割についても瞥見してゆく。

財政支出

古代ギリシアの諸ポリスは、現在の国家と同様に種々の支出を行っていた。無論、支出内容や規模はポリスの規模や環境に応じて大きく異なっていた。アリストテレスはポリスの運営における重要な案件として政治活動、軍事、宗教、都市生活、食糧供給を列挙している（『政治学』一二八七 a三―六）。これらの事業実施には財源が必要である。公共建築の建設にはどのポリスでも大規模な支出を要しただろう。民主政の制度を発達させたアテナイのように、膨大な数の公職者や民会参加者に手当てを支給するには多くの財源が必要だった。また大規模艦隊を抱えていれば、船体及び港湾施設の維持・管理に戦時のみならず平時にも多額の支出が必要となった。収入源はポリス毎に多様で、前五世紀のアテナイのように同盟諸国から貢租金を徴収することもあれば、スパルタのように隷属民から農産物を貢納させる場合もあったが、税収はなかでも多くのポリスで主要な財源であった。

直接税

直接税、すなわち生産物に対する税や人頭税に関しては、古代ギリシア人には僭主的な所業として忌み嫌われていたとの主張もなされてきたが、実際のところ生産物への課税も決して忌避されてはいなかった(Migeotte 2003)。前五世紀末にはエーゲ海北部のポリス、タソスが生産物に課税している(『補遺』三六、七九二)。前三世紀にはエーゲ海東部の島サモスが対岸領で生産される穀物に対して五％税を課していた(『補遺』四一、九二九)。人頭税については、一定期間以上アテナイに滞在する外国人に課された、いわゆる在留外国人税が知られている。このように直接税も決して稀ではなかったが、いずれかと言えば間接税の方が好まれていた。このうち生産物課税については環境要因が足枷になっていた可能性も指摘されている。当時の農業生産は年毎の降雨や日照の変動から大きな影響を受けており、ポリスという小規模な政体では安定的な税収を期待し難かったのだろうというのである(Mackil 2015: 486)。

富裕税

直接税に分類されるものとして富裕者に対する臨時課税があった。古典期アテナイでは戦時に臨時財産税(エイスポラ)が課された。また種々の機会に富裕者の一部が公的支出を負担する公共奉仕(レイトゥルギア)もあった。例えば古典期アテナイの場合、戦時に軍船(三段櫂船)を艤装する役や、ポリス主催の祝祭で行われる部族対抗合唱競演のために合唱隊の世話をする役などが、ポリス内の最富裕層に割り当てられた。割り当てられた者は担当する役目に関連する支出を私財で賄うことになる。本来、これらは自主的財政貢献であったが徐々に強制の度合いを高め、特に軍事関連のものは、戦争が半ば常態化していたこともあり、輪番で納める富裕税に近い状況にあった。

富裕者に対するこのような課税はポリス財政の重要な部分を占め、殊に古典期アテナイのような大ポリスの場合、富裕者の負担も相当のものになった。ポリスはこれに対し、特に成功した奉仕者に公的な顕彰を与えるなどして「名誉」の対価を与えた他、負担の偏重に対応して種々の制度改革も行ってきた。さらにこの種の富裕者に対する臨時税はいずれも使途が明確であった。すなわち、ポリスの公益に適うことが明確な場合に、(富裕者も参加する)民会での承認を得た上で課税が行われており、一定の制御が効いた形で課税されていたとも言えるだろう。

間接税

間接税、殊に輸出入品に対する関税は、港湾を有するほとんどのポリスで早くから採用されていた。早くも前七世紀後半、小アジアのエペソスから出土した史料には、港湾税と解釈できる記録が残されている(Kroll 2008)。北ギリシアのポリス、メンデでは通常、市民が所有する土地などに財産税を課すよりも、港湾税でポリスの公的支出を賄うべきだと考えられていた(伝アリストテレス『経済学』二、二、二一)。古典期のアテナイにとって港湾税は至極重要であり、とりわけ前四世紀に創設された二%税は長期にわたって同ポリスに重要な意義を持ち続けた(Ober 2015: 509)。

直接税の低税率

生産物に対する直接税に比べ、輸出入品に対する関税、通行税などはより好ましいものとされていたらしい(Mackil 2015)。その理由には農業生産の不確実性の問題以外に、(一)ギリシア世界が政治的に統一されず、多数の政治体が林立していたこと、(二)それらの政治体同士、そして周辺諸文化圏との間で活発かつ比較的安定的な交易活動が行われていたことが挙げられる。第二点に関連して、直接税の税率が限定的であったために交易が促進されたという見解も提示されている(Bresson 2016: 102-110)。実際、史料上確認できる限り生産物に対する税率は高いものではない。

先に述べた五%税は、サモスの他にアテナイでも僭主ペイシストラトスの時代に採用されていた(『国制』一六、四)。前二〇〇年頃、小アジア西部のイアソスでは葡萄酒に十二分の一税(約八・三%税)が課されているが(『補遺』四一、九二九)、古典期からヘレニズム期のギリシア諸ポリスでこれ以上の直接税は確認されていない。生産物に課税すること自体がどちらかと言えば敬遠されていたという見解もあるが、さらに課税する場合でも税率が抑制されていれば、確かに土地所有者には余剰生産物を市場に出す余裕が生じただろう。低税率が古代ギリシア世界における交易・市場経済の発展につながったという説明は魅力的である。

リスク・取引コスト低減策

しかしながら、現代とは異なり、航海は嵐など自然の影響を受けやすく、また海賊や拿捕、さらに地域ごとの商習慣の違いなど、交易の妨げとなる要素はいくつも存在していた。こうした状況にあって多くのポリスは、交易を確実に行うべく施設や制度の導入・整備にも配慮していた。交易関連施設については、各ポリスとも中心市域の中央広場(アゴラ)を整備するとともに、各々の事情に応じて港湾設備、交易所を充実させた。

また市場の秩序維持もポリスが配慮すべき案件であった。諸ポリスは関連する制度を整え、「取引コスト」(3)を抑制することで交易の円滑化を図った。多くのポリスが中央広場での取引を監督する市場監督役、港湾周辺には交易所監督役を設置した(Bresson 2016: 246-250)。前四世紀のアテナイでは、度量衡監督役や穀物交易監督役が設置され(『国制』五一)、さらに貨幣の真贋を審査する要員も配置されて、適切な硬貨で支払いが行われるように制度が整えられた(『補遺』二六、七二)。前四世紀後半には商取引に関わる不正を扱う特別法廷も設置され、他ポリス所属の交易商にも提訴が容易になった。

さらにポリスは規模や状況に応じて海賊・拿捕対策も行った。海賊への対応としては、とりわけ艦隊が発達した古典期のアテナイにおいて、将軍たちが商船保護を行っていた事が知られている。また交易商が拿捕の懸念なく来航できるよう、ポリス間で協定が結ばれることもしばしばだった。前五世紀には西ロクリス地方のオイアンテイアとカレイオンの間で、前四世紀後半には小アジア西部のミレトスとサルディスの間でそうした協定が締結されている(『集成』九、一、三、七一七、『ミレトス碑文集』一、三、一三五)。

多くのポリスがこうして市場の秩序維持、交易の円滑化に配慮した。ポリスはさらに公的な物資購入や価格統制に踏み切ることもあった。しかし、こうした施策は基本的に穀物などの基本物資に対するもので、供給不足など一時的な困窮に対応する措置であった。税制についても状況に応じた柔軟性は認められるが(Mackil 2015: 484-487)、例えば、国内産業の保護や輸出入促進のために特定品目の税率を調整するような、近代国家さながらの方策は知られておらず、ポリスの関心は自らの収入増大、そして何より穀物など市民が必要とする物資の確保に向けられていた(Migeotte 2007: 42-47)。税制・交易関連政策の外見は近代国家と類似しているようにも見えるが、ポリスが目指した方向性はだいぶ異なっていたようである。

四、ポリスと宗教活動

「ポリス宗教」説

ポリスが内部の安寧と繁栄を維持・推進する役割を担っていたとすれば、宗教活動への配慮は当然の責務であった。宗教儀礼を適切に行い、神々との関係を良好に保つことはある意味、安全保障の問題でもあった。クリスティアン・スルヴィヌ゠インウッドはこの時期の宗教を指して「ポリス宗教」と称している(Sourvinou-Inwood 1990; 2000)。古代ギリシア世界ではポリス及びポリスの下部組織(部族や区など)が、宗教上の諸側面に対して権威として機能していたと主張するこの議論は、ギリシア宗教研究に多大な影響を及ぼした。以下では「ポリス宗教」説を手がかりにポリスが宗教に及ぼした影響を検討してゆく。

そもそも古代ギリシアの神話世界はポリス創設以前から存在し、これらの神格に対する祭祀活動はすでに地域ごとに大小の聖域を中心に営まれていた。ポリス文化を営み始めた各地のギリシア人たちは、各々の事情に応じて地元の宗教的伝統を継承、変化させていったのである。したがって、宗教に関わる観念・思想はポリスによって創出された訳ではなかった(Parker 2011: Ch.2; パーカー 二〇一八)。

ポリス主催の祭祀

政治体として成熟したポリスは、主に領域内で行われる宗教的な活動に対して権威、決定主体として機能した。ギリシア世界では古典期・ヘレニズム時代に至るまで儀礼や信条を統括する教会組織が形成されることはなく、ポリスという政治体及びその下部組織が種々の決定を下す役割を担った。すなわち政治体制が民主的であれば民会において、それ以外の体制であれば、それぞれの政治的意思決定機関において宗教上の決定が下されていた(Rhodes 2009)。ポリスがいかなる決定を下していたのか、少し具体的に見てゆこう。

まずポリスやその下部組織は、領域内の数多くの儀礼・祭祀を主催し、統括した。古典期のアテナイでは前五世紀末にポリス供儀暦の再訂事業が実施され、ポリスが主催し費用を負担する供儀について日付や犠牲を捧げる神の名前、犠牲獣の種類、そしてそのための費用などが整理、確定された(Lambert 2002)。再訂事業はポリスが設置した登録委員会により実行された(リュシアス三〇番)。前四世紀半ばにエーゲ海南東部のコスで制定された暦などもよく知られている(ローズ&オズボン 六二)。ポリスの下部組織もまた祭祀を主催し、供儀暦を制定し、犠牲獣の価値や供儀の仕方を定めるなどした。

ポリスは新たな祝祭、儀礼の導入や種々の改変を決定することもあった。例えば、アテナイでは前四九〇年に牧神パンに対する公式の祭儀を開始している(ヘロドトス『歴史』六、一〇五)。前三世紀のミレトスでは、同ポリスのディデュメイア祭を特別の国際競技祭に格上げすることが民会で決議された(『ミレトス碑文集』六、三、一〇五二)。

聖財の管理運営

ポリスやその下部組織は諸神殿の管理運営にも大きな決定権を行使した。神殿に捧げられた奉納品がポリスの決定により改鋳され、軍事費等に転用されることもあれば(Davies 2001)、神殿領がポリスやその下部組織の決議により耕作地として貸借されることもあった(Papazarkadas 2011)。また聖職の新設や規定改定などもポリスにより決定された。前五世紀半ば、アテナイではエレウシスの秘儀に関わる担当諸役の手当て・役務が民会決議により定められている(『集成』一(三)、六、桜井 一九九六：二章)。また同ポリスでは前五世紀後半にアテナ・ニケ(「勝利の女神」)に仕える女神官が新設された。全アテナイ人女性から選出されることとされ、供儀の際の役得、手当てなども具体的に定められた(『集成』一(三)、三六)。

宗教上の秩序維持

宗教上の違反行為についてもポリスは大きな権威を振るった。アテナイの場合、瀆神の罪は法律上公的な訴訟の対象とされ、事件はポリスの法廷で裁かれることとなった。前四一五年にはエレウシスの秘儀を私的に模倣した廉で何人もの市民が有罪判決を受けている。哲学者として知られるソクラテスもまた前三九九年に瀆神罪で有罪となり、死刑判決を下された。これらの審理を行ったのは、宗教上の専門家集団ではなく、ポリスの法律によって定められた法廷であった。

ポリスごとの多様性

こうした状況で古代ギリシア人の宗教経験は、いずれのポリスに所属するかによって大きな違いが生じた。例えば、ゼウスやアポロン、アテナといった神格はギリシア世界の何処でも等しく信仰されていたように思われるかもしれないが、実際のところ、いずれの神をどのように祀るかは、ポリスごとに大きく異なっていた。地域固有の神格に対する祭祀、殊にポリス創設の英雄神格に対する祭祀も盛んで、北アフリカのキュレネでは建国の王バットスに対する祭祀が、古典期のアテナイでは伝説上の王テセウスに対する祭祀が催された。他ポリスの神格に対しては、無闇に蔑ろにすることはなかったものの、戦争などの事情があれば、手にかけることも十分に選択肢に入った(Polinskaya 2010)。

ポリス以外の権威

ただし、ポリス及びその下部組織は唯一絶対の宗教的権威として振る舞った訳ではなかった。ギリシア世界にはポリスを超えて広範にその権威を認められた「パンヘレニックな神域」が存在していた。アポロン神の託宣で知られたデルポイの神域もその一つで、ここには諸ポリスが使節を派遣し、アポロン神の助言を仰いだ。しかしこの場合、使節派遣を決定するのも、またそれを受けて最終的な決定を下すのもポリスであった。ポリスはパンヘレニックな神域の宗教的権威に服していた訳ではなく、むしろ利用していたのである。また隣保同盟を結成し、パンヘレニックな神域の共同管理に携わるなどしてポリスから神域の方に影響力を及ぼすこともあった。

ポリス内にも種々の宗教的権威が存在した。ゲノス(「氏族」)と呼ばれる集団もその一つであった。ゲノスの性格については長い論争があるが、特定の伝統的祭祀について古くから重要な役割を担っていたことは明らかである(伊藤一九九七、Lambert 1999)。デルポイの神託と同様、古典期のポリスはゲノスの権威を利用し、助言を求めることもあったが、やはり決定主体はポリスであった。またポリスはゲノスが重要な役割を担う祭祀に対しても管理運営面から影響を及ぼした。

「ポリス宗教」を超えて

このようにギリシア人の宗教活動にはポリスが多大な影響を及ぼした。しかし、ポリスの決定は基本的には宗教活動及び運営上の手続きなどに対するもので、宗教上の観念や思想を改変、決定するようなものではなかった(Kindt 2009)。瀆神罪に対する処罰などもあったが、宗教警察のような監視機関はなく、個々の市民の宗教思想に対して厳格な統制が加えられた訳ではなかった(パーカー 二〇一八)。

こうした状況にあって市民たちはポリスや下部組織が直接統括していない種々の宗教活動に従事することができた。神に捧げる祭壇を私的に設置することもあれば、オルペウス教、あるいはギリシア内外に由来する新たな祭祀など、ポリスの管轄にない私的な宗教活動に時折あるいは継続的に参加することも可能であった。また占い師や神事解釈者と呼ばれる、宗教的な権威と見られる人々から意見を伺うこともできた(Bremmer 2010)。さらにポリス外でパンヘレニックな聖域などに参詣する際も、そこで受ける治癒儀礼や神託の内容にまでポリスが干渉することはなかった。すなわち、ポリスの内外で多様な宗教活動・宗教思想に触れ、新たな経験をし、それらをまた共有してゆく、そうした可能性が古代のギリシア人たちには開かれていたのである。

おわりに

以上、近年の研究動向に照らし、ポリスが果たした機能とその限界を見てきた。ポリスは各方面で近代国家にも似た機能を果たし、種々の制度・枠組みを作り出していた。他方でポリスは現代とは異なる環境、国際関係など、当時の事情に応じた性質や限界も示していた。またポリスの機能を瞥見する中で、社会がポリスの機能を補完する側面やポリスの枠を超えて人々が活発に交渉・交流する側面も浮かび上がってきた。「ポリスとは何なのか」という問いには小稿ではとても十分に答えられないが、答えに近づくには多面的な分析装置による検討を積み重ねざるを得ないこと、そして社会や環境などの諸要素との関係の中で理解しなければならないことは示せたのではないだろうか。

注

（1）「古典期」は、正確にはアテナイで民主政が確立したとされる前五〇八年から崩壊したとされる前三二二年を指すが、ポリス全体の方向性を概観する本稿にとっては、アテナイ史に即して厳密に時代区分を行う必要はないため、およそ前五－前四世紀末とした。

（2）ポリスが都市を中核とする小政治体であることから、その構成員は邦語で「市民」と呼ばれる。ポリス毎にまた時代によって制度は異なるが、一般的には父親（または両親）が市民である成人男性が市民として公民権を認められた。奴隷や他ポリスの市民、そして女性は基本的に市民には含まれない。この点については本巻栗原論文参照。

（3）「取引費用」とも言う。取引にかかるコストで、輸送コストなどの他、価格に見合った商品かどうかの見極めや価格交渉なども含む。ウィリアムソン（一九八〇）参照。

参考文献

古典文献（アリストテレス、デモステネス、リュシアス、ヘロドトス）については西洋古典叢書（京都大学学術出版会）やアリストテレス全集（岩波書店）などで和訳を参照することができる。

メグズ＆ルイス『ギリシア歴史碑文選』＝Meiggs, R., and D. M. Lewis (eds.) (1969), *A Selection of Greek Historical Inscriptions to the end of the Fifth Century B.C.*, Oxford, Clarendon Press.

ローズ&オズボン『ギリシア歴史碑文集』= Rhodes., P. J., and R. Osborne (eds.) (2003), *Greek Historical Inscriptions, 404–323 B.C.*, Oxford, Oxford University Press.
『オリュンピア碑文集』= *Die Inschriften von Olympia.*
『ギリシア碑文集成』= *Inscriptiones Graecae.*
『ギリシア碑文補遺』= *Supplementum Epigraphicum Graecum.*
『ミレトス碑文集』= *Inschriften von Milet.*

伊藤貞夫(一九八一)『古典期のポリス社会』岩波書店。
伊藤貞夫(一九九七)「古代ギリシアの氏族について——新説への懐疑」『史学雑誌』一〇六篇一一号。
ウィリアムソン、オリバー(一九八〇)『市場と企業組織』浅沼萬里・岩崎晃訳、日本評論社。
ヴェーバー、マックス(一九八〇)『職業としての政治』脇圭平訳、岩波文庫。
桜井万里子(一九九六)『古代ギリシア社会史研究——宗教・女性・他者』岩波書店。
佐藤昇(二〇一八)「人が人を処罰するというのはどういうことなのだろう——民主政アテナイの裁判と素人主義」佐藤昇編『歴史の見方・考え方——大学で学ぶ「考える歴史」』山川出版社。
パーカー、ロバート(二〇一八)「「ポリス宗教」——宗教に関することはどこで決定されるのか」佐藤昇訳『クリオ』三二号。
橋場弦(二〇一六)『民主主義の源流——古代アテネの実験』講談社学術文庫。
Berent, M. (2000), "Anthropology and the Classics: War, Violence, and the Stateless Polis", *The Classical Quarterly*, 50-1.
Berent, M. (2004), "In Search of the Greek State: Rejoinder to M. H. Hansen", *Polis: The Journal of the Society for Greek Political Thought*, 21-1/2.
Berent, M. (2006), "The Stateless Polis: A Reply to Critics", *Social Evolution & History*, 5-1.
Bremmer, J. (2010), "*Manteis*, Magic, Mysteries and Mythography: Messy Margins of Polis Religion?", *Kernos*, 23.
Bresson, A. (2016), *The Making of the Ancient Greek Economy, Institutions, Markets, and Growth in the City-State*, Princeton, Princeton University Press.

Couvenhes, J.-C. (2012), "L'introduction des archers scythes, esclaves publics, à Athènes: la date et l'agent d'un transfert culturel", B. Legras (ed.), *Transferts culturels et politique dans le monde hellénistique*, Paris, Éditions de la Sorbonne.

Davies, J. K. (2001), "Temples, Credit and the Circulation of Money", A. Meadows, and K. Shipton (eds.), *Money and its Uses in the Ancient Greek World*, Oxford, Oxford University Press.

Fawcett, P. (2016), "When I Squeeze you with *Eisphorai*: Taxes and Tax Policy in Classical Athens", *Hesperia*, 85-1.

Gabrielsen, V. (2013), "Finance and Taxes", H. Beck (ed.), *A Companion to Ancient Greek Government*, Oxford and Chichester, Wiley-Blackwell.

Hall, J. (2007), *A History of the Archaic Greek World, ca. 1200-479 BCE*, Malden, MA, Blackwell Publishing.

Hall, J. (2013), "The Rise of State Action in the Archaic Age", H. Beck (ed.), *A Companion to Ancient Greek Government*, Oxford and Chichester, Wiley-Blackwell.

Hansen, M. H. (2002), "Was the *Polis* a state or a stateless society?", T. H. Nielsen (ed.), *Even More Studies in the Ancient Greek Polis*, Stuttgart, Franz Steiner Verlag.

Hansen, M. H. (2006), *Polis: An Introduction to the Ancient Greek City-State*, Oxford, Oxford University Press.

Hansen, M. H., and T. H. Nielsen (eds.) (2004), *An Inventory of Archaic and Classical Greek Poleis*, Oxford, Oxford University Press.

Harris, E. (2013), *The Rule of Law in Action in Democratic Athens*, Oxford, Oxford University Press.

Hunter, V. (1994), *Policing Athens: Social Control in the Attic Lawsuits, 420-320 B.C.*, Princeton, Princeton University Press.

Kindt, J. (2009), "Polis Religion: A Critical Appreciation", *Kernos*, 22 = id., *Rethinking Greek Religion*, Cambridge, Cambridge University Press, 2012, ch.1.

Kroll, J. H. (2008), "The Monetary Use of Weighed Bullion in Archaic Greece", W. V. Harris (ed.), *The Monetary Systems of the Greeks and the Romans*, Oxford, Oxford University Press.

Lambert, S. (1999), "The Attic Genos", *Classical Quarterly*, 49-2.

Lambert, S. (2002), "The Sacrificial Calendar of Athens", *Annual of the British School at Athens*, 97.

Lanni, A. (2016), *Law and Order in Ancient Athens*, Cambridge, Cambridge University Press.

Mackil, E. (2015), "The Greek *polis* and *koinon*", A. Monson, and W. Scheidel (eds.), *Fiscal Regimes and the Political Economy of Premodern*

States, Cambridge, Cambridge University Press.

Migeotte, L. (2003), "Taxation directe en Grèce ancienne", G. Thür, and F. J. F. Nieto (eds.), *Symposion 1999: Vorträge zur griechischen und hellenistischen Rechtsgeschichte*, Wien, Böhlau.

Migeotte, L. (2007), *L'économie des cités grecques*, 2 éd., Paris, Ellipses.（佐藤昇訳『古代ギリシアの都市国家と経済（仮）』刀水書房、二〇二四年刊行予定）

Miyazaki, M. (2007), "Public Coercive Power of the Greek Polis: On a Recent Debate', *Bulletin of the Institute for Mediterranean Studies*, 5.

Ober, J. (2015), "Classical Athens", A. Monson, and W. Scheidel (eds.), *Fiscal Regimes and the Political Economy of Premodern States*, Cambridge, Cambridge University Press.

Osborne, R. (1997), "Law and Laws: How Do We Join Up the Dots?", L. Mitchell, and. P. J. Rhodes (eds.), *The Development of the Polis*, London, Routledge.

Papazarkadas, N. (2011), *Sacred and Public Land in Ancient Athens*, Oxford, Oxford University Press.

Parker, R. (2011), *On Greek Religion*, Ithaca and London, Cornell University Press.（栗原麻子監訳、竹内一博・齋藤貴弘・佐藤昇訳『古代ギリシアの宗教（仮）』名古屋大学出版会、二〇二四年刊行予定）

Polinskaya, I. (2010), "Shared Sanctuaries and the Gods of Others: On the Meaning of 'Common' in Herodotus 8.144", R. M. Rosen, and I. Sluiter (eds.), *Valuing Others in Classical Antiquity*, Leiden, Brill.（佐藤昇訳「共通聖域と他所の神々——ヘロドトス八巻一四四節における『共通』の意味に関する覚書」『クリオ』二四号、二〇一〇年）

Rhodes, P. J. (2009), "State and Religion in Athenian Inscriptions", *Greece and Rome*, 56.

Sourvinou-Inwood, C. (1990), "What is polis religion?", O. Murray, and S. Price (eds.), *The Greek City*, Oxford, Oxford University Press [reprinted in R. Buxton (ed.), *Oxford Readings in Greek Religion*, Oxford, Oxford University Press, 2000].

Sourvinou-Inwood, C. (2000), "Further Aspects of Polis Religion", R. Buxton (ed.), *Oxford Readings in Greek Religion*, Oxford, Oxford University Press.

van der Vliet, E. C. L. (2008), "The Early State, the Polis and State Formation in Early Greece", *Social Evolution & History*, 7-1.

焦　点 | *Focus*

焦点｜*Focus*

西アジア新石器時代における社会システムの転換

三宅　裕

はじめに

狩猟採集から農耕牧畜への移行、すなわち食糧生産の開始を人類史における一大転換点と捉える見方は、一つの学説としての域を超え、もはや「社会常識」となっている観さえある。この考えを主唱したゴードン・チャイルド(Vere Gordon Childe)は、新石器時代を農耕牧畜が開始された時代と定義し直すとともに、食糧生産の開始に端を発する一連の社会変容を「新石器革命」と呼び、その意義を強調した(チャイルド　一九五一)。これはチャイルドが深く共鳴していたマルクス主義的唯物史観を先史時代にまで敷衍させようとしたものであったが、その考えは多くの賛同者を得て広く受け入れられることとなった。

しかし、近年の西アジアにおける考古学調査の進展にともない、本格的な農耕社会の成立以前に規模の大きな祭祀建造物を造営し、奢侈品などの特殊生産や長距離交易を発達させていた社会が存在していたことがわかってきた。儀礼祭祀に大きなエネルギーが注がれ、ある程度の規模の社会組織の形成や社会的不平等の拡大なども想定することができるような状況にある。こうした社会は「複雑な狩猟採集社会」と評価することができ、食糧生産だけが社会を変容させる要因となったわけではないことを示す実例として注目される。本稿ではこれまでの経済中心主義的立場からは一定の距離をおき、新石器時代の社会を経済、イデオロギー、社会組織が不可分に関係しあう一つの構造体として捉えた時に、どのような像を描くことができるのか考えてみたい。

一、生業と社会の関係

農耕の生産性

「余剰理論」と呼ばれることもあるチャイルドの考えは、実は十分に検証されていないいくつかの前提に基づいている。それは、「農耕牧畜によって生産力は大きく向上する」という前提であり、その裏返しでもある「狩猟採集経済は不安定で、その生産力には限界がある」というもう一つの前提と対をなしている。これについては、経済人類学の分野では早くから議論の対象となり、中でもマーシャル・サーリンズ(Marshall Sahlins)は、農耕を営む社会であってもそのすべてで高い生産性が実現されているわけではなく、生計を維持できる程度にとどまっている場合も少なくないことをいち早く指摘していた(サーリンズ 一九八四)。生産力を高める余地はあるにもかかわらず、敢えてそうはしていないことから、それを過少生産構造と呼び、そこで機能しているのは反余剰のシステムであるとした。そして、そこから脱するためには、生産や労働の強化を促す社会的・政治的圧力が働く必要があることを強調した。

すなわち、農耕は潜在的には高い生産性を有しているものの、あくまでもそれは多くの労働力を投入することによってはじめて実現できるものであり、農耕そのものに所与のものとして高い生産性が備わっているわけではないというのである。そうであるならば、社会を変容させる要因として注目すべきは、農耕牧畜による食糧生産システムの確立そのものではなく、生産や労働を強化する機構の形成ということになる。

狩猟採集社会の実像

現存する狩猟採集社会についての研究が進展するにつれ、「常に空腹をかかえ、放浪する人々」という狩猟採集民に対する一般的なイメージも、単なる空想の産物にすぎないことが明らかにされた。食糧獲得のために費やされている時間は意外にも少なく、余暇を楽しむ余裕さえあることが知られるようになった。そうなると、生産や労働を強化させる余地は狩猟採集社会にもあるということになり、農耕社会の場合と同様に社会的・政治的圧力が働けば、生産力が向上し余剰が生み出される可能性もあることになる。

実際、北米大陸北西海岸の先住民社会のように、定住性が高く、規模の大きな集団を形成し、階層制まで発達させている狩猟採集社会が存在することは早くから知られていたが、長らく例外として扱われてきた。しかし、こうした既存のモデルに当てはまらない社会についても正当に評価する必要があると認識されるようになり(Price and Brown 1985)、定住性や高い人口密度のほか、大量の食糧貯蔵行為、生産の専業化、土地や資源に対する所有観念の発達、地位の世襲、階層制の発達などがその特徴であるとされ、「複雑な狩猟採集民」と呼ばれるようになった。

前近代の社会システム

もう一つ別の観点からも、唯物史観をそのまま先史時代に適用してしまうのは問題があるといわなくてはならない。カール・ポランニー(Karl Polanyi)は、マルクスが経済中心主義的枠組みを基に資本主義の本質に迫ることができたのは、近代においては「経済が社会から離床した歴史上希有なシステム」が確立されていたからであると指摘している(ポランニー 一九八〇)。この考えに沿うならば、「経済が社会に埋め込まれている」前近代の社会に対して、経済だけを切り取って論じたとしても、はたしてそれがどの程度有効なのか疑問が生じることになる。

実際、マルクス主義人類学の旗手であるモーリス・ゴドリエ(Maurice Godelier)は、従来の唯物史観では上部構造とされてきた親族、政治組織、宗教なども、生産関係に関わる限りでは下部構造的機能をもつとして、基本的枠組みの修正を図っている(ゴドリエ 一九七六)。経済は社会組織や宗教的イデオロギーなどと共に社会のサブシステムの一つとして捉えるべきものであり、これらが不可分に関係し合いながら社会が営まれていたことは、新石器時代の社会を考える際にも十分意識しておく必要がある。

ポリティカル・エコノミーの視点

ティモシー・アール(Timothy Earle)は、前近代社会における経済活動には、生存経済とポリティカル・エコノミーの二つがあると指摘した(Johnson and Earle 1987)。生存経済とは人間が生きていくために必要な、日々の栄養摂取に関わる活動である。先の「過少生産構造」は、このレベルを満たすことを所期の目的としたものであり、それを達成できる見込みが立った段階で労働を抑制してしまう仕組みであるといえる。

これに対してポリティカル・エコノミーは、威信や権力の生成と関わる経済の働きである。経済活動を基に生み出された余剰や富は、それを祭儀、饗宴、婚資などさまざまな活動に振り向けることによって、威信や権力を生み出す源となりうる。生存経済とは質的に大きく異なるものであり、個人や集団間において競争原理が働くことも多いため、拡大を志向する傾向があることも指摘されている。

アールの議論は首長制社会を念頭においたものであったが、ポリティカル・エコノミーの働き自体はそうした社会でなくとも機能しうると考えられる。例えば、血縁に基づく親族集団が形成されているような場合、祖先・祖霊を盛大に祀ることで集団の統合が強化されるとともに、地域社会における集団の威信の獲得にもつながる。集団全体の利益への関わりを強調することで、特段強制力を行使しなくとも成員から余剰生産物や労働力の提供を受けることは可能になると思われる。これは生産や労働を強化させる機構の一つであるといえ、この場合も経済は独立して機能するのではなく、社会組織やイデオロギーと不可分な関係にあるといえる。

二、先土器新石器時代における社会の複雑化——複雑な狩猟採集社会

西アジアの新石器時代

西アジアにおける新石器時代の始まりは現在では完新世の始まりとほぼ一致するとされ(紀元前九六〇〇年ごろ)、比較的温暖な気候が安定して続くようになる時期に相当する。チャイルドが新たな工芸技術の所産として注目した土器は、新石器時代でも後半にならないと出現しないことが判明し、その使用が一般化する前七〇〇〇年ごろを境に、新石器時代は先土器新石器時代と土器新石器時代に区分される。先土器新石器時代はさらにA期(Pre-Pottery Neolithic A: PPNA期)とB期(PPNB期)に分けられ、PPNB期は前期、中期、後期に細分されるのが一般的である。

西アジアでは新石器時代の開始前後に、定住生活への移行と農耕牧畜の開始という二つの大きな変化がおこっている。現在の知見によれば、続旧石器時代にまず定住化が進行し、次にそうした定住集落を舞台として農耕牧畜が開始され、食糧生産に基づく農耕社会が確立された後に土器が登場することが確認されている。特に重要であると思われるのが、食糧生産の開始以前に定住的な狩猟採集社会が形成されていたことであり、そこでは儀礼祭祀が発達し、社会の複雑化もかなり進展していたことが明らかになってきていることである。

公共建造物の存在

先土器新石器時代の集落の中に、一般の住居とは規模や構造を異にする特別な建物が存在することは、チャヨニュ

(Çayönü)遺跡の発掘により一九六〇年代にはすでに知られていた。しかし、それが大きな注目を集めるようになるのは、南東アナトリアのネヴァル・チョリ(Nevalı Çori)遺跡において「祭儀建物」が発見されてからである。この遺構はＰＰＮＢ期のもので、一辺が一三メートルを超える正方形に近い平面プランをもつ。建物の中央には高さ約二・五メートルのＴ字形をした板石状の石柱が二基立てられ、壁の内側を巡るベンチにも一〇基を超えるＴ字形石柱が配されていた。石柱の中には人間の腕と手が浮き彫りによって表現されている例があり、シャンルウルファ市内から発見された、ほぼ等身大の石像との共通点から、今では人間の男性の姿をした「存在」を表象したものであることがわかっている。床面もテラッゾと呼ばれる、石灰プラスターと砕石を用いた特別なつくりになっている。

こうした特別な建物は基本的に集落の中に一基、あるいは一つの時期に一基のみ認められ、多くの労働力や資材を投入して造営されたものである。イデオロギーを可視化したと考えられる図像資料をともなうことも多く、儀礼祭祀と関係する公共建造物的性格をもった建物であると評価できる。こうした公共建造物はその後も各地で発見が相次ぎ、遺跡によって構造や付属施設には違いがみられるものの、今ではユーフラテス川中流域、ティグリス川上流域、中央アナトリア、南レヴァントなど、西アジアの広範な地域においてその事例が知られるようになった。また、アイン・マラッハ('Ain Mallaha)遺跡やテル・ベイダ(Tell Beidha)遺跡のように、既知の建物が公共建造物として再評価されるようになったケースもある。特に、アイン・マラッハ遺跡の建物は続旧石器時代のものであり、その認定が正しければ公共建造物は新石器時代以前にまで遡ることになる。いずれにしろ、先土器新石器時代の集落に公共建造物が存在することは決して特別なことではなく、むしろそれが当時の集落の一般的な姿であったとみることができる。

山上の祭祀センター

儀礼祭祀に注がれていた社会的エネルギーが、私たちの想像をはるかに超えるスケールであったことを示す遺跡も知られるようになった。南東アナトリアのギョベックリ・テペ(Göbekli Tepe)遺跡では、直径が二〇メートルを超えるものも含め、大型の公共建造物が複数確認され大きな注目を集めた。公共建造物が特別な場所に集合的に造営されたと評価することができ、石灰岩の山地上という立地も含め、祭祀センター的性格をもった遺跡であるとする解釈が有力である。特に、下層の建物(PPNA期)はプランが円形という違いはあるものの、中央に二基のT字形石柱が据えられ、壁の内側にベンチが巡るなど、ネヴァル・チョリ遺跡の公共建造物と構造的によく似ている。さらに、地中探査によってこうした円形の大型建物は、遺跡全体で少なくとも二〇基存在することが確認されている。

建物中央のT字形石柱は高さが五・五メートルもあり、それだけでもモニュメントと呼べるものである。石柱が据えられていた方形の台座は石灰岩の岩盤と一体となっており、床面を作出するために岩盤を掘り窪める際に、台座部分を計画的に掘り残していたことになる。これ以外にも、T字形石柱やベンチ上面に敷かれた大型の板石の切り出し、その運搬や建物への据え付けなど、こうした建物を造営するためには多岐にわたる作業が必要であり、多大な労力が投入されたことは間違いない。ある程度の規模の社会組織が形成されていたことや経済的基盤も整えられていたことが推測されるが、この遺跡では農耕牧畜を営んでいた証拠はまだ認められず、従来の新石器革命論に沿った考えではうまく説明することができない。まさにこの点こそ、ギョベックリ・テペ遺跡発見の最大の意義であるということができる。

ギョベックリ・テペ遺跡の周辺には、遺跡踏査の結果、ほかにもT字形石柱をともなう遺跡が数多く存在することが明らかになり、その中にはカラハンテペ(Karahantepe)遺跡のように、夥しい数のT字形石柱が確認されている遺跡もある。ギョベックリ・テペ遺跡がこの地域唯一の祭祀センターであったとはいえなくなり、むしろ複数の集団が競い合うように祭祀センターの造営を活発化させていた可能性も考えられるような状況にある。

シンボリズムの発達

先土器新石器時代には、イデオロギーを可視化する動きも盛んであったことが知られている。ギョベックリ・テペ遺跡のT字形石柱には浮き彫りによって動物を中心とした図像が数多く描かれ、ヘビ、キツネ、イノシシをはじめとして、サソリ、猛禽類、ヒョウなどの姿も認められる。その中には複数の動物やモチーフが組み合わされている例もあり、神話のような物語性のある主題が表現されている可能性も指摘されている。

公共建造物の中央に据えられた二基のT字形石柱は、その位置や大きさからみて、建物の中で最も重要で中心的な存在であったと考えられる。そこにも動物像がみられるが、今のところウシの一例を除きすべてがキツネである。ギョベックリ・テペ遺跡の公共建造物が体現しているシンボリックな世界の中で、T字形石柱が表象する人間の姿をした存在が最高位にあったことは間違いないといえるが、自然界の存在の中ではキツネが最高位にあったと理解することができる。

ティグリス川上流域やユーフラテス川中流域のPPNA期の集落遺跡からも、シンボリズムに関係する資料が数多く出土している。石製容器、箆《へら》状骨製品、板状石製品、矢柄研磨器などに表現されているのは、キツネのほかヘビ、サソリ、鳥(猛禽類か)などが中心であり、ギョベックリ・テペ遺跡の図像の内容とも一致する点が多い。そこには狩猟採集に基盤を置く社会の世界観が反映されているとみることができ、少なくとも農耕や牧畜との関連を見出すことはできない。

特殊生産・長距離交易の発達

先土器新石器時代には、当時の技術の粋を集め、時間と労力をかけて製作された特別な器物も数多く認められる。その一つであるクロライト製の石製容器は、一つの遺跡から数百点以上まとまって出土している例もある。その多くが墓の副葬品として出土し、墓に納められる際に意図的に壊されていることから、単なる容器であったのではなく、象徴的な意味の付与された特別な器物であったと考えられる。装身具の発達も顕著であり、特に石製ビーズはその数や種類が大きく増加する。幾何学文やヘビ・サソリなどの動物像があしらわれた箆状骨製装身具、板状石製装身具も認められ、さらにバトン(指揮棒)や棍棒頭など儀器と考えられる器物も出土している。これらは特定の個人と結びついた、位階表示物としての性格をもっていたと考えることもできる。

これまで古代の工芸生産については、社会の複雑化との関係で専業的な生産体制が確立されていたかどうかが議論の中心となってきた(Costin 1991)。しかし、それを評価するのは簡単ではなく、仮に非専業的とされた場合、それ以上の検討がなされなくなるという問題もあった。先史時代の場合むしろ重要なのは、奢侈品の生産がどの程度認められ、それにどれ程のエネルギーが注がれていたのかを評価することであり、時間と労力をかけて特別な器物を生産する生産の特殊化、あるいは特殊生産という概念の方が有用であると思われる(谷口 二〇一七)。

特殊生産はそれ自体が自律的に発達するようなものではなく、背後にある社会のあり方と密接に関連しているといえる。特別な器物を希求する意志、あるいはその生産を促す力が強く働くことで、はじめて盛んになると考えられるからである。おそらく儀礼祭祀の発達とも関係しており、威儀を正して祭儀に臨む際の道具立てとして、重要な役割を演じていたと想像される。そこでは威信や名誉の獲得・維持をめぐる競争原理も働いていたと思われ、複雑化の様相を強めていく社会においては必要不可欠なものであったとみられる。ティグリス川上流域のPPNA期の遺跡では、特殊生産による奢侈品が墓の副葬品として多数検出されているが、中には全く副葬品をともなわない墓もあり、その多寡には大きな違いがみられることが明らかになっている。どの程度制度化されていたかは別として、社会的な不平等・格差の拡大もある程度進行していたと考えられる。

希少価値の高い物財の獲得を目的とするという点において、特殊生産の発達と長距離交易網の形成との間には共通する面が多い。装身具の素材となった海産貝類や希少石材は、続旧石器時代後期ごろから広域に流通するようになり、先土器新石器時代には孔雀石(マラカイト)や自然銅などの銅鉱石も利用されるようになる。海産貝類の装身具の分布は長らく沿岸部の遺跡に限定されていたが、続旧石器時代後期になると地中海産の貝類がアナトリアの内陸部にも分布するようになり、PPNA期には地中海から五〇〇キロメートルほど離れた遺跡からも地中海産の貝製ビーズが出土するようになる。

こうした物資自体の動きもさることながら、注目すべきはその背後にあったと想定される遠隔地の希少物資を強く希求する動きについてである。簡単には入手できない精巧品を保有することが威信の獲得につながるように、エキゾチックな物財、あるいはそれを素材とした優品を保有することは、やはり威信の獲得につながったと思われる。物資が広域に流通するかどうかは、それを求める力が強く働くかどうかにかかっているといえ、あくまでもその結果にすぎない。やはり、当時の社会のあり方と不可分に関係しているとみるべきだろう。

経済的基盤

先土器新石器時代の経済的な面についても触れておきたい。ただし、ここで注目したいのは生業のあり方などではなく、ポリティカル・エコノミーにかかわる活動である。その実態に迫るのは簡単ではないが、食糧貯蔵のあり方は一つの手がかりになると思われる。

南東アナトリアのティグリス川上流域では、PPNA期の遺跡から貯蔵施設と考えられる遺構が多数検出されている。直径が二―三メートルほどのピット状の遺構で、底面には礫が密に敷かれ、厚い粘土で覆われている。これらの遺構は屋外のスペースに設けられ、中には集落内の一角からまとまって検出されているケースもある。この地域ではムギ類の利用は概して低調であったことから、こうした貯蔵施設の存在を形態的には野生型の穀物を栽培するプレドメスティケーション栽培の開始と結びつけることはできない。主に利用されていた植物は、ピスタチオ、アーモンド、エノキなどの木の実であり、遺跡によってはカヤツリグサ科の小型種子が多数を占める場合もある。こうした遺構に貯蔵されたのは狩猟採集活動によって得られた資源であると考えられ、定住狩猟採集社会における経済的基盤の形成を示す事例として注目される。

食糧を大量に貯蔵する行為は、北米大陸北西海岸の先住民社会でもよく知られており、複雑な狩猟採集社会の特徴の一つとされている。アラン・テスタール(Alan Testart)は、大量に食糧貯蔵をおこなう社会と定住性、人口密度の高さ、社会経済的不平等の拡大との間に高い相関が認められることを指摘し、食糧の貯蔵行為こそが社会のあり方を規定するとの論を展開した(テスタール 一九九五)。特定の時季に大量に収穫・捕獲できる食糧を貯蔵しておき、必要に応じて消費していくという「遅延リターンシステム」は、農耕社会における食糧消費のあり方と共通するものであり、余剰生産物の集積やコントロールを可能にし、社会の複雑化を進展させる要因の一つとなると考えられる。

三、社会システムの転換——「新石器の崩壊」をめぐって

生業形態と社会の変容

ここまでみてきたように、先土器新石器時代において複雑な社会が形成されていたことを示す資料は着実に蓄積されつつある。その一方で動植物に現れる形態的変化、すなわちドメスティケーションを指標とした場合、PPNA期にはまだ農耕牧畜が営まれていた証拠は認められず、生業の変化に先駆けて社会の変容がおきていたことになる。そうした中、PPNA期におけるプレドメスティケーション栽培の意義を強調することで、従来の新石器革命論の枠組みを維持しようとする動きもみられるが、野生型植物の栽培が生産性の面において野生植物の採集と大きな違い

があったのかどうか、慎重に検討されるべきである。また、ティグリス川上流域のように、ＰＰＮＡ期にはムギ類がほとんど利用されていない地域もあり、プレドメスティケーション栽培の可能性を排除できるこうした地域においても、公共建造物の存在、特殊生産や長距離交易の発達、大量の食糧貯蔵行為など、複雑な社会が形成されていたことを示す状況が認められることは、ムギ類の栽培だけに注目する見解への反証になると考えられる。

動植物にドメスティケーションの兆候が認められるようになるのは、ムギ類についてはＰＰＮＢ期前期、動物についてはＰＰＮＢ期中期ごろである。この時期には食糧生産へ向けた動きも徐々に本格化していったと考えられるが、狩猟採集から農耕牧畜への転換は比較的緩やかなペースで進んだことも知られるようになった。そうした過程において一つの画期と捉えられるのが、先土器新石器時代でも末期に相当するＰＰＮＢ期後期である。この時期になると家畜と認定できる個体の割合が顕著に増加し、特にヒツジとヤギの割合が高い遺跡が西アジアの広範な地域で認められるようになる(Arbuckle and Atici 2013)。また、ムギ類やマメ類についても複数の栽培型の作物がパッケージとして成立し、雑草の種子の出土も顕著になることが指摘されている(Asouti 2013)。混合農業の典型でもある「西アジア型農耕」が確立され、本格的な農耕社会が成立したと評価することができる。食糧生産を重視する立場に立つならば、この時期から社会の発展がより一層進んでいくと考えられるところである。

公共建造物の終焉

ところが、実際にはそれとは逆の現象が認められる。まず注目されるのが、それまで集落の中で中心的な存在であった公共建造物が、ＰＰＮＢ期後期ごろになると姿を消してしまうことである。先土器新石器時代初頭から公共建造物が連綿と構築されてきたチャヨニュ遺跡では、テラッゾ建物を最後にその造営が途絶えてしまう。ＰＰＮＢ期後期の公共建造物としては、ヨルダンのアイン・ガザル(Ain Ghazal)遺跡の事例が挙げられている程度で、今のところほかに類例は知られていない。

後続する土器新石器時代になると、公共建造物はまったくみられなくなり、集落の様相も一部の地域を除いて、数ヘクタール程度の小規模な集落が点在するという状況になる。特殊生産にも翳りがみられるようになり、それまでの時期と比べると優品と呼べるものが少なくなる。農耕社会が成立したにもかかわらず、社会的には衰退ととれるような変化がおこっていたことになる。こうした状況は「新石器の崩壊」と呼ばれ、かつては農耕牧畜による周辺環境の悪化がその要因であったとする見解もみられたが、この時期の食糧生産が環境にそれほどの悪影響を及ぼすものであったとは考えにくい面がある。

尖頭器の儀器化

もう一つ注目されるのが、先土器新石器時代の代表的な石器である尖頭器のあり方である。そもそも、狩猟活動が徐々に退潮していく時期に尖頭器が主要な石器であり続けるのは奇妙なことである。しかも尖頭器は先土器新石器時代を通じて大型化していき、装飾的要素とみることができる押圧剝離による調整も施されるようになる。ＰＰＮＢ期に発達するナヴィフォーム石核を基にした石刃製作技術は、尖頭器の素材となる大型石刃の獲得を目的としたものであることが指摘されており、大型の尖頭器を製作するために創出された技術であるといえる。石材も良質のフリントが選択され、尖頭器の製作には大きなコストがかけられていた。そして、尖頭器は大型化と装飾のピークを迎えた後、一部の地域を除き先土器新石器時代末期ごろに突然姿を消してしまう。

実用性よりも「見映え」の方が強く意識されているかのようなこうした尖頭器のあり方は、むしろ儀器に近いと評価することができる。公共建造物が造営されなくなる時期に、尖頭器もほぼ製作されなくなることからすると、儀礼祭祀の体系の変動と連動した一連の現象であった可能性がある。さらに、大型の尖頭器がほとんど出土しない西アジアの東部では、公共建造物が確認されていないことも、両者の間に有意な関係があることを示しているとみることができる。

儀礼祭祀と社会システム

公共建造物の造営は農耕牧畜への移行が進みつつあったＰＰＮＢ期にも継続されていたとはいえ、関連する儀礼祭祀の体系とともに定住狩猟採集社会において創出されたものであることは認識しておく必要がある。尖頭器が儀器化することもそれと無関係ではないと思われ、先土器新石器時代の儀礼祭祀の体系は狩猟採集民としてのアイデンティティと深く関係していた可能性がある。それは先土器新石器時代のシンボリズムが野生動物を中心とする自然界と強く結びついたものであることとも矛盾しない。

尖頭器が儀器的様相を強めていくのはＰＰＮＢ期からであるが、それは現実の社会が農耕牧畜への傾斜を深めていく中で、狩猟者としての自己がより強く意識されるようになったことの表れとみることもできる。公共建造物が先土器新石器時代を通じてある程度の期間造営され続けるのも、変化する現実の社会と折り合いをつけるのに苦労しつつも、伝統的社会システムや儀礼祭祀の体系を維持しようとしていた姿と捉えることができる。

しかし、ＰＰＮＢ期後期に本格的な農耕社会が成立すると、旧来のイデオロギーや儀礼祭祀の体系は現実の社会との乖離が決定的となり、その意義を喪失してしまったようにみえる。おそらくその影響は経済面にも及び、それまで生産や労働を強化する方向に働いていた圧力も弱まることになった可能性がある。余剰生産物や富を集積する機構が機能しなくなったことで、結果的に社会全体の生産力は低下することになり、社会の複雑性も後退を余儀なくされた。そう考えることで、潜在的には高い生産性をもつはずの農耕社会が成立したにもかかわらず、実際には生産力が低下してしまったかのようにみえる逆説的な現象を説明することができるようになると思われる。

おわりに

従来のマルクス主義的唯物史観に基づく立場では、食糧生産開始の意義を強調するあまり、あたかもそれが「打ち出の小槌」や「魔法の杖」であったかのようにみなし、私たちがいつどこでそれを手にしたのか究明することに懸命になってきたといえる。しかし、新石器時代に狩猟採集民が複雑な社会を形成していたとなると、食糧生産の開始にだけ注目したとしても十分ではないということになる。先土器新石器時代には公共建造物の造営や特殊生産の発達など、ポリティカル・エコノミーにかかわる活動が盛んであったが、それを支えたのは、過少生産構造をめぐる議論の中でも指摘されていた、生産や労働の強化を促す圧力や機構の形成であったと考えられる。問題はこの時代に余剰や富の集積を可能にしたものとして、具体的にどのような圧力や機構を想定できるのかということである。

そこで参考になると思われるのが、首長制社会における権力の生成をめぐってアールが注目した「権力の源泉」である(Earle 1997; 関 二〇〇六)。もちろん、先土器新石器時代の社会は首長制社会であったとはいえず、権力という表現も馴染まないかもしれないが、アールが取り上げた「権力の源泉」は、社会の複雑化を進展させる原動力にもなりうると考えられる。先土器新石器時代に想定できるのは、今のところ明確な証拠のない「軍事」を除いた、「社会関係」(社会組織)、「経済」、「イデオロギー」の三者ということになる。

イデオロギーとの関連で注目されるのは、やはり先土器新石器時代における儀礼祭祀の発達である。「儀礼は社会と国家の存続にとって絶対的に不可欠である」という評価があるように(今村・今村 二〇〇七)、この時代における儀礼祭祀の発達も、生業形態などよりも根源的な人間社会のあり方そのものと深く関係していた可能性がある。人間はさまざまな共同体を形成し、集団の中で生きていく存在である。集団にとって数は力であり、協力するメンバーが多ければ様々な活動を展開でき、他集団に対して優位に立つことも可能になる。その一方で、集団の規模が拡大すると、それを統合・維持するために費やさなくてはならないコストも増大することになる。先土器新石器時代における儀礼祭祀の発達は、イデオロギーの操作を軸に集団の統合を強化しようとしていたことの表れとみることができる。

また、社会組織や共同体はその成員が入れ替わったとしても、世代を超えて存続していく存在である。集団の同一性を保ち、その永続を望むのであれば、集団の求心力となる象徴的存在が必要となる(大田 二〇一五)。先土器新石器時代の場合、神観念がどこまで体系化されていたかは不明であり、世襲的権力が確立されていたことを示す明確な証拠もない。この場合、可能性が最も高いと思われるのは祖先・祖霊であり、それは公共建造物の「主役」であるT字形石柱が人間の男性の姿をした存在を表象したものであることとも矛盾しない。

先土器新石器時代における儀礼祭祀の発達は、定住化の進展とも深く関係していたと考えられる。年間を通じて一定の場所に居住する定住生活は、否応なく集団のテリトリーに対する意識を高めることになる。特定の土地や資源の所有権を主張し、その占有を正当化するためには、先祖代々そうしてきたという「歴史」を強調することは有効であったはずである。祖先を大切に祀ることとは、父祖代々の土地や資源、財産を継承する権利が自らにあることを表明し、社会的に確認する行為としても大きな意味があったと考えられる。

このように、先土器新石器時代に発達した儀礼祭祀を祖先祭祀と深く関わるものと捉えるならば、社会組織も含めた祖先祭祀をめぐる機構が、生産や労働を強化する圧力として働いた可能性を考えることができるようになる。祖先祭祀に関係する祭儀や饗宴を集団全体に関わる「公的活動」として位置づけることにより、それに必要な余剰生産物や労働力の提供を求める「大義名分」となると考えられるからである。

さらに、祖先祭祀は集団内の序列化を進める働きをもつことも指摘されている(谷口 二〇一七)。出自集団のような社会組織にとって祖先との関係性はたいへん重要であり、祖先との系譜的距離に基づいて序列化が生じることも多い。

祖先祭祀を管掌する権限や主要な祭儀に参加できる資格をもつかどうかは、集団内での威信に直結する。先土器新石器時代に特殊生産や長距離交易が発達し、特別な器物を中心とする墓の副葬品の内容や量に差がみられることは、祖先祭祀がもつ社会的不平等や格差を助長する面とも整合性があるといえる。

先土器新石器時代末の「新石器の崩壊」を社会システムの転換と捉えるならば、それ以降メソポタミアに都市が誕生するまでの約四〇〇〇年間は、社会の再編期と位置づけることができるようになる。ウバイド後期には公共建造物（神殿）が造営されるようになることから、この時期までには生産や労働の強化を促す機構が再び整えられたと考えられる。おそらくその過程では農耕牧畜の高い生産性が最大限に活用され、格段に規模の大きい都市社会が形成されることになったとみられる。興味深いのはここでも社会の統合に宗教的イデオロギーが重要な役割を果たしていたことであり、先土器新石器時代の社会との間に生業の違いを超えて構造的に共通する面があることである。そこから導き出せるのは、まさに「人はパンのみにて生きるにあらず」ということであり、パンの方ばかりに注目してきたこれまでの姿勢を改めてみる価値は大いにあるように思われる。

参考文献

今村仁司・今村真介（二〇〇七）『儀礼のオントロギー――人間社会を再生産するもの』講談社。

大田俊寛（二〇一五）『宗教学』人文書院。

ゴドリエ、モーリス（一九七八）『人類学の地平と針路』山内昶訳、紀伊國屋書店。

サーリンズ、マーシャル（一九八四）『石器時代の経済学』山内昶訳、法政大学出版局。

関雄二（二〇〇六）『古代アンデス権力の考古学』京都大学学術出版会。

谷口康浩（二〇一七）『縄文時代の社会複雑化と儀礼祭祀』同成社。

チャイルド、ゴードン（一九五一）『文明の起源』上・下、ねず・まさし訳、岩波新書。

テスタール、アラン（一九九五）『新不平等起源論――狩猟＝採集民の民族学』山内昶訳、法政大学出版局。
ポランニー、カール（一九八〇）『人間の経済I――市場社会の虚構性』玉野井芳郎・栗本慎一郎訳、岩波書店。
三宅裕（二〇一七）「揺らぐ新石器革命論――農耕・牧畜の起源と新石器時代の社会」『季刊考古学』一四一号。
Arbuckle, B. S., and L. Atici（2013）, "Initial diversity in sheep and goat management in Neolithic south-western Asia", *Levant*, 45-2.
Asouti, E.（2013）, "Evolution, history and the origin of agriculture: rethinking the Neolithic（plant）economies of South-west Asia", *Levant*, 45-2.
Costin, C. L.（1991）, "Craft specialization: Issues in defining, documenting, and explaining the organization of production", *Archaeological Method and Theory*, 3.
Earle, T.（1997）, *How Chiefs Come to Power: The Political Economy in Prehistory*, Stanford, Stanford University Press.
Johnson, A. W., and T. Earle（1987）, *The Evolution of Human Societies: From Foraging Group to Agrarian State*, Stanford, Stanford University Press.
Price, T. Douglas, and James A. Brown（eds.）（1985）, *Prehistoric Hunter-Gatherers: The Emergence of Cultural Complexity*, Orland, Academic Press.

集点 *Focus*

初期国家形成期のエジプト
――ヒエラコンポリス遺跡にみる社会の複雑化

馬場匡浩

はじめに

古代エジプトでは、ナルメル王がナイル川下流域を政治的に統合した前三一〇〇年頃に、王を頂点とする国家組織が誕生する。いわゆるエジプト文明の開闢であり、ここから王朝時代が始まる。それ以前を先王朝時代と呼び、前四千年紀のナカダ文化の時期が初期国家の黎明期にあたる［図1］。ナイル川下流域では、前六千年紀後半には農耕や牧畜が北部（下《しも》エジプト：デルタからファイユーム）で定着する［図2］。その新石器化の飛躍は南部（上《かみ》エジプト）にも波及し、前五千年紀中葉にバダリ文化が現れ、それを継承して広域に展開したのがナカダ文化である。ナカダ文化の発展が王朝時代の萌芽となるのだが、それは物質文化のみならず、社会形態においても同様であり、およそ七〇〇年の期間で、支配者を擁する階層社会を生み出し、この複雑化の果てに初期国家が産声をあげた。そのナカダ文化のなかで、いちはやく複雑な社会を形成したのがヒエラコンポリスである。本稿では、ヒエラコンポリス遺跡における発掘成果を紹介しながら、初期国家形成に向かう社会の様相に迫りたい。

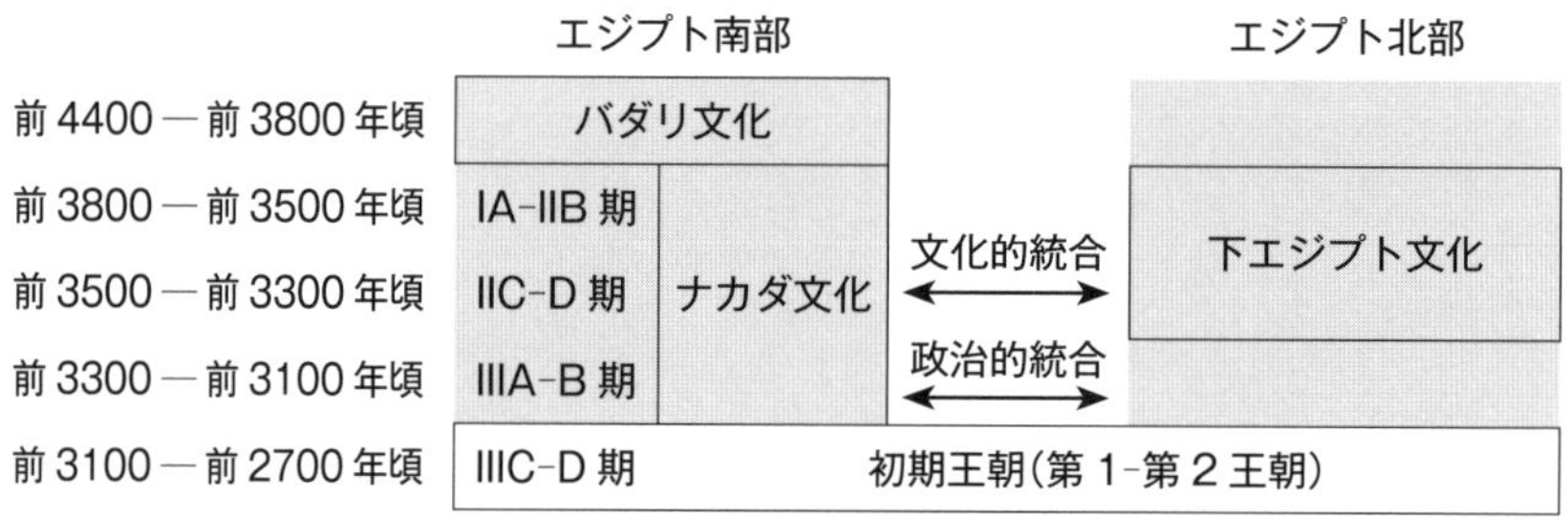

図 1　先王朝時代の編年

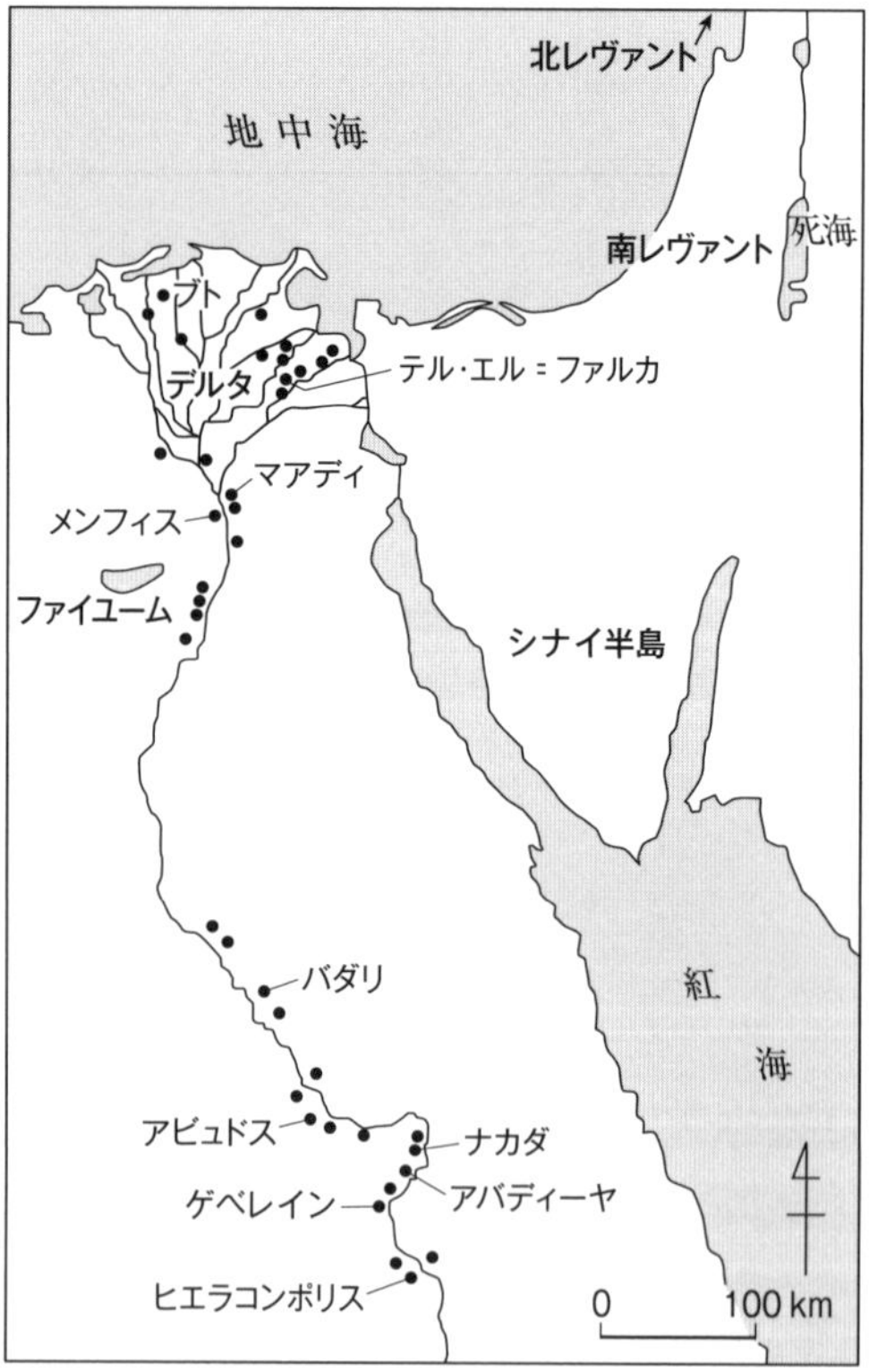

図 2　遺跡地図(●：先王朝時代の遺跡)

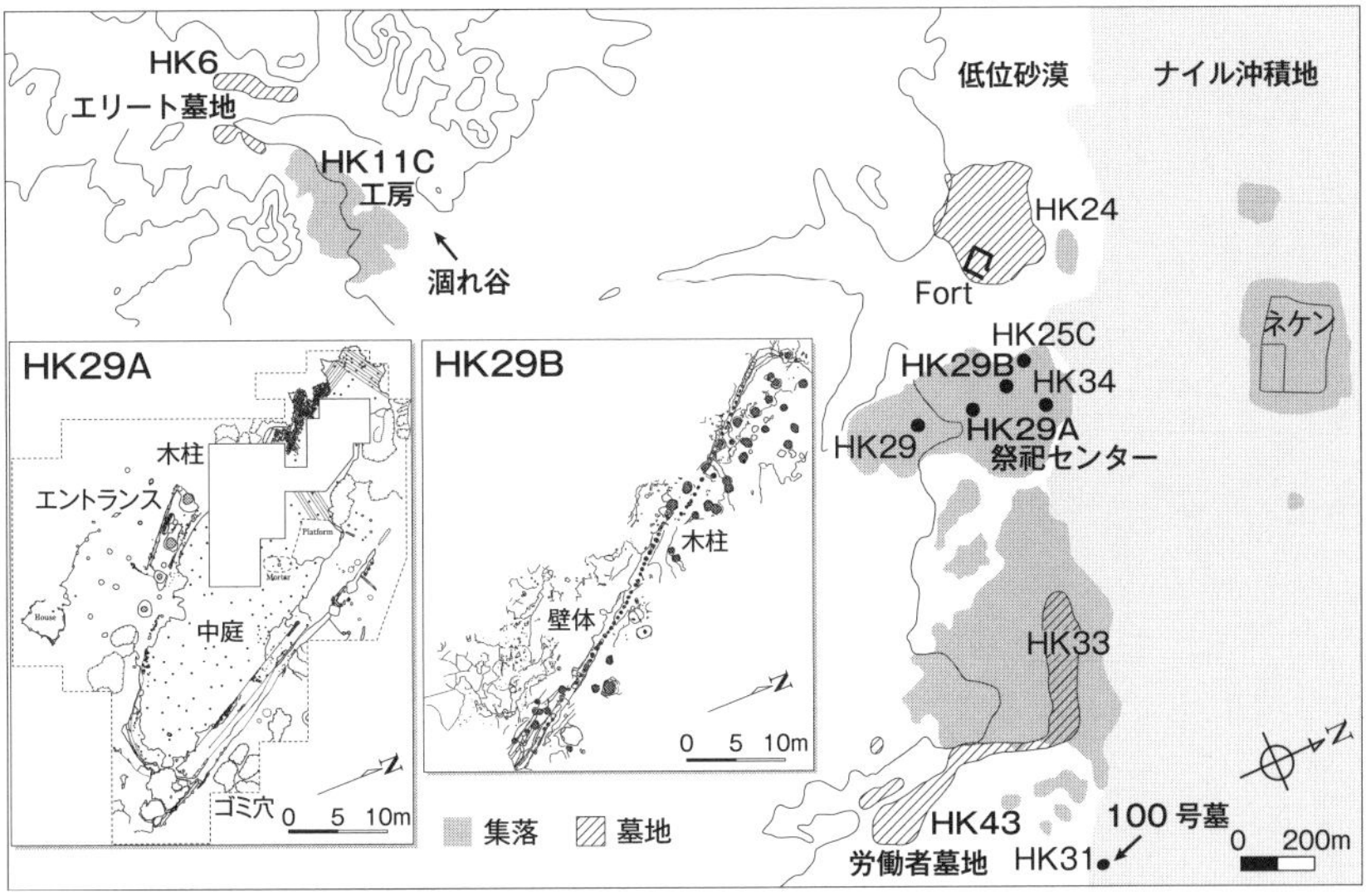

図3　ヒエラコンポリス遺跡の遺構分布図

一、ヒエラコンポリス遺跡

ルクソールから約七〇キロメートル南のナイル川西岸に位置するヒエラコンポリスは、総面積がおよそ九〇〇ヘクタールにおよぶ先王朝時代でも屈指の遺跡である[図3](Friedman 2011)。この遺跡は、ナイル沖積地の小高い丘(ネケン)から低位砂漠までの領域に広がっている。ネケンでは、当地の神であるホルスを祀る王朝時代の神殿域があり、ナルメル王のパレットやメイスヘッド(棍棒頭)などの埋納遺物が大量に発見されたことで有名である。一方、低位砂漠にはナカダ文化の遺構が濃密に分布する。砂漠縁辺部には主集落が広がり、中央に祭祀センター(HK29A)や工房(HK29・34)、西にビール醸造施設や穀物倉庫(HK24)、東に墓地(HK31・33・43)、そして南の涸れ谷にはエリート墓地(HK6)や工房(HK11C)が営まれた。こうした機能的なレイアウトは、都市と評するにふさわしい。以下、当遺跡にみられる社会の複雑さについて、「階層化」と「専業化」の二つの指標からみていく。前者は社会の縦軸としての身分差であり、後者は横軸としての生業の分化・多様化である。

二、墓からみた階層化

墓地のあり方は社会の縮図である。それは、労働者墓地(HK43)とエリート墓地(HK6)を見比べると、大いに首肯できるだろう。近年の精緻な発掘によって、より克明に当時の状況がわかるようになってきた。

労働者墓地は、主集落の南端に位置し、ⅡA－B期を中心とする四五〇基以上の墓で構成される(Friedman 1999: 3-18)。墓はどれも、浅く掘られた直径一メートルほどの土坑で、マットにくるまれた屈葬遺体がぴったりと納まるサイズだ。副葬品は、三－四点の土器に、化粧パレット、櫛、ビーズ装飾品などが伴う。どれも生前に使用していた日用品である。こうした埋葬様式は、ナカダ文化の墓地でごく一般的にみられるものである。埋葬人骨の年齢は、二〇－三〇代が最も多いものの、幼児から熟年まであらゆる年齢層が含まれる。男女比もほぼ等しい。かれらは社会の一般構成員であり、農作業などの労働に従事していたとされる。しかし、戦闘で負う特徴的な腕の骨折(受け止め骨折)や、鈍器による後頭部の致命的な陥没なども散見され、農作業のみの平和な農民ではなく、近隣集団との抗争を担う戦士の一面も持ちあわせていたようだ。

労働者墓地にみるこうした小型墓が圧倒的多数を占める一方、一握りの大型墓が独立した墓域に造営された。この隔絶したエリート墓地では、歴史を塗りかえる発見が相次いでいる。これまで八〇基ほどの墓が調査されたが、それらが大型墓を中心に「複合体」を呈する点に注目したい。以下、最も古い一六号墓複合体について紹介する[図4]。

ⅠC－ⅡA期に比定される一六号墓は、土坑が四・三×二・六メートル、深さ一・五メートルの規模を持つ。北面には木柱で構築された祠堂が備えられ、木杭柵が全体を矩形に囲んでいる(Friedman et al. 2011; 2017)。この時期でこれ

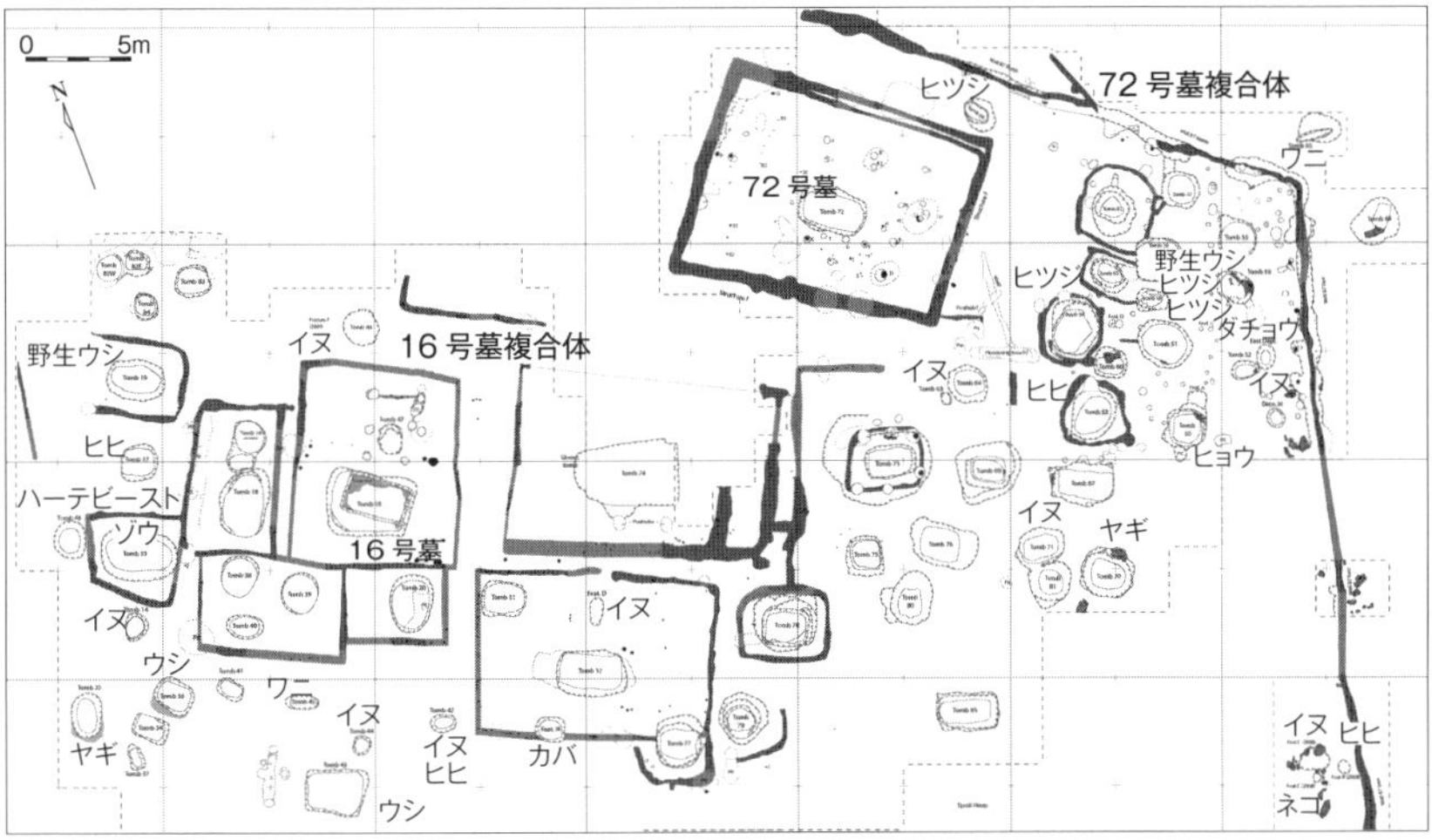

図4　エリート墓地

ほど大規模な墓は他にない。土坑内は盗掘を受けていたが、残された土器だけでも一一五点以上を数え、当時としては群を抜いた数の副葬品を準備できるほどの経済力と社会的地位がうかがわれる。さらに特筆すべき点は、付属する墓群だ。一六号墓を二重の墓群が取り囲んでいる。内側には人間、外側には動物が、それぞれ埋葬されていたのである。付属墓に埋葬された人々は、一〇ー三〇代にほぼ限定され、かつ二〇歳以下の割合が高い。そして、女性が六〇%以上を占める。労働者墓地と比較しても不自然な人口構成であり、初期王朝時代の王墓にみられる殉葬の慣習を想起させる。副葬品は精巧なものが多く、それは被葬者の高い地位を示している。かれらは生前、一六号墓の墓主に仕えていた従者と考えていいであろう。また興味深い資料として、ドゥワーフ(矮人)人骨が挙げられる。身長一・二メートルの女性であり、手足が短く、大腿骨が湾曲している。出土場所が一六号墓の祠堂直下であることから、とりわけ彼女は埋葬において最大の名誉を与えられたようだ。身体の特殊性に神性を見いだしたのであろうか、王朝時代の王宮でもドゥワーフが活動していたことが知られている。そうした王宮の存在を示唆する遺構(HK29B)が近年、主集落の中央で発見された[**図3**]。五〇メートルにもおよぶ木柵の壁体が東西に走り、壁際には直径一メートルの木柱が等間隔に並ぶ(Hikade 2011)。地下探査により、壁体はさらに五〇メートル西に延びていることが看取された。ここが支配者の邸宅であり、祭祀センターもこの巨大な構造物を中心とする複合体の一部であったと考えられる。

動物埋葬墓には、家畜と野生の両種があるが、後者、野生動物はとりわけ関心を惹く(Van Neer et al. 2017a; 2017b)。カバ、ワニ、野生ウシ(オーロックス)、ハーテビースト、ヒヒ、アフリカゾウなどの埋葬がみつかっている。特筆すべきは、これら野生動物が生きたまま捕らえられていたことである。リネンやマットで手厚く葬られたアフリカゾウは、骨がほぼ完全体で発見され、腹部の場所からエンマーコムギやアカシアの小枝が多く検出された。加えて、魚骨、土器片や石器片など、いわば生活のゴミも混じっていた。つまり、集落内で餌を与えて飼育していたのだ。ヒヒにいたっては、腕に治癒した受け止め骨折があることから、暴力的に捕獲したあと、傷が癒えるまで世話していたことが分かるのである。これら動物も、従者と同様に墓主の死に際して埋葬されたのであろう。

こうした多様な動物遺体がまとまって出土した場所は他にもある。祭祀センターだ(Friedman 2009)。木柵で囲われた長軸四五メートルの楕円形の中庭を中心に据え、西面には直径一メートルの木柱が四本並び、ここが巨大なエントランスとなっていた[図3]。ⅡA期から第一王朝まで増改築されつつ利用されたが、その活動の痕跡が中庭に隣接するゴミ穴から検出されている。ゴミ穴は三・七万点以上の動物遺存体で満たされ、分析の結果、ナイルパーチという大型魚と、カバやワニ、ハーテビーストなどの野生動物が半数以上を占めていた(Linseele et al. 2009)。集落址において、野生種のこれほど高い割合はきわめて特殊といわねばならない。全骨格が残存する例や、両面加工ナイフの製作屑が含まれることから、中庭では儀礼的屠畜が行われていたと考えられる。

野生動物を保持し、屠る目的は何か。ゾウや野生ウシなど大型動物については、力強い自然の力をコントロールすることが支配者の権力誇示となり、かつその力をかれら自身に取り込むことを企図したと考えるのが無難だ。また、カバやワニといった危険な動物は自然界の脅威の象徴であり、生殺与奪の権を握ることで、支配者はわれこそが世界に安寧をもたらしていると顕示する。これは、権力と神聖さを掌中におさめたのと同義だ。王朝時代になると、ゾウや雄ウシは王のメタファーとして、また王権象徴として描かれる。一方、危険な動物に関しては、「カバ狩り儀礼」に代表されるように、王は象徴的狩猟をつうじて、王権の要である「イスフェト(無秩序)を抑止して、マアト(秩序)を維持する」という使命を演じる(Baines 1995: 11-12)。つまり、ヒエラコンポリスで実践された権力創出・維持の儀礼行為が、王朝時代の王権イデオロギーへと直結するのである。

以上、ヒエラコンポリス遺跡の墓地資料から、階層化の進行は明らかである。しかもここでは単純な上下二層ではなく、従者たちの存在が示すように上層内部にも身分差が形成されていたのだ。ヒエラコンポリスでは、こうした社会構造が他に先駆けて進展し、王朝時代の王権観や王宮文化などの源流も生み出されたのである。

三、集落からみた専業化

社会の複雑さが増すと、生産活動にも専門性がみられるようになる。特に、国家形成や都市化の段階では、需要が格段に増加することから、作業分担の細分化が進み、専業的な生産組織が形成される。とりわけ、社会の複雑化とともに顕著になるのが、工芸の専業化とされる。考古学における専業化研究では、遺構や遺物にみられる専業度合いと生産形態を判定する分析が必要となる。筆者は、エリート墓地近郊の集落址(HK11C)で、ⅠC−ⅡB期の土器焼成遺構とビール醸造址を発見し、その専業分析を行った(馬場 二〇一三:一八七−二〇六頁)。専業度の分析視点はいくつか挙げられるが(Costin 1991: 18-43)、ここでは規格化と効率性に注目して、土器の分析結果を紹介したい。焼成遺構では粗製の壺形土器が生産されたが、その口径値は一八センチメートルにほぼ集中し、高いレベルでの規格化が示唆された。また、口径値から変動係数を求めると一一・七五であり、伝統的に作られてきた精製土器がおしなべて三〇前後である。係数は小さいほど強いまとまりを示すので、本資料の規格性は際立っている。効率性については、素地(粘土)の準備方法に着目した。粗製壺の胎土は、基質が粗く含有鉱物も大きさが不均一であることから、可塑性の乏しい素地土であったといえる。これは、水簸《すいひ》(水に粘土を混ぜて精製する方法)などの入念な準備作業を省いたことを意味するが、その弱点を補う役目がスサ(切り藁)である。大量のスサを添加することで、粘性が高まり、素早く容易な成形が可能となり、焼成時の熱衝撃に耐えうる効果をもたらす。スサを混ぜた粗製胎土はこの壺形土器で初めて採用されるが、それはまさに効率性を指向した産物といえる。

これらの分析から、粗製壺の製作は専業度合いが高く、専従の陶工によるものと評価できる。それでは、かれら職人組織はどのような生産形態であったのだろうか。まず、土器焼成遺構がビール醸造址に併設されていることから、粗製壺はビール容器として生産された可能性が高く、内容物の残滓分析でも科学的に立証されている(Wang et al. 2021)。さらにビール醸造址においても専業度の高さがうかがわれる。麦汁づくりの加熱施設が五つ並び、概算される生産量は三〇〇リットル以上にもおよぶ。また、保存性を高める工夫など複雑な醸造方法であったことも判明しており(Farag et al. 2019)、職人による大量生産体制であったと考えるべきだ。つまり、より多くの需要に応えるべく、ビールとその容器の生産拠点をコンパクトにまとめることで、生産効率を高めたのである。では、その供給地はどこか。それは、近接するエリート墓地であろう。事実、一六号墓ではビール壺が五〇点以上出土している。また、墓地の中央で発見された矩形の大型構造物も、消費地に挙げられる。それは、二四本の柱が整然と並ぶ長軸一五メートルの遺構であり、埋葬を伴わないことから、葬送儀礼や祖先祭祀または饗宴の場と考えられている。おそらく支配者にとってビールは、供献・副葬、儀礼祭祀の必須アイテムであり、そのため墓地の近くに工房を設置したのであろう。よって、ビールにかかわる生産形態は、支配者をパトロンとする従属専業といえる。従属専業とは、エリートや行政機関によって支援・管理された組織形態であり、政治的主因で誕生する。それに対比する形態は独立専業であり、これは経済的主因によって生じる。メソポタミアなどでは、都市化に伴う市場の需要増により、後者の独立専業が先行した。支配者が牽引したエジプトの専業化は、独自の様相を呈したようだ。ヒエラコンポリスでは、支配者の台頭とほぼ同時に、生産活動でも分業化が発達し、従属の専従職人も階層化社会の一翼を担っていたのである。

四、初期国家の形成

最後に、国家の成立に至る経緯について述べてみたい。ファラオは「二つの国土の主」、つまり、上・下エジプトを統合する支配者であることを権威の源泉としていた。これは神話的な統治表象にもなっているが、事実、南のナカダ文化と北の下エジプト文化(マアディ・ブト文化)が、先王朝時代末に統合されたのである。その統合プロセスは、文化と政治の両面から考究されている。まず文化的統合であるが、最初に提唱したW・カイザーは、相対編年を構築するなかで、ナカダ的物質文化の分布領域が南北へと広がる現象「ナカダ文化の拡張」を描き出し、Ⅲ期までにデルタ頂部のメンフィス地域に浸透することを示した(Kaiser 1957)。その後、西デルタのブト遺跡で、移行期層を挟んで下エジプト文化からナカダ文化へと徐々に置き換わる様相が層位的に確認された。カイザーの見解が検証されたのである。今では、デルタの発掘例も増え、下エジプトが従来の想定よりも複雑な社会であり、地域性も把握されるようになってきた。そうしたなか、E・C・ケーラーは、カイザーの文化拡張を疑問視し、持論を展開する(Köhler 1995; 2017)。彼女によれば、北と南という単純な区分ではなく、一つの文化総体(共同体)における地域的多様性とみなすべきだという。そして、交流・交易といった相互作用の活発化が、共同体全体の文化統合をもたらしたとする。しかし、B・ミダン＝レイネはこの考えを退ける(Midant-Reynes and Buchez 2019)。多様性はいかなる文化にも内包されるものであり、当時の文化を考古学的に捉えれば、やはり北と南の二つのグループに区分されるという。統合については、相互作用などではなく、北によるナカダ文化の吸収と同化であり、それは人の流入を伴う文化変容であると明言する。

このプロセスは、ⅡC期に始まりⅢA期には完遂するが、その直前にナカダ文化内においても物質文化の均一化が起こる。特にそれは、土器の地域性研究から指摘されている(Friedman 2000)。当初、生活雑器は胎土の混和材が地域ごとに異なっていた。しかし、Ⅱ期中葉以降その地域性は薄れ、スサを混和した粗製土器に置き換わる。また、スサ粗製土器は主要な副葬品としての地位も確立する。この変化をもたらした大きな要因は、ビールであったと考えられる(Wang et al. 2021)。前述したように、スサ粗製土器はヒエラコンポリスにて支配者のためのビール壺として誕生した。その後、この規格化されたビール壺は、ⅡC期までに上エジプト全体に拡散する(Baba 2022)。加えて、ビール醸造址もナカダやアビュドスといった主要な遺跡でみられるようになる。おそらく、ビールを用いた儀礼祭祀や再分配システムが、社会を束ねるツールとして他地域で模倣され、ビールの醸造と壺生産がパッケージとして広がったのであろう。また、ビールが権威のシンボルであることから、壺自体にも価値が付加され、それを副葬する概念も一般化する。同時に、ビール壺の製作技術が各地に定着し、効率性の高いスサ胎土によって様々な生活雑器が製作されるようになる。この流れは、デルタにも到達する。テル・エル゠ファルカとブトの遺跡では、ⅡB―C期の下エジプト文化層からビール醸造施設が検出されている(Hartung 2022)。つまり、ナカダ文化流入の実質的な開始と時期を一にする。テル・エル゠ファルカでは、ビールは当地エリートの管理下にあったとされ(Ciałowicz 2017)、ミダン゠レイネが指摘するように、かれらが社会統制の手法を南から取り入れたといえるだろう。ビール壺も在地で製作されるようになるが、その量産型土器の導入は在来の土器づくりに変化をもたらしたという(Hartmann 2022)。このように、ビール生産の広がりが、ナカダ文化内の地域性消失、さらには下エジプトの文化変容の大きな契機となったものと考えられる。

政治的統合については、B・J・ケンプのモノポリー理論に端を発する政体競合モデルが代表的である（Kemp 2006: 73-78; Wilkinson 2000; Anđelković 2011）。そこでは、対等な政体が複数存在することが出発点となっており、アビュドス、ナカダ、アバディーヤ、ゲベレイン、ヒエラコンポリスが中心的政体として数えられている。しかし、現状においてその前提は支持できない。前述したとおり、ⅠC－ⅡA期の段階からすでに、ヒエラコンポリスでは支配者を戴く複雑化社会と権力イデオロギーの形成が進んでいた。こうした事象を示す遺跡は他にはないことから、当初はヒエラコンポリスのみが傑出した政治社会的中心地であったといえる。ではなぜ、どこよりもはやく支配者が析出したのか。ナカダ文化が広がるナイル渓谷の地理的環境はほぼ均一であり、農地・牧草地に大きな偏在はない。よって、人口圧や資源争奪など経済的格差を階層化の第一要因とみなすことはできない。それに代わって注目されるのが、狩猟である。Ⅰ期から、土器にカバやワニの狩猟場面が描かれる例があり、興味深いのが、それと一緒に捕虜を捕らえた勝利の場面が表現されることだ。狩猟はつまり、軍事的勝利と同一視され、支配者による社会的権力の象徴であったと捉えられる（Hendrickx and Eyckerman 2010）。エリート墓地にみるように、支配者は様々な野生動物を捕獲したが、その狩猟範囲は広い。なかでも、アフリカゾウとヒヒは遠く現スーダンに生息していた動物である（Van Neer et al. 2017b）。これらを生きたまま捕獲するには、組織化と特殊な狩猟技術が必須であり、かれらはそれらを備えた集団なのである。直剪鏃《ちょくせんぞく》や長脚鏃《ちょうきゃくぞく》などの狩猟用石器が、エリート墓地に排他的に出土する点とも符合する（Friedman and Nagaya 2021）。農耕社会において、かれら特殊狩猟集団は、危険な動物またはエキゾチックな動物を捕獲できることで名声や優位性を獲得し、さらに動物に係わる儀礼を管掌することで宗教的威信を高め、それが権力を伴う社会格差へと発展したと考えられる。ビール生産を掌握することも、その一環であったのだろう。

ⅡC期になると、ヒエラコンポリスのエリート墓地は、涸れ谷から主集落の東端（HK31）に移動する［**図3**］。その代表が、有名な一〇〇号墓である。六×三メートルの土坑内は日乾煉瓦で内貼りされ、西壁一面に彩色画が施されていた。図像は、六隻の船を中心に、動物の狩猟と敵を捕縛して棍棒で打ちのめす場面などで構成される。これは、実際の動物を用いて実践していた権力表象が図像に転換されたものと解釈できる。

次のⅡD期は空白期間であり、ヒエラコンポリスでは支配者の墓や活動の痕跡はいまのところ確認されていない。翻って、アビュドスのU墓地にて、この時期から比較的大型の墓が築かれるようになる。そしてⅢA期、先王朝時代で最大のU-j墓が出現する(Dreyer 1998)。日乾煉瓦で構築された墓の内部は大小一二の部屋に区切られ、その規模は一二・五×一〇メートルに及ぶ。特異な副葬品が数多く納められており、とくに目を惹くのが、王権レガリアである象牙製ヘカ笏と、土器や象牙製タグに記された多量の初期の文字資料である。これらは、U-j墓の被葬者が「王」とも呼べる権力と地位を確立させ、行政機構を擁していたことを示す。文字の多くは、土器内容物の原産地を示し、ブトなどのデルタの地名も含まれる。この産地表記の発見により、上下エジプトにまたがる広域の交易ネットワークが成立しており、アビュドスはその中核を担っていたといえるだろう。そのネットワークはナイル河畔をもやすやすと飛び越えて、レヴァントまで至る(Hartung 2014)。それは、支配者やエリートたちが奢侈品を求めたからに他ならない。U-j墓には、北レヴァント産とされる七〇〇個以上ものワイン壺も含まれていた(Hartung et al. 2015)。こうしたナイル川下流域では入手できない製品や原材料の搬入路を確保するため、レヴァント交易の玄関口である東デルタに拠点が設置された。下エジプトへのナカダ文化の波及はすでに始まっていたが、ⅢA期から東デルタの遺跡では、堅牢な日乾煉瓦構造物が出現し、そこから出土した上エジプト産の土器は、南からの人々の流入・駐留を示している。

この北方指向が、権力中枢がヒエラコンポリスからアビュドスに移行した最大の要因であろう。地政学的に有利だからである。しかし、ヒエラコンポリスがその重要性を完全に失ったわけではない。なぜなら、エリート墓地(HK6)ではⅢA期から大型墓の造営が再開され、祭祀センターでの活動は継続されている。こうしたことから、ヒエラコンポリスは宗教の中心、アビュドスは政治の中心として、同盟関係を築いて各々が異なる役割を担うようになったとの意見もある(Hendrickx 2020: 587)。たしかに、前者では、ネケンにおいて国家的祭祀活動が王朝時代まで維持され、後者では、U-j墓に後続する大型墓がナルメルを含む初期王朝の王墓地へと断絶なく続く。

ⅢA期以降セレク(王名枠)の使用が始まり、アビュドスで名前が判明している支配者は、イリ・ホル、カー(共にⅢB期)、そしてナルメル(ⅢC期/第一王朝)となる。南レヴァントでは、かれらのセレクや封泥が確認され、この時期から在地胎土によるエジプト系土器が増加し、エジプト様式の日乾煉瓦建造物も出現する。為政者はレヴァント進出の意欲を隠すことなく着実に実行に移していったのだ。この積極的な北方進出こそが、ナルメルによる下エジプトの政治的統合へと結実するのである。それは、最初の首都がメンフィスに置かれたことからも明らかであろう。

古代エジプトの国家形成の議論は、灌漑、戦争、交易などの単一要因論にはじまり、戦争に主眼を置く政体競合モデル、そして近年では諸要因の相互作用を重視する複合的プロセスなども提唱されている。先に述べたように交易は活発に行われたし、図像に描かれるような軍事的戦闘も当然あったであろう。しかしこれら要因とされるものは、支配者たちが講じた手段である。社会の複雑化を促したその根幹は、権力の維持・拡大である。政治経済的手法を用いて権力の制度化をはかり、イデオロギーを創出して支配構造の正当化を進めたのだ。それはヒエラコンポリスにはじまり、その流れがやがては王権を中核とする初期国家社会をもたらしたのである。

参考文献

馬場匡浩(二〇一三)『エジプト先王朝時代の土器研究』六一書房。
Anđelković, B.(2011), "Political Organization of Egypt in the Predynastic Period", E. Teeter (ed.), *Before the Pyramids*, Chicago, The Oriental Institute of the University of Chicago.

Baba, M. (2022), "Ceramic Assemblages from HK11C at Hierakonpolis: Specialization Examined", E. C. Köhler, N. Kuch, F. Junge, and A.-K. Jeske (eds.), *Egypt at its Origins 6*, Leuven, Peeters.

Baines, J. (1995), "Kingship, Definition of Culture, and Legitimation", D. O'Connor, and D. P. Silverman (eds.), *Ancient Egyptian Kingship*, Leiden/New York/Köln, Brill.

Ciałowicz, K. M. (2017), "New Discoveries at Tell El-Farkha and the Beginnings of the Egyptian State", *Études et Travaux*, 30.

Costin, C. L. (1991), "Craft Specialization: Issues in Defining, Documenting, and Explaining the Organization of Production", *Archaeological Method and Theory*, 3.

Dreyer, G. (1998), *Umm el-Qaab I: Das prädynastische Königsgrab U-j und seine frühen Schriftzeugnisse*, Mainz, Verlag Philipp von Zabern.

Farag, M. A., M. M. Elmassry, M. Baba, and R. Friedman (2019), "Revealing the Constituents of Egypt's Oldest Beer using Infrared and Mass Spectrometry", *Scientific Reports*, 9-1.

Friedman, R. (ed.) (1999), "Preliminary report on field work at Hierakonpolis: 1996-1998", *Journal of the American Research Center in Egypt*, 36.

Friedman, R. (2000), "Regional Diversity in the Predynastic Pottery of Upper Egyptian Settlements", L. Krzyzaniak, K. Kroeper, and M. Kobusiewicz (eds.), *Recent Research into the Stone Age of Northeastern Africa*, Poznan, Poznan Archaeological Museum.

Friedman, R. (2009), "Hierakonpolis Locality HK29A: The Predynastic Ceremonial Center Revisited", *Journal of the American Research Center in Egypt*, 45.

Friedman, R. (2011), "Hierakonpolis", E. Teeter (ed.), *Before the Pyramids*, Chicago, The Oriental Institute of the University of Chicago.

Friedman, R., W. Van Neer, and V. Linseele (2011), "The Elite Predynastic Cemetery at Hierakonpolis: 2009-2010 update", R. Friedman, and P. N. Fiske (eds.), *Egypt at its Origins 3*, Leuven/Paris/Walpole, Peeters.

Friedman, R., W. Van Neer, B. De Cupere, and A. Dorux (2017), "The Elite Predynastic Cemetery at Hierakonpolis HK6: 2011-2015 Progress Report", B. Midant-Reynes, and Y. Tristant (eds.), *Egypt at its Origins 5*, Leuven/Paris/Bristol, Peeters.

Friedman, R., and K. Nagaya (2021), "Fine Lithic Products from Hierakonpolis", B. Nathalie, and Y. Tristant (eds.), *Égypte Antérieure: Mélanges de préhistoire et d'archéologie offerts à Béatrix Midant-Reynes par ses étudiants, collègues et amis*, Leuven/Paris/Bristol, Peeters.

Hartmann, R. (2022), "Local Aspects of the pottery of the later Lower Egyptian contexts at Tell el Fara'in/Buto", E. C. Köhler, N. Kuch, F. Junge, and A.-K. Jeske (eds.), *Egypt at its Origins 6*, Leuven, Peeters.

Hartung, U. (2014), "Interconnections between the Nile Valley and the Southern Levant in the 4th Millennium BC", F. Höflmayer, and R. Eichmann (eds.), *Egypt and the Southern Levant in the Early Bronze Age*, Rahden/Westf, Verlag Marie Leidorf GmbH.

Hartung, U. (2022), "Recent Excavations in the Late Predynastic Settlement of Tell el Fara'in/Buto", E. C. Köhler, N. Kuch, F. Junge, and A.-K. Jeske (eds.), *Egypt at its Origins 6*, Leuven, Peeters.

Hartung, U., E. C. Köhler, V. Müller, and M. F. Ownby (2015), "Imported Pottery from Abydos: A New Petrographic Perspective", *Ägypten und Levante*, 25.

Hendrickx, S. (2020), "Chapter 27: The Predynastic Period", I. Shaw, and E. Bloxam (eds.), *The Oxford Handbook of Egyptology*, Oxford, Oxford University Press.

Hendrickx, S., and M. Eyckerman (2010), "Continuity and Change in the Visual Representations of Predynastic Egypt", F. Raffaele, M. Nuzzolo, and I. Incordino (eds.), *Recent Discoveries and Latest Researches in Egyptology*, Wiesbaden, Harrassowitz Verlag.

Hikade, T. (2011), "Origins of Monumental Architecture: Recent Excavations at Hierakonpolis HK29B and HK25", R. Friedman, and P. N. Fiske (eds.), *Egypt at its Origins 3*, Leuven/Paris/Walpole, Peeters.

Kaiser, W. (1957), "Zur inneren Chronologie der Naqadakultur", *Archaeologica Geographica*, 6.

Kemp, B. J. (2006), *Ancient Egypt: Anatomy of a Civilization*, 2nd revised ed., London, Routledge.

Köhler, E. C. (1995), "The State of Research on Late Predynastic Egypt: New Evidence for the Development of the Pharaonic State?", *Göttinger Miszellen*, 147.

Köhler, E. C. (2017), "The development of Social Complexity in Early Egypt: A View from the Perspective of the Settlements and Material Culture of the Nile Valley", *Ägypten und Levante*, 27.

Linseele, V., W. Van Neer, and R. Friedman (2009), "Special Animals from a Special Place?: The Fauna from HK29A at Predynastic Hierakonpolis", *Journal of the American Research Center in Egypt*, 45.

Midant-Reynes, B., and N. Buchez (2019), "Naqadian Expansion: A Review of the Question based on the Necropolis of Kom el-Khilgan",

Archéo-Nil, 29.

Van Neer, W., V. Linseele, and R. Friedman (2017a), "More Animal Burials from the Predynastic Elite Cemetery of Hierakonpolis (Upper Egypt): the 2008 season", M. Mashkour, and M. Beech (eds.), *Archaeozoology of the Near East 9*, Oxford, Oxbow Books.

Van Neer, W., M. Udrescu, V. Linseele, B. De Cupere, and R. Friedman (2017b), "Traumatism in the Wild Animals Kept and Offered at Predynastic Hierakonpolis, Upper Egypt", *International Journal of Osteoarchaeology*, 27-1.

Wang, J., R. Friedman, and M. Baba (2021), "Predynastic Beer Production, Distribution, and Consumption at Hierakonpolis, Egypt", *Journal of Anthropological Archaeology*, 64.

Wilkinson, T. A. H. (2000), "Political Unification: Towards a Reconstruction", *Mitteilungen des Deutschen Archäologischen Instituts, Abteilung Kairo*, 56.

コラム｜*Column*

古代エジプトの女王

山花京子

古代エジプトの約三〇〇〇年に及ぶ王朝の歴史の中で二〇〇名ほどの王が存在したことが知られている。王は慣習的に男性で、王名にも「力強い牡牛」といった修辞が付けられ男性性が強調されているのが常であった。しかし、その中に少数ではあるが女性で王を名乗った女王たちがいる。第六王朝ネトイケルティ(ニトクリス)、第一二王朝のセベクネフェルウ、第一八王朝のハトシェプスト、ネフェルトイティ、第一九王朝のタウセレトである。彼女らは「女性のホルス神、上下エジプトの王、ラー神の娘」の称号を持ち、正統な王として君臨した。そして興味深いことに女王が王として即位するときは殆どの場合、王朝が終焉を迎えるときなのである。前記の女王の他にプトレマイオス朝の最後の女王クレオパトラ七世を加えると、六人の女王が古代エジプト王朝の節目にあたる時期に現れる。ここではセベクネフェルウ、ハトシェプストとネフェルトイティ、タウセレト、そしてクレオパトラ七世の五人を取り上げて女王が現れる背景と王朝との関連について述べる。

セベクネフェルウは中王国時代第一二王朝のアメンエムハト四世の正妃であったが、夫の逝去に伴い、男性の世継ぎがいなかったために王として即位した。後述のハトシェプストとは違い、彼女はドレスの上から王の装束を身に着け、女性として即位したことを公にしている。「トリノ王名パピルス」によると彼女の治世は三年一〇カ月ほどで短かったが、彼女の血は息子であり第一三王朝始祖であるセベクヘテプ一世に引き継がれたと考えられている。王朝の交代劇は往々にして血なまぐさいが、第一二から一三王朝への王権の受け渡しは、彼女から息子へと平和裏に行われた。

次のハトシェプストは第一八王朝三番目の王トトメス一世と正妃イアフメス・ネフェルトイリの間に生まれた。嫡出の女子として高い王位継承順にあったが、当時の王家の習わしでは男性の世継ぎ(嫡子)がいない場合、嫡出の女子が王の庶子と婚姻関係を結ぶことで王位継承が行われた。ハトシェプストもこの伝統に則り義兄弟で庶子のトトメス二世に王位を渡し、彼女自身は正妃であるとともに「アメンの神妻」という国家神に仕える最高位の女性神官の称号を得た。そして夫の亡き後は王家のしきたりを継いで、庶子であるトトメス三世を王として擁立し共同統治を始めた。しかし、トトメス三世が幼年であったこともあり、家臣達は彼女を「神妻」や「二国の女主人」と呼び、実際の国政は彼女が取り仕切っていた。そして数年後には自らの血統の正当性と王の責務遂行の実績を主張するかのように、彼女は「神から任命された」

として男性の王の正式な称号を採用し、男性として描かれるようになる。さらに彼女は娘ネフェルウラーに「神妻」を継がせ、女王と王女がともに神に捧げ物をする姿を残していることから、娘に王位を継承させたいと考えていた可能性もある。しかし、王女の夭逝により王妃の時代は終わり再びトトメス三世の時代が到来する。結果的にみると、女王による統治は夫トトメス二世と義理の息子トトメス三世の治世の間を埋めたに過ぎず、ハトシェプスト以降、直系の女子の即位が常態化することはなかった。

ハトシェプストから約一二〇年後、エジプトはアマルナ時代と呼ばれる改革の嵐が吹き荒れる時代を迎える。アテン一神教を掲げ理想の社会を追求した王アクエンアテンの正妃ネフェルトイティは王とともに風変わりな改革を推し進めていった。王の治世の終盤に王妃は正妃の座を娘に譲り、自らの名を捨て、新たな王名アンクケペルウラー・ネフェルネフェルウアテンとして共同統治者となったと考えられている。しかし、彼女はハトシェプストのように男性の王を押し退けることはなく、あくまでアクエンアテン王ありきの共同統治者であったため、王の逝去により正統性を失った。

第一九王朝のタウセレトも夫セティ二世の逝去に伴い王位を継いだ嫡子シプタハの共同統治者となったが、病弱な王の夭逝によって単独女王の座に就く。その後、王朝の混乱期の舵取りを試みたが、最終的に王朝は潰えてしまう。

前記をまとめると、女性が王位に就くのは王が嫡子を残さず逝去した場合や、共同統治中にカウンターパートである男性王が亡くなることが挙げられる。そして、そのような条件が揃う時は王朝の末期に多いのである。

さて、それではクレオパトラ七世はどうだろうか。プトレマイオス朝では王をオシリス神、王妃をイシス女神とみなす「聖婚」の概念があり、王妃は王と同等の統治権を持ち、共同統治を行うのが慣例であった。それが故にアレクサンドリアに住むギリシア市民たちは王と王妃間で政策の違いや対立があった場合には王側と王妃側に分かれて争うことにもなるのである。クレオパトラ七世が名ばかりの共同統治王たちを早々に退けカエサルやアントニウスの援助のもと領土回復に邁進することができたのも、王妃の役割がそれまでの王朝時代とは違っていたからであろう。

カルナクアメン大神殿のハトシェプスト女王オベリスク尖端部分．アメン神がハトシェプストに祝福を授けている場面（2023年2月筆者撮影）

焦点 | *Focus*

シュメール都市国家における王権と祭儀

唐橋 文

はじめに

シュメールは、現在のイラク南部、ティグリス川とユーフラテス川によって形作られた沖積平野に位置した。ここで紀元前四千年紀半ば頃、急速に都市化が進み、都市に基盤をおく複数の都市国家が誕生した(シュメールの風土と都市文明の成立に関しては、本巻の柴田論文、および中田 二〇〇七:二一一九、四一一六一頁を参照)。シュメールの都市国家では複数の神々が崇められていたが、その都市にとって最も重要な神(都市神)がその都市を所有すると考えられており、都市名の中には、都市神の名前の綴りの一部を含むものや、全く同じ綴りで表記されるものもあった。例えば、都市ザバラムの綴りは女神イナンナを表す文字を含み、都市ニップルの綴りは神エンリルの綴りと同じであった。本稿は、前四千年紀後半(ウルク期後期)から、都市国家が分立していた初期王朝時代を経て、領域国家としての道を歩むアッカド王朝時代と、それに続く形で統一国家を形成したウル第三王朝時代(前二〇〇〇年頃滅亡)までの期間を考察の対象とする。一五〇〇年にもおよぶ長い期間、支配者/王たちがどのような理念のもとに統治したのかを、王権と祭儀の側面から見ていきたい。初期王朝時代以降も議論に含めるのは、領土支配が都市国家の枠組みを超えた時代においても、都市が支配の基本的単位とされていたからである。

一、シュメール都市国家の王と王権

三つの王号――エン・ルガル・エンシ

分立するシュメール都市国家の支配者たちは、碑文(王碑文)や行政経済文書の中で、エン(en)、ルガル(lugal)、エンシ($ensi_2$)という王号のいずれかを用いた。それぞれの王号に伴う権力は、「エン権」(nam-en)、「ルガル権」(nam-lugal)、「エンシ権」(nam-$ensi_2$)――いずれもシュメール語の接頭語 nam を伴う複合名詞――と表現される。シュメール語のルガルはアッカド語の šarrum(王)に対応し、そのため一般的に nam-lugal が「王権」と訳される。これら三つの王号は、シュメール都市国家における支配のあり方にかかわる問題として、どの都市国家の誰が、どの王号を用いたのか、また、王号に機能的な違いはあったのか等が議論されてきた。

P・ミカロウスキー(Michalowski 2008)や前田徹(二〇二〇:四三―六三頁)は、元々エン・ルガル・エンシは都市国家の支配者を指し、どれを用いるかはそれぞれの都市国家の伝統に従ったが、中央集権に向かう文脈の中で支配者の称号の意味が変化し、都市国家の枠を超えて支配する唯一の支配者がルガル、その支配下の知事たちがエンシと呼ばれるようになったと解釈している。シュメール都市国家の王権のあり方は、王号の意味するところも含めて、都市国家時代から統一国家確立に至る過程で変化していったと考えられるし、また、焦点の当て方によって、浮かび上がる王・王権像はかなり異なる。ミカロウスキーと前田の解釈は、実務的な行政経済文書も考慮に入れた最大公約数的解釈と言えるかもしれない。エン・ルガル・エンシの問題は解決済みとは言えず、引き続き議論すべきではあるが、本稿は、シュメール都市国家を支配したエン・ルガル・エンシを機能的に区別しないプラグマティックな立場をとり、いずれの王号も支配者すなわち王と解釈する。

ウルクのエン

シュメール都市国家における王権と祭儀を考察する上で、最も早い時期の、最も重要な資料の一つとみなされているのが、最大級の規模を有す都市国家ウルク(現ワルカ)から出土した「ウルクの大杯」である〔**図1**〕。「ウルクの大杯」は、高さ一メートルほどの祭儀用石製コップ型容器で、全体に浮き彫りが施されており、ウルク期後期に作成されたと考えられている。図像は、流れる水に支えられた豊かな動植物が社会の基盤にあって(下段)、それが豊富な供物を産み出し(中段)、支配者によってイナンナ女神へ献げられる(上段)という一連のシーンを描く。上段中央で供物を受け取る女神の背後に、イナンナ女神を意味する原楔形文字(楔形文字の初期段階で絵文字的要素が強い)によく似たポール(竿)が二本描かれている。これにより、ポールの背後はイナンナ神殿内部を意味することがわかる。その空間に「ウルクの大杯」と同じような形状の一対の容器や、収穫物が山積みにされた大甕等が描かれ、その左手の動物の背に小立像が二体安置されている。そのうちの前方の像の両手の上に、「エン」の原楔形文字が見える(Selz 2020: 212)。供物を捧げ持つのはイナンナ女神に対面する裸の男性であるが、供物の真の奉納者は、その男性の背後に位置する人物であ

図1　ウルクの大杯，上段部分(イラク国立博物館蔵)．供物を捧げ持つ男の背後に，エンの図像の一部であったスカートと右足が残されている(Photo credit: Osama Shukir Muhammed Amin FRCP (Glasg), CC BY-SA 4.0, via Wikimedia Commons (https://commons.wikimedia.org/wiki/File:Top_register,_Warka_Vase,_from_Uruk,_Iraq_Museum.jpg))

る。この人物の図像はひどく破損しているものの、わずかに残る部分から、網目状に織られた布製のスカートを身につけていることがわかる。ウルク出土の円筒印章や浮き彫り等で、祭司、あるいは牧者、戦士、狩人としての役割を遂行している人物(すなわち支配者/王)は、髭・縁取りのある丸い帽子・網目スカートの着用という定型表現をもって描かれている(Schmandt-Besserat 1993)。したがって、そのようなスカートを着用した「ウルクの大杯」の人物は、ウルクの支配者/王であったと見なされよう。また、ウルクから出土した同時代の原楔形文字粘土板文書に「ウルクのエン」(en unug)の二文字が散見されることを考慮に入れると、この人物はウルクの「エン」と同定され得る(「ウルクの大杯」の図像が意図することについては本稿第二節を参照)。

シュメールの都市連合とイナンナ女神

都市国家ウルクのイナンナ女神はシュメール全域で崇敬されており、その祭儀も、ウルクを含めたシュメールの複数の都市によって維持されていたことが、集合都市印章から推測されている。集合都市印章とは、複数の都市名が集合的に刻まれた円筒印章で、その押印痕がある粘土板文書や粘土塊(封泥)がウルク、ウル、ジェムデト・ナスル(古代名NI.RU)、ウルム(現テル・ウカイル)、ファラ、コナー・サンダル(イラン南東部)等から出土している。年代的には、①前四千年紀末期のものと、②前二九〇〇—前二七五〇年頃のものに分類される(Matthews 1993)。

①のグループは、主として、ジェムデト・ナスルとウルムから出土した印影で、ウルクの「三柱のイナンナ」に献げられた果物やワインの数量を記す粘土板文書に押印されたものであった。「三柱のイナンナ」とはイナンナ女神の三形態——「朝のイナンナ」(明けの明星)、「夕のイナンナ」(宵の明星)、「高貴なエリドゥのイナンナ」(Inanna NUN)——を意味する(Steinkeller 2002a)。P・シュタインケラーは、集合都市印章を持った(都市連合の)役人がジェムデト・ナスルあるいはウルムに赴いて、供物を受領し押印したと解釈している。そして、最近、これら①のグループに、

ウルク出土の資料が一点――集合都市印章の印影を有す粘土塊――が新たに加わった。この粘土塊は、建物もしくは部屋のドアを封印するために用いられたと考えられている(Matthews and Richardson 2018)。現存する印影はいずれも破損しており、確認できる都市名は一一ほどで、完全に復元することは難しいが、北のウルムから南のウルにいたる広い地域に位置する二〇あまりの都市が含まれていた。集合都市印章の印影を有すウルク出土の粘土塊が、それらの都市からウルクにもたらされたイナンナ祭儀用供物のための建造物(貯蔵庫)の存在を裏付ける有力な証拠と見なされている。

②のグループは、粘土板文書ではなく、貯蔵庫のドアや貯蔵用の壺などに取り付けられた封泥で、ウルから出土したものが大半を占めるが、ファラやコナー・サンダルからも出土している。このグループの印章に含まれる都市はシュメール南部の地域に限られたようである。R・マシューズとA・リチャードソンは、集合都市印章が出土した場所の考古学的要素を考慮に入れて、供物の受領者をウルの主神ナンナと想定するが(Matthews and Richardson 2018)、シュタインケラーは、都市の集合印に重ねて押された、イナンナ女神のシンボルであるロゼット紋様の印影から、供物はイナンナ女神に献げられていたと理解している(Steinkeller 2002b)。

集合都市印章は、シュメールの諸都市が、イナンナ女神――②においては他の神の可能性も排除できないが――の祭儀を中心に、ある種の都市連合を形成していたことの証左といえる。これらは、政治的には分立していた都市国家が、宗教・文化面では共同体意識を共有していたという可能性を示唆しているのではなかろうか。

神聖なる王権

ウル第三王朝時代(あるいは、それに先行するアッカド王朝時代)に編集されたと推測される『シュメール王名表』(ETCSL 2.1.1)は、それ以前の時代の都市国家の支配者を一様にルガル(王)と呼ぶ。それは、おそらく、当時の支配者像が過去に投影されたためではないかと考えられる。この文書は、「王権」は天から降されたこと、またその王権を行使するのはいっときに一つの都市に限られるという前提のもとに、「(ある都市)が武器で打たれ、王権は(他の都市)へもたらされた」という定型表現の枠組みにシュメールの歴史をはめ込み、神話・伝説の領域に属すと思われる王たちと実在の王たちの名前、血統、治世年数を記す。ここに見られる、「王権神授説」的とも言える神聖なる王権の思想は、実は、『シュメール王名表』の現存する最古のテクストよりも約四〇〇年前に言語化されていた。例えば、ラガシュ第一王朝の王碑文では、三代目王エアンナトゥムの「禿鷹碑文」が、王と神々の近しい関係や神々による王選びを、次のようなエピセット(形容句)で表現する。

エンリル神に力を与えられし者、ニンフルサグ女神に乳を与えられし者、イナンナ女神に良い名を呼ばれし者、エンキ神に知恵を授けられし者、ナンシェ女神の心で選ばれし者、ニンギルス神のために国々を征服せし者、ドゥムジアブズ女神に愛されし者、ヘンドゥルサグ神に名を選ばれし者、イナンナ女神に愛されし配偶者。

(RIME 1.9.3.1 rev. v 45-vi 9)

「禿鷹碑文」の主目的は、隣国ウンマとの国境争いにおけるエアンナトゥムの勝利を、文章と浮き彫り図像で顕彰することであった。石碑の表面には、ラガシュの都市神ニンギルスが自ら戦車を操って戦場に赴き、敵兵を一網打尽に搦めとる様子が描かれ、裏面の上二段には、エアンナトゥムが、戦車を操りながら槍を構え、あるいは重装歩兵の隊列を率いて、戦いを遂行する様子が描かれる。石碑の表面と裏面の対応は、神の思し召しに適う支配者が、神の代理として神意を執行するという考え方の表れと解釈される。神が、大勢の人々の中から王となる人物の手を握り、その人物に王権を与えるという、神による王選びの、より直接的な表現も、ラガシュ第一王朝の五代目エンメテナの碑文(RIME 1.9.5.18)に見られる。

王の神格化

神の属性を付与されたシュメール都市国家の王は、神聖ではあるが、果たして神と言えるのかどうか。これについては、異なる見解——古代メソポタミアにおいて、神と人の二元論的理解はあてはまらない、あるいは王は神聖であったとしても、その神格化は政治的な要請があって初めてなされる等——が提示されてきた(Steinkeller 2017: 107-110)。いずれにしても、神聖と神性の境界線は、宗教的のみならず、文化的・社会的要素とも関連し、かなり不鮮明であると言わざるを得ない(Brisch 2008a)。他方、この曖昧さを「客観的に」払拭した王がいたことも注目に値する。

生前に神として祀られた——すなわち、神の地位を得た——最初の王は、アッカド王朝の四代目王ナラム・シンであった。彼の碑文の一つは、人々によってアッカドの「都市の神」に祀られ、町の中に彼のための神殿が建立されたことを記し(RIME 2.1.4.10)、彼の神格化後に作成された文書には、神を意味する文字が彼の名前の前に付け加えられた。また、彼の対ルルブム戦勝を記念する石碑では、ナラム・シンが、神の印である角付きの帽子(角冠)と、太陽神をまねた山登りのポーズで描かれ、「神ナラム・シン」が図像化されている。ナラム・シンの息子シャルカリシャリーが神格化されたかどうかについては、研究者の意見は一致していない。

彼(ら)に次いで神格化された王は、ウル第三王朝のシュルギであった。シュルギは、四八年の治世半ばに自らを神とし、神を意味する文字を名前の前に付し、碑文の中で「国土の神」と称した(RIME 3/2.1.2.33)。シュルギの後継者たち——アマルシン、シュシン、イッビシン——も生前から神として崇敬され、王たちを祀る神殿が、その支配下の属州の知事によって、シュメール南部やディヤラ地域に建設された。また、彼らの像が生存中に製作され、神々や彼ら自身の神殿、祖先供養の水を注ぐキアナグ(ki-a-nag)と呼ばれた灌奠《かんてん》の場、あるいは高官の私宅などに安置された。シュルギやシュシンには、神々と同じように、ある種の女性祭司が任命されて、彼らの祭儀を執り行った。

二、王権と祭儀

世界の秩序と調和の維持

先に触れた「ウルクの大杯」は、一九三〇年代に発掘されて以来、イナンナ女神と王による、豊穣維持を目的とする聖婚儀礼の場面を描くと一般的に解釈されてきた。「聖婚」(ギリシア語のヒエロス・ガモス)は、元々ギリシアの神々同士、また、その延長上の、神と人間の結婚を意味する用語であったが、一九世紀に、豊穣をもたらすための儀礼という概念が加えられ、古代メソポタミアの神話・儀礼の研究でも用いられるようになった。古代メソポタミアにおける神々同士の結婚に関しては、ラガシュ第二王朝のグデアの碑文に記されたニンギルス神とババ女神の結婚を含め、ウル第三王朝時代のナンナ神とニンガル女神、ドゥムジ神とイナンナ女神、あるいは前一千年紀のシャマシュ神とアヤ女神、ナブー神とタシュメートゥ女神(あるいはナナヤ女神)の結婚等が知られている(Matsushima 2014)。古代メソポタミアのもう一つの聖婚のタイプは、人間の支配者と女性が、それぞれドゥムジ神とイナンナ女神の役割を演じ、豊穣をもたらす神々の性行為を代理として行うというものである。前三千年紀半ば以降、ウルの王碑文でメスアンネパダが「ヌギグの配偶者」(ヌギグはイナンナ女神のエピセット)と呼ばれていること、ラガシュの王碑文でエアンナトゥムが「イナンナ女神に愛されし配偶者」と呼ばれていること、アッカドの王碑文でナラム・シンがイシュタル女神(シュメール語のイナンナ女神)の「夫」と呼ばれていること等も、この説を裏付けると考えられてきた(Cooper 1993)。

支配者とイナンナ女神の親密な関係に言及するシュメール語の物語『エンメルカルとアラッタの王』(ETCSL 1.8.2.3)では、ウルクの支配者と、彼にライバル意識を燃やすイラン高原の都市国家アラッタの支配者が、イナンナ女神の寵愛を競い合う。どちらも女神のベッドで眠るのであるが、アラッタの支配者は、自分の方がより親しく女神と懇ろに語り合う仲にあると主張する。しかし、彼は、最後には、ウルクの支配者こそ「イナンナ女神の愛すエン」であると認める。これらの事柄が、ウル第三王朝とそれに続くイシン王朝の王讃歌に描かれた、支配者とイナンナ女神の官能的な情景と関連づけられた。しかし、最近ではこのような解釈に批判が多く、このタイプの聖婚儀礼がそもそも存在したかどうかが疑問視されている。

確かに、王讃歌は、支配者とイナンナ女神の性行為に言及していると読めるのだが、それが、実際の人間による結婚の行為を描写したものなのか、あるいは、支配者と女神の緊密な関係を文学的に表現したものなのか、判然としない。また、仮に前者だとしても、それを、前三千年紀末あるいは前二千年紀初頭からウルク時代まで一〇〇〇年以上の時間を遡って、「ウルクの大杯」に読み込むことは妥当か。先に見た文学作品の中で、ウルクの支配者が「イナンナ女神のエン」と呼ばれてはいるが、ウルク時代の古拙文書において、「イナンナ女神のエン」というようなタイトルは確認されていない。

他方、これに代わる説得力のある解釈も提示されている。それは、「ウルクの大杯」が表しているのはイナンナ女神の祭りの場面ではあるが、強調されているのは、神々と人々の扶養者としての支配者の役割で、支配者が自然と社会——言い換えれば、世界——の秩序と調和を維持し、それらが滞りなく循環していることの顕彰、あるいはその祈願ではないかというものである(Cooper 1993; Suter 2014: 560-561)。この理解が正しいとすれば、「ウルクの大杯」のメッセージは、ラガシュ第一王朝を滅亡に追いやったウルクのルガルザゲシの碑文にも反映している。彼は、ニップルのエンリル神に献げた石製碗に、豊富な供物と芳しい淮奠と引き換えに、エンリル神が、彼の長寿と、国土の繁栄と平和、および安寧を与えてくれるよう刻んだ(RIME 1.14.20.1)。この祈願には、王が人々の幸福と繁栄の要であったという認識が表れていて、「ウルクの大杯」に通ずるものがあると思われる。

神殿の建設

王にとって神々に食事を提供することと同様に重大な責務は、神々の住まいを確保することであった(神々への食事の提供については本巻の柴田論文を参照)。燃料にする木材が入手困難な古代メソポタミアでは、焼成煉瓦は高価であったため、防水を念入りに施さなければならない場所に限って使用された。ラガシュ第一王朝のウルカギナは、「四三万二〇〇〇個の焼成煉瓦と二六万四九六〇リットルの瀝青《れきせい》」を用いて神のために(貯水池を)建設したことを記す(RIME 1.9.9.8 iv 3-5)が、神殿を含め、多くの建築物は日乾煉瓦で作られていた。当然のことながら、日乾煉瓦は劣化しやすく、常に建物は修繕と再建が必要とされ、神殿のそれは王に課せられた。

最も早い時代の、より具体的な神殿建設の記述は、ラガシュ第一王朝の創始者ウルナンシェ(前三千年紀中葉)の王碑文に見られる。その中の一つは、次のように神殿建設を列挙している。

グルサルの息子であるグニドゥの息子、ラガシュの王ウルナンシェが、ナンシェ神殿を建てた。ギルス神殿を建てた。イブガル神殿を建てた。エギドゥル神殿を建てた。ガットゥムドゥ神殿を建てた。ニンマル神殿を建てた。エダム神殿を建てた。(RIME 1.9.1.13)

また、ウルナンシェの石製奉献板には、神殿建築儀礼における王の役割の図像表現も見られる(RIME 1.9.1.2)。そこには、王と王女・王子、および高官の浮き彫りと碑文が刻まれ、王が、最初の煉瓦を作る土を入れたバスケットを頭に載せて、ひときわ大きく描かれている。

グデア円筒碑文Aには、グデアの行った最初の煉瓦作りの儀式が文学的表現を用いて描写されている。その儀礼行為は、おおよそ次のようにまとめることができる(ETCSL 2.1.7 = RIME 3/1.1.7. Cyl A xvii 29-xix 15)——儀式前夜に古い神殿へ赴き祈る。夜明けにニンギルス神に祈禱後沐浴し、ウシとヤギの犠牲を捧げ、煉瓦型に水を注ぐ。煉瓦用の粘土を採取するためピット(穴)を開け、そこに、蜂蜜やギー、油、および香草と樹木の香油を混ぜる。そのピットから採取した粘土を入れた聖なるカゴを持って、煉瓦型のところへ行き、煉瓦型に粘土を詰め込む。煉瓦型を振って煉瓦を取り出し、乾燥させる(これが最初の煉瓦)。神々によって祝福された煉瓦を、聖なる冠のように高く掲げ、人々の間を歩く。

儀式では楽師たちが「太鼓をたたき」、「ラガシュの住民が彼と共に歓喜してその日を祝う」という文言もあり、晴れやかな祭典であったと推察される。

しかし、神殿建設は、王の意志のみで実現される案件ではなかった。神殿建設の遂行のためには神の承諾と許可が必須と認識されており、王が敬虔で、神意遂行に相応《ふさわ》しいことがその前提条件であった。『アガデの呪い』(ETCSL 2.1.5)と名付けられた文学作品は、アッカド王朝のナラム・シンを主人公とし、彼の不幸な顚末を物語る。そのきっかけが、ナラム・シンの希望する神殿建設にシュメール・パンテオンの長エンリルが承諾を与えなかったというものである。その後ナラム・シンが内臓占いで神意を伺っても、建設の許可は出なかった。これに対し、前述のグデア円筒碑文Aは、ニンギルス神殿の建設が神のイニシアティヴのもとに始まり――すなわち、グデアは、夢の中でニンギルス神によって神殿を立てるよう告げられ――神殿のヴィジョンを示された後、「神々の夢解釈人」であるナンシェ女神にその夢を解いてもらい、最終的に、神意が内臓占いで再確認されたという成功物語を紡いでいる(RIME 3/1.1.7. Cyl A i 17-xii 19)。

王権の維持強化と王家の女性たち

ラガシュ第一王朝の王ウルナンシェによるイブガル神殿建設を記念する石碑(RIME 1.9.1.6a)が、ラガシュの遺跡の一つ(現アルヒバ al-Hiba)から出土している。その石碑の表面《おもて》には、神殿を奉献されたイナンナ女神が椅子に座して、それぞれの手にカップのようなものと植物の枝を持つ姿が描かれ、裏面の上段には、胸の前で手を組んで敬虔な姿勢を示すウルナンシェと、その後ろにいる小さい献酌官が、下段には、王妃と王女が座す姿が描かれている。このシーンが神殿の落成式に関連していると仮定するならば、そのような公の場において、王だけでなく、王妃と王女の臨席が求められていたと推測できよう(Otto 2016: 114-115)。

ラガシュ第一王朝の王妃が宗教祭儀の維持と執行に積極的にかかわったことは、王朝最後の三王の時代に由来するエミ文書から読み取ることができる。この文書は、エミ(女/妃の家)と呼ばれた組織のさまざまな経済活動を記録するもので、それぞれの王妃の名(ディムトゥル、バラナムタラ、ササ)の下に管理運営が行われていた(山本・前川 一九六九)。王妃たちは、祭儀に必要なヒトとモノの管理・供給を統括する一方(祭儀に必要なヒトとモノの管理・供給については、本巻柴田論文を参照)、一年を通して祝われた様々な祭りの際には、各地の聖所を巡礼し、神々と王家の男女の祖先たちの像に供物を献げた(前田 二〇二〇:一〇一–一〇四頁)。祭礼とそれに伴う饗宴は、古代メソポタミアにおいて、共同体の社会的紐帯を築く重要な機能を有していたことが指摘されている(Beld 2002: 133)。

また、後継《あとつぎ》を得て王朝存続の危機を乗り越える物語の主人公エタナと、死後に冥界の神となった都市国家ウルクの伝説上の王ギルガメシュが、アダナ神とビルガメス神としてラガシュ王朝の祖先供養の祭儀に取り込まれていることは興味深い。王朝の継続と支配の正当性をもたらす祭儀を執り行うことが王妃の役割の一つであったと言える。すなわち、都市国家を共同体としてまとめ、王権の理念を具体化する上で重要な役割を担う組織が王妃によって管理運営されていたことになる。

アッカド時代においては、王女たちが高位の祭司として、王朝の支配・覇権を確立するために活動した。サルゴンの娘エンヘドゥアンナは、ウルのナンナ神殿の大祭司として、父王によるシュメール南部の領域支配を宗教面から援助した(Asher-Greve 2006: 61)。サルゴンの孫ナラム・シンは、三人の娘をシュメール各地の重要な神殿の大祭司職に就けた(Weiershäuser 2008: 255-259)。ナラム・シンが神格化されたことはすでに述べたが、娘の一人で、ニップルのエンリル神の大祭司となったトゥッタナブシュムも、名前の前に神を表す文字が記されて神格化されていたことが、行政経済文書から明らかになっている(Kraus 2020)。

ウル第三王朝時代の王妃や側室たちも、死者や神々を祀る宗教祭儀に積極的に参加し、犠牲獣を供給する等の重要な役割を果たした(Sharlach 2017)。しかし、資料の偏りにもよるが、彼女たちの宗教祭儀に関連する経済活動は、ラガシュ第一王朝の王妃たちのエミ組織を通しての経済活動の規模に及ぶものではなかった。その変化をもたらした原因は複数あったと考えられるが、根本的には、度々言われてきた(女神を含めた)女性の地位の低下というよりも、ラガシュ第一王朝滅亡後に生じた社会・経済システムの変容ではなかったかと思われる。

おわりに

古代メソポタミアの文書に現れる王権と宗教に関連する言説や図像は、神の名を借りた王権側のプロパガンダとみなされがちである。しかし、古代メソポタミアでは、さまざまな社会生活の側面を宗教的なものから切り離すことができないように、王権も――それが祭司職に起源を持つと明言することはできないとしても――神々の世界と密接に絡み合っていた。王は、神々に供物を献げ、神殿を建造し、その他様々な祭儀を通して、神々の思し召しにかなっていることを絶えず主張し、確認する。王権は脆く、危ういものであるから、常に王権の基盤と理念を補強する必要があった。そこでは、王家の女性たちも重要な役割を担っていた。シュメール都市国家の王は――神格化された少数の例を除いて――神の代理者として、人々の願望や要求を実現する者として行動し、神によって定められた世界の秩序を維持することに努めた。王は、政治的なものと宗教的なものの緊密な関係に立脚し、王権と祭儀は表裏一体を成していたと考えてよい。

参考文献

中田一郎(二〇〇七)『メソポタミア文明入門』岩波ジュニア新書。

前田徹(二〇二〇)『古代オリエント史講義——シュメールの王権のあり方と社会の形成』山川出版社。

山本茂・前川和也(一九六九)「シュメールの国家と社会」『岩波講座 世界歴史』第一巻、岩波書店。

Asher-Greve, J. (2006), "'Golden Age' of Women? Status and Gender in Third Millennium Sumerian and Akkadian Art", S. Schroer (ed.), *Images and Gender: Contributions to the Hermeneutics of Reading Ancient Art*, OBO 220, Fribourg, Academic Press/Göttingen, Vandenhoeck & Ruprecht.

Beld, S. G. (2002), "The Queen of Lagash: Ritual Economy in a Sumerian State", Ph.D. dissertation, The University of Michigan.

Brisch, N. (2008a), "Introduction", N. Brisch (ed.), *Religion and Power: Divine Kingship in the Ancient World and Beyond*, Chicago, The Oriental Institute.

Brisch, N. (ed.) (2008b), *Religion and Power: Divine Kingship in the Ancient World and Beyond*, Chicago, The Oriental Institute.

Cooper, J. S. (1993), "Sacred Marriage and Popular Cult in Early Mesopotamia", E. Matsushima (ed.), *Official Cult and Popular Religion in the Ancient Near East: Papers of the First Colloquium on the Ancient Near East-The City and Its Life Held at The Middle Eastern Cultural Center in Japan (Mitaka, Japan), March 20-22, 1992*, Heidelberg, Universitätsverlag C. Winter.

ETCSL=Black, J. et al. (1998-2006), *The Electronic Text Corpus of Sumerian Literature* (http://etcsl.orinst.ox.ac.uk/), Oxford.

Kraus, N. L. (2020), "Tuṭṭanabšum: Princess, Priestess, Goddess", *Journal of Ancient Near Eastern History*, 7 (https://doi.org/10.1515/janeh-2020-0008).

Matsushima, E. (2014), "Ištar and Other Goddesses of the So-Called 'Sacred Marriage' in Ancient Mesopotamia", D. T. Sugimoto (ed.), *Transformation of a Goddess: Ishtar-Astarte-Aphrodite*, Fribourg, Academis Press/Göttingen, Vandenhoeck & Ruprecht.

Matthews, R. (1993), *Cities, Seals and Writing: Archaic Seal Impressions from Jemdet Nasr and Ur*, Berlin, Gebrüder Mann.

Matthews, R., and A. Richardson (2018), "Cultic Resilience and Inter-city Engagement at the Dawn of Urban History: Protohistoric Mesopotamia and the 'City Seals', 3200-2750 BC.", *World Archaeology*, 50.

Michalowski, P. (2008), "The Mortal Kings of Ur: A Short Century of Divine Rule in Ancient Mesopotamia", N. Brisch (ed.), *Religion and*

Power: Divine Kingship in the Ancient World and Beyond, Chicago, The Oriental Institute.

Otto, A. (2016), "Professional Women and Women at Work in Mesopotamia and Syria (3rd and Early 2nd Millennia BC): The (Rare) Information from Visual Images", B. Lion, and C. Michel (eds.), *The Role of Women in Work and Society in the Ancient Near East*, Boston and Berlin, De Gruyter.

RIME 1＝Frayne, D. R. (2008), *Presargonic Period (2700-2350 BC)*, University of Toronto Press.

RIME 2＝Frayne, D. R. (1993), *Sargonic and Gutian Periods (2334-2113 BC)*, University of Toronto Press.

RIME 3/1＝Edzard, D. O. (1997), *Gudea and His Dynasty*, University of Toronto Press.

RIME 3/2＝Frayne, D. R. (1997), *Ur III Period (2112-2004 BC)*, University of Toronto Press.

Schmandt-Besserat, D. (1993), "Images of Enship", M. Frangipane et al. (eds.), *Between the Rivers and Over the Mountains: Archaeologica Anatolica et Mesopotamica Alba Palmieri Dedicata*, Rome, Università di Roma La Sapienza.

Selz, G. J. (2008), "The Divine Prototypes", N. Brisch (ed.), *Religion and Power: Divine Kingship in the Ancient World and Beyond*, Chicago, The Oriental Institute.

Selz, G. J. (2020), "The Uruk Phenomenon", K. Radner, N. Moeller, and D. T. Potts (eds.), *The Ancient Near East: From the Beginnings to Old Kingdom Egypt and the Dynasty of Akkad*, Oxford, Oxford University Press.

Sharlach, T. M. (2017), *An Ox of One's Own: Royal Wives and Religion at the Court of the Third Dynasty of Ur*, Berlin and Boston, De Gruyter.

Steinkeller, P. (2002a), "Archaic City Seals and Question of Early Babylonian Unity", T. Abusch (ed.), *Riches Hidden in Secret Places: Ancient Near Eastern Studies in Memory of Thorkild Jacobsen*, Winona Lake, Indiana, Eisenbrauns.

Steinkeller, P. (2002b), "More on the Archaic City Seals", *NABU*, 2002-30.

Steinkeller, P. (2017), *History, Texts, and Art in Early Babylonia*, Boston and Berlin, De Gruyter.

Suter, C. E. (2014), "Human, Divine or Both? The Uruk Vase and the Problem of Ambiguity in Early Mesopotamian Visual Arts", M. Feldman, and B. Brown (eds.), *In Critical Approaches to Ancient Near Eastern Art*, Berlin Walter de Gruyter.

Weiershäuser, F. (2008), *Die königlichen Frauen der III. Dynastie von Ur*, Göttingen, Universitätverlag Göttingen.

焦点｜Focus

新王国時代第一八王朝のエジプト

河合　望

本稿では前二千年紀の中葉に樹立し、古代エジプト史上最も繁栄した新王国時代第一八王朝の歴史的展開を最新の研究成果を踏まえて解説する。第一八王朝は北東アフリカおよび西アジア世界において最大の版図を築き、地中海世界とも活発な交流が見られた古代エジプト史上初の国際的な時代であった。本稿では、古代エジプト最初の異民族支配を経て最大版図を築き上げた第一八王朝のエジプトを内政の発展と周辺地域との対外関係の両面から概観する。

一、前二千年紀中葉のエジプトと周辺地域

「ヒクソス」とクシュ王国

古代エジプト史において新王国時代の直前の時代は第二中間期と呼称されており、この時代にエジプトは初めて周辺地域からの移民の末裔が樹立した王朝の支配を経験する。この王朝はいわゆる「ヒクソス」（「異国の支配者たち」の意）王朝（第一五王朝）と呼ばれている。従来「ヒクソス」はマネトンの『エジプト史』をはじめとする後世の史料の解釈に基づき、西アジアから侵入し武力によってエジプトを征服した民族と説明されていたが、現在ではこの見方は完全に否定されている。デルタ地帯東部のテル・アル＝ダブア遺跡では中王国時代第一二王朝後期からシリア・パレス

チナ系の人々が徐々に移住し、集落が形成されていたことが明らかとなっており、その後この地を首都アヴァリスとして「ヒクソス」王朝が樹立された(Bietak 2010; Fostner-Müller 2022)。この時代のアヴァリスは同時代のシリア・パレスチナの都市、ウガリト、ビブロス、ハツォルよりも大規模で、当時の東地中海世界最大級の港湾都市として発展した。しかし、テル・アル＝ダブア遺跡の発掘調査からは「ヒクソス」王朝の時代は中王国時代よりも西アジアとの交易活動は減少し、武器も青銅製から銅製に変化したことが指摘されている(Fostner-Müller 2022: 31-34)。このことは中央アジアを産地とする錫《すず》の交易ネットワークが断絶したことを意味する。また、中王国時代の王権主導の交易活動よりも地域が限定されていたため小規模化したとみられている。

「ヒクソス」王朝の歴史に関する文字史料は残っていないが、「ヒクソス」の王名を記したスカラベ形印章が知られている。これらの王名から彼らは北西セム語の文化伝統を保持していたとみられている。また、彼らはシリア・パレスチナの天候神バアルをエジプトのセト神と習合させ、王朝の主神として崇拝した。ただし、徐々にエジプト文化にも順応し、王名にもエジプトの伝統的な太陽神ラーの名前を組み込むようになった。「ヒクソス」王朝の支配領域については、上《かみ》エジプトのゲベレインまで及んでいたと推測されていたが(Bietak 1994: 24)、「ヒクソス」王朝が上エジプトのテーベの第一七王朝を従属させた証拠はない(Fostner-Müller 2022: 12-14)。

一方、第一七王朝の南に位置するヌビアには現在のスーダンの第三急湍《きゅうたん》付近のケルマを首都とするクシュ王国が存在し、北の「ヒクソス」王朝と同様にエジプトの脅威となっていた。クシュ王国は古王国時代頃から存在し、エジプトの第二中間期にあたる時期に繁栄を極め、熱帯アフリカ最古の初期文明とされている。彼らは主に牧畜を生業とし、弓術を得意とする戦士として知られていたため、たびたびエジプト軍の傭兵として重用されていたが、第二中間期にはエジプト土着の王朝に対抗するほどの強国となった(Emberling and Minor 2022)。近年アル＝カブの岩窟墓で発見された碑文によると、第一七王朝にはクシュ王国はアスワンからエドフの南あたりまでも支配下においていたことが推定されている(Raue 2018: 213-220)。

「ヒクソス」およびクシュ王国との戦争と第一八王朝の樹立

北の「ヒクソス」王朝と南のクシュ王国の間に挟まれて脅威にさらされていたテーベの第一七王朝は、セケンエンラー・タア王の時代に「ヒクソス」王朝との戦争を開始した。彼の後継者カーメス王の治世第三年の碑文によると、この時に「ヒクソス」王朝との戦争が再開され、「ヒクソス」王朝とクシュ王国による挟み撃ちを事前に防ぎ、上エジプトは第一七王朝の支配下に入った(Habachi 1972)。碑文史料によれば首都アヴァリスを陥落させ最終的に「ヒクソス」王朝を放逐したのは、次のイアフメス王であるが、同地の発掘調査では都市の大規模な破壊を示す考古学的証拠は示されていない(Bietak 2010)。イアフメス王の軍は治世第一一年に南パレスチナのシャルーヘンを三年かけて陥落させ、「ヒクソス」王朝は滅亡した。彼は、続いて南のクシュ王国に向けて遠征し、サイ島までを征服した。彼はヌビアの総督を任命し、この地域をエジプトの直轄植民地として支配する体制を作り上げた。これによってエジプトは再統一され、新王国時代第一八王朝が開始された。

二、新王国時代第一八王朝初期の展開

第一八王朝初期の内政の発展

エジプトの再統一に成功したイアフメス王は、テーベを都として内政の再建にのりだし、各地の主要な都市で修復及び建築活動を始めた。次のアメンヘテプ一世の治世には行政、法律、暦法、祭儀の統一が進められた。特に祭儀における王族の重要性が高められ、王の娘が祭儀を執り行い、またアメン神の信託により政治的な影響力を持つ「アメ

ンの神妻」の要職にもついた(Gitton 1984)。アメンヘテプ一世以降、政治的権力と財政資源の集積により、アメン神の祭儀や祝祭を行う場所が拡張され、テーベの王朝の守護神であったアメン神は国家神の地位に昇格した。歴代の王はアメン神への信仰を篤くし、総本山であるカルナク神殿への寄進と神殿の増築が新王国時代の歴代の王にとって主要な課題となった。以降シリア・パレスチナやヌビアへの軍事遠征で獲得した戦利品の多くはアメン神殿に寄進された。また王位継承も王朝の国家神であるアメン神の信託に左右されたため、カルナク神殿のアメン神官団の政治的影響力が強まることとなった。続くトトメス一世はカルナク神殿を拡張し、メンフィスに首都を置き、エジプト各地の都市で建築活動を行った。

次のトトメス二世は早逝し、幼少のトトメス三世が王位を継承した。しかし、トトメス二世の正妃で、「アメンの神妻」であった彼の義母ハトシェプストが摂政となり実権を握った。さらに、ハトシェプストはトトメス三世の治世第七年までに即位し、約一五年間トトメス三世と共同統治を行った(Dorman 2005a; Galán et al 2014)。ハトシェプスト女王は自らの即位の正統性を認めたアメン神への尊崇を示すためテーベの神殿群の建設に力を注いだ。東岸ではカルナク神殿、ムウト神殿、ルクソール神殿、西岸ではディール・アル＝バフリーの女王の葬祭殿、マディーナト・ハーブのアメン小神殿が建設され、そしてこれらを繋ぐ参道が敷かれた。これらは女王が始めた「オペト祭」や「谷の祭」などの、アメン神と王権の結びつきを強化する祝祭のためであった(Fukaya 2020)。そしてこの時に祝祭都市としてのテーベの景観が作り上げられた(Kondo 1999)。また、女王は中王国時代より断絶していたアフリカ紅海沿岸部のプントとの交易を再開した(Creasman 2014)。ハトシェプスト女王が治世第二二年に姿を消すと、トトメス三世は単独統治を始め、シリア・パレスチナ遠征に着手した。トトメス三世の治世第三〇年頃よりハトシェプスト女王の建造物や彫像が破壊されたが、これは女王への怨恨ではなく息子アメンヘテプ二世の王位継承を強化するため、男系への王位継承を正統化するための行為であると解釈されている(Dorman 2005b)。

三、第一八王朝の対外関係

シリア・パレスチナとの関係

エジプトは「ヒクソス」王朝を放逐して南パレスチナを支配下においたが、この頃北メソポタミアからシリアにかけてミッタニ王国が勃興してシリア・パレスチナに触手を伸ばし、エジプトの潜在的な脅威となった。トトメス一世は、ユーフラテス河畔まで進軍し、カルケミシュに境界碑を建立したとされているが、当時はミッタニへの実質的な攻撃には至らず、約三六年後のトトメス三世の治世に初めてシリアへの本格的な軍事遠征が始められたと考えられている(Bryan 2000: 233-234)。

トトメス三世は単独統治開始後から治世第四二年まで一七回にわたって毎年西アジアへの軍事遠征を行った。これらの軍事遠征の詳細はカルナク神殿の壁面に記され、通称『トトメス三世年代記』と呼ばれている(Redford 2003)。この碑文はアメン神に捧げられたものであり、史料としての信憑性については慎重にならなければならない(Nielsen 2022: 210)。碑文によると、トトメス三世はこれらの遠征で、シリアのカデシュ侯とメギド侯を盟主とする対エジプト都市同盟を攻撃し、カデシュを含むオロンテス川中流以南のシリアとパレスチナ全域の支配を確立したという。しかしながら、ほぼ毎年繰り返された遠征は征服のための激しい攻撃というよりは、従属する都市国家に対する示威行為だったようである(Morris 2018: 143-144)。そして、この遠征でガラス製作などの技術や職人だけでなく動植物などがエジプトにもたらされた。トトメス三世は遠征後にシリア・パレスチナの領土を北からアムル州、ウピ州、カナン州の三属州に編成し、それぞれの州都に総督を派遣した。その他の都市は、エジプト王に忠誠を誓った君侯が支配し、大幅な自治が認められた。君侯たちの長子は人質としてエジプトに送られ、エジプトの王子と共にエジプト式の教育を受け、父が死亡すると帰国して支配者の地位を継いだ(Grandet 2022: 411)。また、彼らの娘はエジプト王の「後宮」に送られた。これらによってトトメス三世はシリア・パレスチナの支配体制の基礎を築いたが、ミッタニ王国は健在であり、シリア・パレスチナへの勢力拡大を狙っていた。

次のアメンヘテプ二世は、二、三回シリア・パレスチナへの軍事遠征を行い、反目した都市国家を再び服従させた(Morris 2005: 126-132)。これにより、エジプトが西アジアにとって銅の供給源であったシリアの港湾都市スムルを掌握したことと、ヒッタイトがシリアに進出し始めたため、トトメス四世の治世にミッタニはエジプトと同盟関係を結んだ(Grandet 2022: 415)。これによりシリア・パレスチナをめぐる国際情勢は安定し、勢力の均衡が生まれた。こうして、エジプト、ミッタニ、ヒッタイト、バビロニア、アッシリア、クレタ、アラシア(キプロス島)といった大国の間では、贈与交換の形で交易が活発化し、西アジアと地中海世界の国際交易ネットワークが形成された。

新王国時代のエジプトは、これまで西アジアに軍事遠征を繰り返した「征服者の帝国」というイメージで捉えられていたが、実際のところ新王国時代の四八〇年間のうち軍事遠征があった年は一五一年であり、残りの三二九年は平穏であった。P・グランデは、エジプトの西アジアに対する軍事遠征や外交の主な目的は、征服ではなくエジプトが必要としていた青銅を製作するために必要な中央アジアで産出する資源である錫の交易ネットワークの確保であったと指摘している(Grandet 2022: 406)。ただし、継続的な被支配地への軍事遠征による富の蓄積、その他の資源、技術、職人、戦争捕虜の獲得も重要な目的だったであろう。

ヌビア支配

シリア・パレスチナの領土とは対照的に、とくに黄金を産出するヌビアはエジプトにとって経済的な搾取の対象となった。イアフメス王がヌビア支配の基盤を確立した後、アメンヘテプ一世はサイ島に要塞を建設し、支配を強化した。そして、トトメス一世は、ヌビアにおける領土を第三急湍のトンボスの南まで拡大したが、クシュ王国の王家の末裔の抵抗に苦心したようである。しかし、トトメス三世は治世第三四年にヌビアでの反乱を鎮圧し、治世第四七年の遠征では第四急湍のナパタまで征服した。そして、ヌビアは第二急湍を境に下流側の下《しも》ヌビアのワワトと上流側の上《かみ》ヌビアのクシュに分割され、それぞれにヌビア総督を補佐する副総督がおかれた。ヌビアの在地の君侯の子弟もシリア・パレスチナ同様にエジプトに送られ、王宮で教育を受け、将来にわたる忠誠心を植え付けられた(O'Connor 1993: 64)。エジプトはヌビアに数多くの要塞を建設し常備軍を駐屯させて植民地経営を行った。ヌビアの君侯は黄金などの天然資源の他に野生動物、ダチョウの卵、象牙などの貢ぎ物を定期的にエジプト王に届け、現地の住民を労働者や兵士として提供した。

地中海世界との関係

ハトシェプスト女王とトトメス三世の共同統治の時代には、かつての「ヒクソス」の都アヴァリスのあった場所に王宮が建設された。テル・アル＝ダブア遺跡の発掘調査によりその王宮の壁画はクレタ島のクノッソス宮殿の壁画と同じようなモチーフで描かれていたことが判明している(Bietak et al. 2007)。なかでも「牛跳び」と呼ばれる猛牛の上を跳ぶ人物の様子を描いたモチーフは、当時の地中海世界でさまざまな図像に採用された。また、テーベの貴族の岩窟墓にはクレタ島からのミノア人の使節団の朝貢図が描かれている(Panagiotopoulos 2006: 392-394)。しかし、前一四五〇年頃にミケーネ人によりミノア文明が崩壊するとエーゲ海地域の交易が活性化し、エジプトも積極的に取り引きに加わった。また、トトメス三世は治世第四二年にタナヤ(ギリシア本土)の君侯から貢ぎ物を受け取っている。エジプトはミケーネとの交易関係を発展させたが、デルタ地帯にはエーゲ海からの侵入者が増加していった。ホメロスの『オデュッセイアー』(ホメーロス 一九七一：四八―五一頁)にはオデュッセウスがエジプトでの略奪を目的とした一団をクレタ島から遣わした回想が述べられている(Grandet 2022: 395)。

四、アマルナ宗教革命

第一八王朝の前半における太陽信仰の発展

第一八王朝の前半における国家神アメンの権威は絶対的なものであった。アメン神は古王国時代の国家神であった太陽神ラーと習合し、国家神アメン・ラーとして、その存在を確固なものとした。トトメス三世やハトシェプスト女王が、自らを王位につけた神としてアメン神を崇めたのにたいし、トトメス四世は、自らを王位につけた神としてアメンやアメン・ラーではなく太陽神ラーを崇拝した。ギザの大スフィンクスの前足の間にトトメス四世が建立した「夢の碑文」によると、王子であったトトメス四世は大スフィンクスの砂を除くという夢での約束を果たすことにより王位を得たという(Bryan 1991: 144-150)。当時大スフィンクスは太陽神の像と考えられており、彼はおそらくテーベのアメン神官団ではなく、ヘリオポリスのラーの神官団を後ろ盾として即位したものと思われる。

太陽王アメンヘテプ三世の治世

トトメス四世の死後、息子のアメンヘテプ三世が王位を継承した。アメンヘテプ三世は父から平和と繁栄の時代を享受した(近藤 一九九八、Kozloff and Bryan 1992; O'Conner and Cline 1998)。ミッタニ王国との対立は、父トトメス四世がミッタニからの王女を娶って同盟関係を結んだことで解消され、シリア・パレスチナ諸侯の反乱も起こらなかった。また、ヌビア支配も安定していた。

アメンヘテプ三世の治世後半の二五年間は、大規模な建築活動、豪奢な宮廷生活、豊かな芸術に特徴づけられる。

D・オコナーは、アメンヘテプ三世がテーベを中心とする宇宙を創造するように、象徴的な意味を持つ場所に意図的に記念建造物を配置し、エジプト全土を巨大な祝祭空間にしたと指摘している(O'Connor 1998)。アメンヘテプ三世の建築活動はテーベでは特に顕著であった。アメンヘテプ三世は、カルナク神殿の第三塔門を建設し、自らの即位の正統性とアメン神の祝祭のためにルクソール神殿を増築した。西岸では、最大規模の葬祭殿とセド祭(王位更新祭)のためにマルカタ王宮を造営し、王宮の東側には巨大な池を掘削させ、北側には工房などの施設を含む大規模集落が建設された(早稲田大学古代エジプト建築調査隊 一九九三、Kemp 2018: 270-276; Hawass 2021)。アメンヘテプ三世はこのようなテーベの大規模な建築活動と同時にエジプトとヌビアの各地にもバランスよく大規模な神殿を造営しただけでなく、自らの重臣にも大規模な墓を造営させた。

アメンヘテプ三世は王の治世第三〇年の第一回セド祭以降急速に太陽神との結びつきを強くし、自らを太陽神と同一視して表現するようになった。そして、この時に造営されたマルカタ王宮を「ネブマアトラー(アメンヘテプ三世)はアテン(日輪あるいは太陽球)の輝き」と呼んだ。また、ルクソール神殿で発見された王の彫像には王が「輝くアテン」という形容辞で表現されている。さらに近年アメンヘテプ葬祭殿付近で発見された石碑には、アメンヘテプ三世が通常太陽神ラーを表すハヤブサ頭の神で表現されたアテン神を礼拝する姿で描かれている(el-Asfar et al. 2015)。このことからアテン神は息子のアメンヘテプ四世が初めて崇拝した神ではなく、アメンヘテプ三世の治世末から崇拝されていたと考えられる。

アメンヘテプ三世は、第三回セド祭が開催された治世第三七年の直後に他界したと考えられている。王の遺体は王家の谷・西谷に初めて造営された第一八王朝最大規模の王墓に埋葬された(吉村 二〇〇八)。

アクエンアテン王の宗教革命

アメンヘテプ三世の後継者、アメンヘテプ四世は即位直後にアテン神を新たな国家神に選び、それまで国家神であったアメン神の聖地であるカルナク神殿の東側でアテン神の神殿の建設を開始した(Redford 2013)。神殿を装飾したレリーフや王像は、それまでのエジプト美術の規範とは大きく異なり、王の肉体的特徴を誇張したより写実に近い表現が新たな規範となり、今日「アマルナ美術」と呼ばれている。

王の真の改革は、治世第四年に決定されたアテンのみを神とする新都の建設から始まった。新都はちょうどそれまでの第一八王朝の中心地であったテーベとメンフィスのほぼ中間にあたり、アケト・アテン(「アテンの地平線」の意)と名づけられた。ここは現在のアル＝アマルナと呼ばれる場所で、このことからアクエンアテン王の時代は通称「アマルナ時代」と呼ばれている。アマルナの境界碑によれば治世第八年には遷都が完了したことがわかる。アメンヘテプ四世は、この間に自らの王名をアメンヘテプ(「アメン神は満足する」)からアクエンアテン(「アテン神にとって有益なる者」の意)に改名し、アメン神との決別とアテン神への帰依を宣言した。遷都後にはアテン神を国家神とする宗教革命は激しさを増した。アメン神像は破壊され、図像と名前は削除された。アメン神以外の伝統的な神々の名前や図像は削除されなかったが、神々の複数形が単数形に改められたことが示すように、他の神々への祭祀も停止された。

アマルナ宗教革命は極端な革命ではあったものの、それは第一八王朝の宗教思想の発展の中で生まれたものだった。当時の宗教思想の中心はヘリオポリスの太陽神信仰であり、それによると全ての神々は太陽神ラーによって創造され、ラー神こそが唯一の神であった。アテン神はラー神が空に輝く日輪(あるいは太陽球)という形で顕在化したものであるが、実際にはアテン神は日輪そのものではなく、そこから放たれる光であり、また永続的に万物を創造し続け、生命を維持する神とされた(Hornung 1995)。その教義を記した『アテン讃歌』には、アテン神がエジプト人だけでなく異国の人々にも恵みを注ぐと称えられており、国際化が進んだ時代に王は普遍性を追求していたと考えられる。アテン信仰は長い間一神教であると解釈されてきたが、アクエンアテン王とネフェルトイティ王妃は創造神から生まれた神々として位置づけられ、アテンと三柱を構成していたとみられ(Johnson 1996: 80-81)、また民衆は引き続き生活に密着した伝統的な神々を崇拝していたため(Stevens 2007)、排他的な完全なる一神教ではなかった。

アクエンアテン王は王のみが神への祭祀を行う権限を持つとした。つまり、以前のように神官が王の代理として祭祀を行う余地を無くし、王権による一元的支配を貫徹させた。王は自らを民衆にとっての神と位置づけ、宗教的権威を絶対なものとした。しかし、アクエンアテン王のみがアテン神への祭祀を制限したことで彼の死後に教義の継続・実現が不可能となり、宗教革命の失敗を導く要因の一つとなった。また、アテン信仰の教義は来世の存在を否定したため、人々には受け入れられなかった。

アマルナ文書と対外関係

アクエンアテンが建設した新都アケト・アテンの王の外交文書館からは膨大な楔形文字の粘土板が発見され、これらは「アマルナ文書」として知られている(Moran 1992)。そのほとんどが当時の国際語であったアッカド語で記され、エジプトと西アジア、地中海世界との対外関係についての極めて重要な外交書簡である(Cohen and Westbrook 2002)。外交書簡は、アメンヘテプ三世の治世からツタンカーメン(トゥトアンクアメン)王の治世のものにわたり、交信地別に大きく二種類に分類される。一つは、ミッタニ、バビロニア、アッシリア、ヒッタイト、アラシア、アルザワといった列強諸国との交信である。これらの列強諸国の王とエジプト王はお互いを「我が兄弟」と呼び合ったが、エジプトは優位な立場にあり、ミッタニやバビロニアをはじめ外国の王女がエジプト王の妃として送られた(クライン 二〇一四)。そして、外国の王はエジプトからの贈り物としてとくにヌビア産の黄金を渇望した。もう一つは、エジプトの支配下にあったシリア・パレスチナの諸都市国家との交信である。その中には、攻囲に晒されているシリア・パレスチナ国家からのエジプトへの援軍の要請もあり、絶望的な様相を帯びている内容は、アマルナ時代のシリア・パレスチナの状況を克明に物語っている。ここでは、しばしば「ハビル」あるいは「アピル」と呼ばれる局外者集団が登場する(月本 一九九八)。彼らは、当時のシリア・パレスチナの諸都市を軍事的に脅かしていただけでなく、エジプトの支配下にある諸都市国家間の抗争にも無視できない勢力として関与していた。

ツタンカーメン王と信仰復興

アクエンアテン王の治世の末期になると、おそらくネフェルトイティ王妃がネフェルネフェルウアテン女王として共治王となり、アクエンアテン王の死後の三年間単独統治を行ったとみられる(河合 二〇二一：一八九頁)。この間にアクエンアテン王に迫害されたアメン神の信仰が再開された。しかし、実質的な信仰復興は、次のツタンカーメン王の治世からであった。ツタンカーメン王は即位と同時にメンフィスに遷都するとともにテーベのアメン神を復興し、アマルナ時代に荒廃した神殿群の修復と増築に着手した。王の『信仰復興碑』には、アクエンアテン王の宗教革命によって、エジプト全土の伝統的な神々の祭祀が停止したため、神々の庇護が受けられず、国土が荒廃し、軍事遠征が失敗に終わったと述べられている(河合 二〇一二)。ツタンカーメン王によってアメン神は国家神に返り咲いたが、特定の神の神官が権力を持つことを阻止するため、ラー神とプタハ神も等しく国家神として崇拝されるようになった(Bains 2011)。伝統的な神々と王との共存関係も修復されたが、皮肉にもこの信仰復興は王権に富の再分配を促し、王権の弱体化につながった。僅か八歳で即位したツタンカーメン王は実質的には傀儡《かいらい》であり、アクエンアテン王の治世以来の王家の側近アイと軍司令官ホルエムヘブが実権を握り有力貴族による集団指導体制となった。

この頃シリア北部ではヒッタイトが勢力を南下させ、ツタンカーメン王の治世第一〇年頃にエジプト軍がカデシュ近郊のアムカでヒッタイト軍に敗北した頃、ツタンカーメン王が他界したと考えられている(Darnell and Manassa

2007)。軍司令官ホルエムヘブはツタンカーメン王の摂政だったが、王の死後にはより王家との密接な関係があった老臣アイが即位した(Kawai 2010)。四年の治世の後にアイ王が他界すると、ホルエムヘブが即位し、アメン神をはじめとする伝統的な神々の信仰復興事業を継続すると同時にアマルナをはじめとする各地のアテン神殿を解体し、石材を他の神々の神殿の増築のために再利用した。また、ツタンカーメン王の記念物に書かれた王名を全て自らの名前に書き換えた。王家と血縁関係が全くないホルエムヘブ王は、自らの即位の正当性を示すために、アクエンアテン王とその後継者による痕跡を抹殺した。

おわりに

本稿では、最新の研究成果をもとに前一六世紀から前一三世紀のエジプト新王国時代第一八王朝の歴史的展開を内政と周辺地域との関係の両面から見てきた。それまでナイル川流域に完結していた古代エジプト史が、この時代に初めて西アジアと地中海世界との関係で語られるようになった。第二中間期に「ヒクソス」王朝による北部の支配とクシュ王国による南部の支配を経て、エジプト土着の王朝はエジプト全土の支配のみならずシリア・パレスチナとヌビアに領土を拡張させた。黄金を埋蔵するヌビアに対しては経済的搾取を目的とした植民地支配であったが、シリア・パレスチナに対しては従来指摘されてきたような「征服」を目的とする支配ではなく、天然資源と交易ネットワークの確保が主たる目的であった。ただし、一方で間接統治によって得られた物資、技術、労働力などはエジプトの繁栄の基盤となった。エジプトが西アジアで有利な立場になると西アジアおよび地中海世界の列強諸国とのグローバルな同盟関係が構築されていった。

内政については、テーベの王朝の守護神であったアメン神が国家神となり、その政治的影響力が強化され、王位継承を左右するまでになった。そして、軍事遠征で獲得された富はアメン神殿に寄進された。この結果、王権とアメン神官団の間に緊張関係が生じ、アクエンアテン王の治世にアメン神に代わる新たな国家神として太陽神アテンが導入された。しかし、このアマルナ宗教革命は失敗に終わり、ツタンカーメン王の治世以降に大規模な信仰復興が推進されたが、その後の時代の文化に大きな影響を残すことになった。

参考文献

河合望(二〇一二)『ツタンカーメン 少年王の謎』集英社新書。

河合望(二〇二一)『古代エジプト全史』雄山閣。

クライン、エリック・H(二〇一八)『B.C. 1177——古代グローバル文明の崩壊』安原和見訳、筑摩書房。

近藤二郎(一九九八)「アメンヘテプ三世とその時代」『岩波講座 世界歴史』第二巻、岩波書店。

月本昭男(一九九八)「前二千年紀西アジアの局外者たち」『岩波講座 世界歴史』第二巻、岩波書店。

ホメーロス(一九七二)『オデュッセイアー』上巻、呉茂一訳、岩波文庫。

吉村作治監修(二〇〇八)『エジプト王家の谷・西谷学術調査報告書——アメンヘテプ三世王墓(KV22)を中心として〔I〕』中央公論美術出版。

早稲田大学エジプト建築調査隊編(一九九三)『マルカタ王宮の研究——マルカタ王宮址発掘調査一九八五—一九八八』中央公論美術出版。

Baines, J. (2011), "Presenting and Discussing Deities in New Kingdom and Third Intermediate Period", B. Pongratz-Leisten (ed.), *Reconsidering the Concept of Revolutionary Monotheism*, Winona Lake, Eisenbrauns.

Bietak, M. (1994), "Historische und archäologische Einführung", I. Hein (ed.), *Pharaonen und Fremde: Dynastien im Dunkel*, Vienna, Eigenverlag der Museen der Stadt Wien.

Bietak, M. (2010), "From where came the Hyksos and where did they go?", M. Marée (ed.), *The Second Intermediate Period (Thirteenth-Seven-*

teenth Dynasties): current research, future prospects, Leuven, Peeters.

Bietak, M., N. Marinatos, and C. Palivou (2007), *Taureador scenes in Tell el-Dab'a (Avaris) and Knossos*, Vienna, Verlag der Österreichischen Akademie der Wissenschaften.

Bryan, B. M. (1991), *The Reign of Thutmose IV*, Baltimore, The Johns Hopkins University Press.

Bryan, B. M. (2000), "The 18th Dynasty before the Amarna Period", I. Shaw (ed.), *The Oxford History of ancient Egypt*, Oxford, Oxford University Press.

Cohen, R., and R. Westbrook (eds.) (2002), *Amarna diplomacy: the beginnings of international relations*, Baltimore, The Johns Hopkins University Press.

Darnell, J. C., and C. Manassa (2007), *Tutankhamun's Armies: Battle and Conquest during Ancient Egypt's Late 18th Dynasty*, New Jersey, John Wiley & Sons.

Dorman, P. (2005a), "Hatshepsut: Princess to Queen to Co-Ruler", C. Roehrig (ed.), *Hatshepsut: From Queen to Pharaoh*, New York, The Metropolitan Museum of Art.

Dorman, P. (2005b), "The Proscription of Hatshepsut", C. Roehrig (ed.), *Hatshepsut: From Queen to Pharaoh*, New York, The Metropolitan Museum of Art.

el-Asfar, A., J. Osing, and R. Stadelmann (2015), "A Stela of Amenhotep III with a hymn to Re-Horakhty and Osiris", *Annales du Service des Antiquités de l'Égypte*, 86.

Emberling, G., and E. Minor (2022), "Early Kush", K. Radner, N. Moeller, and D. T. Potts (eds.), *The Oxford History of the Ancient Near East: From Hyksos to the Late Second Millennium BC*, Vol. 3, Oxford, Oxford University Press.

Fostner-Müller, I. (2022), "The Hyksos State," K. Radner, N. Moeller, and D. T. Potts (eds.), *The Oxford History of the Ancient Near East: From Hyksos to the Late Second Millennium BC*, Vol. 3, Oxford, Oxford University Press.

Fukaya, M. (2020), *The Festivals of Opet, the Valley, and the New Year: Their Socio-Religious Functions*, Archaeopress, Oxford.

Galán, J., B. Bryan, and P. Dorman (eds.) (2014), *Creativity and Innovation in the Reign of Hatshepsut*, Chicago, The Oriental Institute.

Gitton, M. (1984), *Les Divines Épouses de la 18e dynastie*, Besançon, Université de Franche-Comté.

Grandet, P. (2022), "Egypt's New Kingdom in Contact with the World", K. Radner, N. Moeller, and D. T. Potts (eds.), *The Oxford History of the Ancient Near East: From Hyksos to the Late Second Millennium BC*, Vol. 3, Oxford, Oxford University Press.

Habachi, L. (1972), *The second stela of Kamose and his struggle against the Hyksos ruler and his capital*, Glückstadt, Augustin.

Hawass, Z. (2021), "Excavations in Western Thebes, 2021: The Discovery of the Golden Lost City, A Preliminary Report", *Journal of the American Research Center in Egypt*, 57-1.

Hein, H. Hunger, D. Melman, and A. Schwab (eds.) (2006), *Timelines: Studies in honour of Manfred Bietak*, Leuven, Peeters.

Hornung, E. (1995), *Echnaton: Die Religion des Lichtes*, Zürich, Artemis & Winkler Verlag.

Johnson, W. R. (1996), "Amenhotep III and Amarna: Some New Considerations", *Journal of Egyptian Archaeology*, 82.

Kawai, N. (2010), "Ay versus Horemheb: The Political Situation in the Late Eighteenth Dynasty Revisited", *Journal of Egyptian History*, 3.

Kemp, B. J. (2018), *Ancient Egypt: Anatomy of a Civilization*, 3rd ed., New York, Routledge.

Kondo, J. (1999), "The Formation of the Theban Necropolis-Historical changes and the conceptual architecture of the city of Thebes", *Orient*, 34.

Kozloff, A., and B. Bryan (1992), *Egypt's Dazzling Sun: Amenhotep III and his World*, Cleveland, Cleveland Museum of Art.

Moran, W. M. (1992), *The Amarna Letters*, Baltimore, The Johns Hopkins University Press.

Morris, E. (2005), *The Architecture of Imperialism*, Leiden/Boston, Brill.

Morris, E. (2018), *Ancient Egyptian Imperialism*, Hoboken, Wiley-Blackwell.

Nielsen, N. (2022), "The New Kingdom of Egypt under 18th Dynasty", K. Radner, N. Moeller, and D. T. Potts (eds.), *The Oxford History of the Ancient Near East: From Hyksos to the Late Second Millennium BC*, Vol. 3, Oxford, Oxford University Press.

O'Connor, D. (1993), *Ancient Nubia: Egypt's Rival in Africa*, Philadelphia, The University Museum of Archaeology and Anthropology, University of Pennsylvania.

O'Connor, D. (1998), "The City and the World: Worldview and Built Forms in the Reign of Amenhotep III", D. O'Connor, and E. Cline (eds.), *Amenhotep III: Perspectives on His Reign*, Ann Arbor, University of Michigan Press.

O'Connor, D., and E. Cline (eds.) (1998), *Amenhotep III: Perspectives on His Reign*, Ann Arbor, University of Michigan Press.

Panagiotopoulos, D.（2006）, "Foreigners in Egypt in the Time of Hatshepsut and Thutmose III", E. Cline, and D. O'Connor（eds.）, *Thutmose III: A New Biography*, Ann Arbor, The University of Michigan Press.

Polz, D.（2022）, "Upper Egypt before the New Kingdom", K. Radner, N. Moeller, and D. T. Potts（eds.）, *The Oxford History of the Ancient Near East: From Hyksos to the Late Second Millennium BC*, Vol. 3, Oxford, Oxford University Press.

Raue, D.（2018）, *Elephantine und Nubien vom 4.–2. Jahrtausend v. Chr*, Berlin, De Gruyter.

Redford, D.（2003）, *The Wars in Syria and Palestine of Thutmose III*, Leiden/Boston, Brill.

Redford, D.（2013）, "Akhenaten: New Theories and Old Facts", *Bulletin of the American Schools of Oriental Research*, 369.

Stevens, A.（2007）, *Private Religion at Amarna–the Material Evidence*, Oxford, British Archaeological Reports.

焦点 *Focus*

アッシリア帝国
——その形成と構造

山田重郎

はじめに

紀元前八―紀元前七世紀にメソポタミア・シリアとその周辺に空前の広域支配を確立したアッシリアは、その国家形成の過程と政治・行政の実態を考古資料・文献史料に基づいて十分に検証しうる最古の「帝国」である。帝国期のアッシリアは、異なる民族的ルーツをもつ諸国を束ねて、一律の行政システムによって直接支配地域として一円的に統治した。アッシリア帝国は、北メソポタミアのティグリス中流域の一都市であったアッシュルが、周囲の地政学的環境の中で変貌を遂げた帰結である。本稿では、アッシリアが小さな都市国家として出発し、やがて帝国を形成した過程を素描することを第一の目的とする。第二に、アッシリア帝国が到達した複雑な構造をもつ広域国家の実態を行政社会的特徴に注目して解説したい。そして最後に、無敵の帝国に見えたアッシリアが、紀元前七世紀末の二〇年足らずの期間に衰退・滅亡した原因を考察し、アッシリア帝国が後世に残した影響に触れて本稿を結びたい。

一、国家アッシリアの原点としての都市アッシュル

アッシリア国家の起源となった都市アッシュル(現カルアト・シェルカト遺跡)は、イラク北部、ティグリス川中流域の西岸、支流である小ザブ川がティグリス川に注ぐ合流点の北方に位置する。アッシュルは、ティグリス川の古代流路が大きく湾曲する部分に突き刺さるような形状で位置しており、その先端部分は川面から数十メートルの高さで川の流れの上にせり出すように屹立した絶壁になっている。この際立った景観をもつ場所は、いつからか神アッシュルとして神格化され、そこに集落ひいては都市が発展した。「アッシュル」は在地の神の名であり、同時に神格化された都市そのものであった[図1]。

一九世紀末からドイツ隊によって行われてきた発掘の結果、アッシュルには紀元前二六〇〇年頃から紀元後一四世紀まで、ほぼ四〇〇〇年にわたり途切れることなく、何らかの形で居住があったことが分かっている。紀元前一四世紀に広域を影響下に取り込み領域国家アッシリアに変貌するまで、アッシュルは都市とその周辺の後背地を支配する都市国家にすぎなかった。紀元前二一世紀までアッカド王朝やウル第三王朝といった南メソポタミアの大国の影響下に置かれた後、前二〇二五年頃にはアッシュルは独立した都市国家となり、前二一世紀末から前一八世紀前半には商業都市として繁栄した。この時代(古アッシリア時代)には、アッシュルの商人たちが、中央アナトリアのカニシュ(現キュルテペ遺跡)に商業地区(*kārum*)を設け、アッシュルからロバの隊商を組織して約一〇〇〇キロの道のりを進み、メソポタミア産毛織物と東方から輸入される錫《すず》をカニシュに運び、同地からアナトリアの銀をアッシュルに送る中継交易事業を行った。この国際交易を担ったアッシュル商人たちの活動に由来する二万枚以上の楔形文字アッカド語粘土板文書がカニシュから出土しており、これまでに三〇〇〇枚以上が研究され、商業都市アッシュルの財政を支えた交

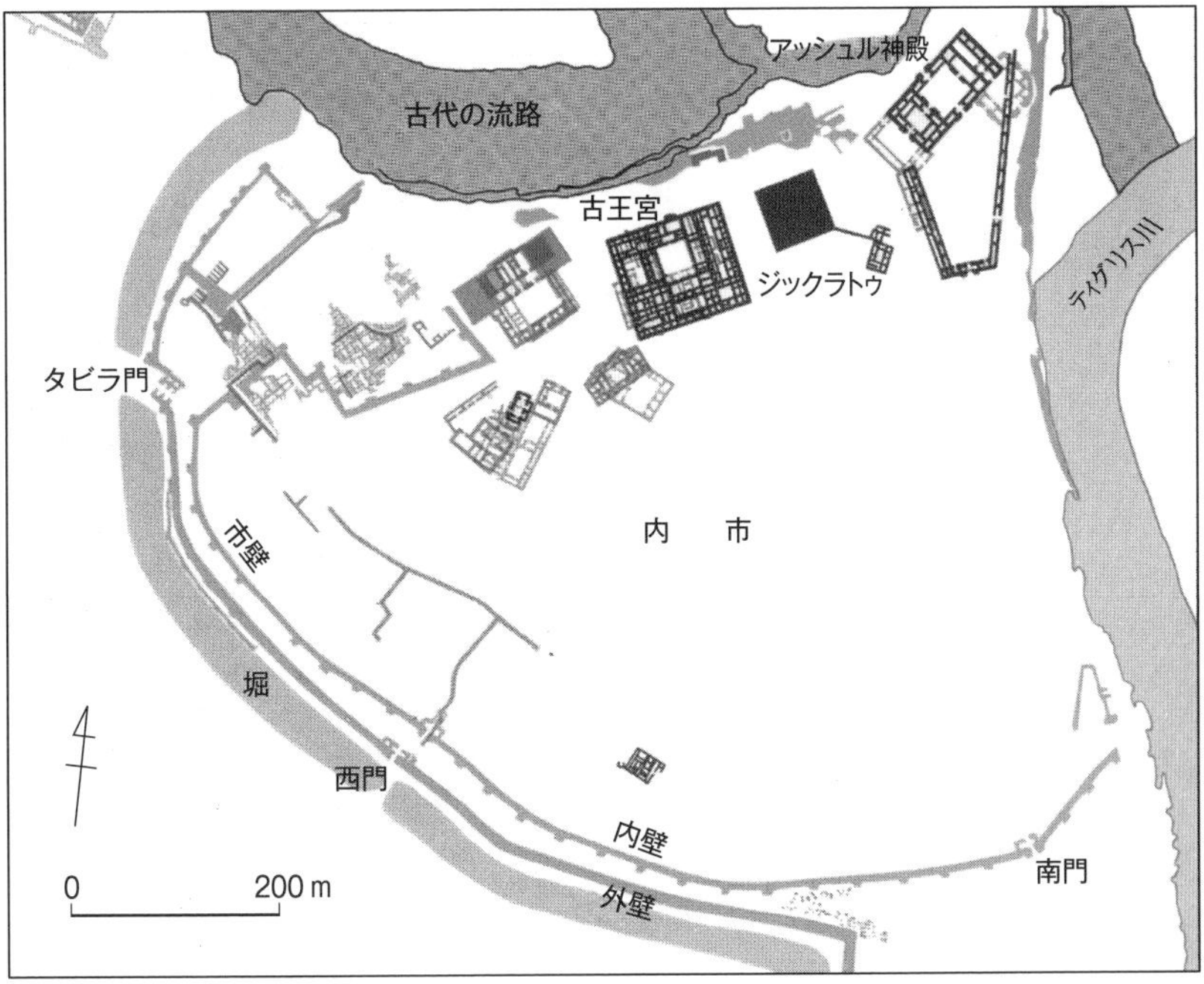

図 1　アッシュルの都市プラン

（出典：Roaf, M.（1990）, *Cultural Atlas of Mesopotamia and the Ancient Near East*, Oxford, Equinox, p. 149）

易の実態と商人たち家族の生活の詳細が明らかにされてきた。アナトリアのアッシュル商人居留地の母市であるアッシュルでは、有力な商人一族が市の「集会」(*puḫrum*)を組織して政治的影響力を行使した。「集会」の代表は「リーム／リンム」(*līmu*(*m*)/*limmu*(*m*))と呼ばれる一年任期の官職が輪番で務め、各年はこのリームの名によって「リーム某（の年）」と名付けられた。「集会」の中心たるリームのオフィスは「リームの館」(*bēt līmim*)または「市の館」(*bēt ālim*)と呼ばれた。王に当たる人物は「アッシュル神の代理人」(*iššiak Aššur*)、「監督官」(*waklum*)、「大人」(*rubā'um*)などと呼ばれ、国の行政責任者であったが、後の帝国期アッシリアの王のような絶対君主ではなく、市政を司る権力は市民に分有された(1)。

二、領域国家の成立

古アッシリア時代に由来する文書は、アッシュルからはほとんど出土していない。一方、主要なデータを提供するカニシュの粘土板文書群は前一八世紀の前半までで途絶えてしまう。その後、アッシュル市についての同時代史料は急速に少なくなり、ほどなく詳細不明の「暗黒時代」に入る。後代に編集された「アッシリア王名表」は、都市アッシュルの王統が「暗黒時代」にも継続していたかのように記録するものの、当時のアッシュル市とそれを取り巻く歴史的環境を正確に知ることはできない。

「暗黒時代」末期の紀元前一六世紀の半ば頃から、アッシュル北西のハブル川三角地帯を拠点としてフリ系国家ミッタニ（ミタンニ）が台頭した。前一五世紀後半には、アッシュルは北メソポタミアとシリアに勢力を広げるミッタニの影響下に置かれ、属国的な地位にあったことをいくつかの粘土板文書史料の断片的情報が示唆する。しかし、その後、中央アナトリアを根拠地とするヒッタイト王国が北シリアに進出し、ミッタニ王家の内紛に乗じてこれを攻撃し、ミッタニの勢力が衰えると、アッシュルは周囲に領土を広げ、ミッタニと入れ替わるように、北メソポタミアの大国と呼べる領域国家になっていった。この領域国家は、アッカド語で「アッシュルの地」を意味するマート・アッシュル（*māt Aššur*）と呼ばれる。そのギリシア語訳が「アッシリア」である。

アッシュルの領域国家化は、前一四世紀に本格化し、アッシュル・ウバッリト一世（在位前一三五三―前一三一八年頃）[2]は、はじめて「アッシュルの地の王」（*šar māt Aššur*）を名乗った統治者として認定される。この王の治世中、アッシリアは、バビロニア、ヒッタイト、エジプトなどとならび当時の大国の仲間入りを果たした。この状況は、ナイル川中流域のテル・エル・アマルナで発見されたアッシュル・ウバッリト一世からファラオに送られた二通の書簡にも反映されている。中アッシリア時代と呼ばれる前一四世紀半ばから前一一世紀半ばにかけての時期に、アッシリアは、アッシュルとその北方のニネヴェとアルベラからなる「三角地帯」を中核として周辺に領土を広げ、南のバビロニア、西のヒッタイトと国境を争った。

首都アッシュルを含め、アッシリアが支配した北メソポタミアの複数の遺跡で調査が行われ、当該期の建築物、物品、粘土板文書が出土して研究され、当時のアッシリアの歴史、行政、精神文化、物質文化が明らかにされてきた。行政文書、契約文書、書簡などの研究によって、支配地域に統一的行政システムが構築され、共通の文書行政が行われたことが分かる。王(*šarru*)を頂点とする官僚制度が整備され、王を直接サポートする「王の代理人」(*qēpu*)、「宰相」(*sukkallu*)が置かれた。複数の「宰相」の頂点に立ち、アッシリアの辺境で広域に対して権力を振るった「大宰相」(*sukkallu rabi'u*)は、王家の親類が務め、ほとんど副王とみなしうる権力者だった。王は王国の各地を巡回し、広く領地に眼を配った。王と直属の宮廷官吏が運営する「王宮」組織は、各地に宮殿と王領をもつ巨大なオイコス経済組織であった。その直接的管理を任された役職は「家令」(*mašennu*)と呼ばれ、種々の物品を収蔵する倉庫を管理し、工人や職人たちに材料を分配し、製品を納めさせ、交易品として金属、家畜、皮革、織物、金属、奴隷の輸出入に責任をもった。

固有領土である「アッシュルの地」(*māt Aššur*)は、理念的には、王が「アッシュル神の代理人」として統治したが、広大な領土は、多数の行政州(*pāḫutu*)に分割され、各行政州には「行政州長官」(*bēl pāḫete*)が配置された。各行政州からは穀物、果物、蜜、ゴマなどからなる定期の貢ぎ物(*ginā'u*)がアッシュル神殿に献納された。全ての行政州は、こうしてアッシュル神への共通の祭祀を通じて思想的にも連結された。行政州内の各都市には、王が任命した市長(*ḫazi'ānu*)が置かれ、地域社会を代表して王宮が求める労役や物資の収集・分配などに従事した。

三、「先帝国期」——衰退からの回復と領土再征服

中アッシリア時代、国勢は前一三世紀半ばに頂点に達した。アッシリアは、なおいくつかの独立した地方王権を固有領土「アッシュルの地」の域内に飛び地として含みつつ、広域に直接支配領域を広げ、その範囲は、西はユーフラテス川の大湾曲部近くまで、東はザグロスの西麓まで、南はバビロニアとの国境にまで及んだ。しかし、前一二世紀末以降、西方からユーフラテス川を越え、メソポタミア各地に侵入するアラム系遊牧集団の攻勢と飢饉のためにアッシリアの国力は急速に衰退した。アッシリアの支配地域は著しく断片化しつつ縮小し、北メソポタミアとシリアには多数のアラム系国家が建設された。

こうした衰退期をへて、紀元前一〇世紀の後半から前九世紀にかけて、アッシリアの王たちは失われた固有領土「アッシュルの地」を回復すべく、毎年のように軍事遠征を企てたことが、王碑文の記事から分かる。開始された「再征服」の前線は、しだいに遠方へと押し広げられ、紀元前九世紀のアッシュル・ナツィルパル二世(在位前八八三—前八五九年)とその子シャルマネセル三世(在位前八五八—前八二四年)の積極的な外征の結果、中アッシリア時代の領土のほとんどが回復された。軍事的に制圧された地域ではアッシリアの直接支配が目指され、それが実現した領域には、多数の行政州が形成された。前九世紀の段階でも、アッシリアが州行政システムによって統治する直接支配地域の域内には、いくつもの在地の有力者が自治を維持して残存したが、軍事遠征の矛先は、直接支配地域を遥かに越えて遠方に達し、その結果多くの周辺国がアッシリアに従属する貢納国とされた。西ではユーフラテス川の大湾曲部から地中海に至るまでのシリアとその周辺の多数のヒッタイト系・アラム系の小王国群、フェニキア諸都市、イスラエル王国とトランス・ヨルダンの国々、東ではザグロス諸国がこれに含まれた。「先帝国期」(「帝国期」に先立つ時期)と

呼ぶべきこの時代において、シャルマネセル三世は、中アッシリア時代に一度獲得された国土の範囲に固有領土「アッシュルの地」を確保しつつ、それを越える地域は領土として取り込むことはせず、貢納国として間接統治する政策を維持した。

「先帝国期」において起こった変化は、領土支配の拡大だけではなかった。アッシュル・ナツィルパル二世の時代、アッシリアの行政首都は、古来の首都アッシュルから北方約七〇キロに位置するカルフ（現ニムルド）に移された。アッシュル・ナツィルパル二世の建築記念碑文によれば、再建まで廃墟になっていたカルフに大規模な建築事業が行われ、西方のシリアとジャジラ地域、ならびに東方のザグロス地域の被征服地から連れてこられた人々がカルフに植民された。カルフにおける建設事業は、アッシュル・ナツィルパル二世の子シャルマネセル三世の治世まで二世代にわたり行われた。カルフは、アッシュル（約一二〇ヘクタール）より遥かに大きな市域（約三八〇ヘクタール）をもつメガシティであり、市壁に沿って二カ所盛り土された小高い城塞が設けられ、その一つには王宮（北西宮殿）、神殿群、公共建築物が、もう一つには兵器廠が築かれた。市内には運河が通り、各地の植物を植えた庭園が城外に造られた。アッシュル・ナツィルパル二世による王宮の落成式には、王国の各地から招かれた四万七〇七四人の男女、五〇〇〇人の外交使節、一万六〇〇〇人のカルフの住民、一五〇〇人の王宮の官吏、総計六万九五七四人が一〇日間にわたり宴会に参加したことが記念碑文に記されている。

遷都の理由について文書は沈黙しているが、いくつかの要因が考えられる。カルフは、王国の中核であるアッシュル・ニネヴェ・アルベラ三角地帯の中心に位置し、南端にあるアッシュルよりも立地に優れていた。加えて、アッシュルでは在地の有力一族が権力を握り、国家の運営に影響力を行使したが、これら勢力を行政中心から遠ざけることが目指されたようだ。伝統的な有力者一族を権力の中枢から排除し、宮廷官僚や行政州長官の重要ポストに宦官《かんがん》（去勢された男子）を登用する傾向は、前九世紀以降のアッシリアに顕著に認められる。アッシュル・ナツィルパル二世が任命したカルフの宮廷長官もおそらく宦官であった。宦官は、出自が曖昧で、子孫を残すこともなく、王の忠実な臣下であることを宿命づけられた存在であった。カルフ遷都は、王への権力集中のための施策であり、帝国化する国家に見合ったメガシティの創設であった。一方、アッシュルは、以後、行政府としての地位を失ったが、アッシュル神殿を擁する宗教的中心として重要性を維持し、王は、アッシュルで即位式を行い、毎年の新年祭を祝い、没後はアッシュルに葬られた。

四、帝国の成立——行政州分割と中央集権

シャルマネセル三世の治世が反乱で終わった後、ティグラト・ピレセル三世(在位前七四四—前七二七年)の治世開始まで約八〇年間、王の軍事業績を記録する碑文は多く残っていない。一方、アッシリアの領域内各地で地方行政官が土地や村落の開拓、建築事業、軍事遠征を実施し、それを自らの実績として記念する碑文が複数知られている。こうした時期は、権力が分散して相対的に王の力が弱まった「分権化」の時代であり、特にその後半は、しばしばアッシリアの衰退期であると見なされてきた。しかし、こうした評価とは異なる有力な見解も示されている。すなわち、前九世紀の軍事遠征による急速な領土拡大をうけて、地方の行政長官たちは、王の権威を否定することなく、それぞれに軍事力を高め、開発を行い、力を蓄えたのであり、この時期は衰退期ではなく帝国期を準備した「準備期間」にあたる、という理解である。

「分権化」の時代は、ティグラト・ピレセル三世の即位によって終止符が打たれ、帝国形成に向けた中央集権化と新たな領土拡張政策が開始された。ティグラト・ピレセル三世、シャルマネセル五世(在位前七二六—前七二二年)、サルゴン二世(在位前七二一—前七〇五年)の治世に、アッシリアの固有領土は、西方はユーフラテス川を越え東地中海岸

に至り、シリア・パレスチナ・南東アナトリアに及んだ。また、北方の強国ウラルトゥを封じ込め、東方のザグロス地域にも新たな行政州が作られた。この過程で、朝貢国として独立を維持していた多数の王国が滅ぼされて行政州として再編され、アッシリアの固有領土は、それまでの二倍ほどに拡大された。南方では、アラム系・カルデア系諸部族の台頭によって政情が不安定化していたバビロニアにおいて、由緒ある神殿を擁するバビロン、シッパル、ニップル、ボルシッパ、クタ、ウルクなどの伝統都市の支持を取り付けることで、アッシリア王は、バビロニアの王権をも掌握した。各地の占領・併合と行政州への再編については各種王碑文にその詳細が記録されている。また、新しい行政州の長官たちが、伝統的紀年職であるリンムに選ばれたことも、『リンム表』や『リンム年代誌』といった編年史料から分かる。

ティグラト・ピレセル三世は、新たに占領・併合した地域に作られた行政州も含め、多くの行政州に宦官を長官として置いた。この政策は、ティグラト・ピレセル三世の後継者たちにも継承され、王への権力集中が徹底された。

もう一つの注目すべき点は、新しいタイプの強制移住政策の開始である。従来から行われてきた捕囚政策は、征服地の住民をアッシリア中心に向けて連行して、中央の軍備、土地開発や建築事業にマンパワーを供給するものだった。ティグラト・ピレセル三世とその後継者たちは、こうした従来型の捕囚に加え、被征服地の住民を大量に遠方の様々な土地に植民し、住民が連れ去られた土地には、他地域からの捕囚民を連れて来て住まわせる多方向の強制移住政策を実施した。この政策の目的は、人民の故郷との絆を絶ち、異なる出身地の人民を混在させることで、住民が一致して反乱する可能性を低減すると同時に、多くの捕囚民、戦利品、貢納品の流入で富と人口が増加するアッシリア中心や領土内各地の開発重点地域において、土地開拓、土木工事、産業開発、軍事力増強を可能にした。近年の研究によれば、アッシリアの強制移住政策により移動した人口は、一五〇万人ほどという見積もりが示されている（Sano 2020）。こうして、アッシリア帝国は、巨大な領土において、異なる言語を話す多様なエスニック集団の大規模な移動により広域の人口動態を変化させ、これを行政州として分割・再編して直接支配する複雑な構造をもつ帝国になっていった。

ティグラト・ピレセル三世につづいて、帝国建設に大きな役割を果たしたサルゴン二世の治世については、同時代の多数の王碑文と各地の官吏や使節から王に宛てられた約一〇〇〇点の粘土板書簡が残っており、政治的事件や王を中心に機能した行政の諸相を知ることができる。サルゴン二世は、正式の王位継承者ではなく、前任者であり兄でもあったシャルマネセル五世(在位前七二六―前七二二年)から王位を簒奪したと推測されてきた。不規則な即位による帝国中枢の混乱を受けて各地で起こった反乱を鎮圧すると、サルゴン二世は帝国版図をさらに拡大した。そして膨大な戦利品による財源を投入して、一七〇年間行政府として機能したカルフを、おそらくは反乱分子の残る危険な場所と見なして、カルフに匹敵する規模の新首都ドゥル・シャルキン(Dūr-Šarrukīn,「サルゴンの砦」の意)をカルフの約四五キロ北方に築いた。長期の建築事業をへて、前七〇六年にサルゴンは王宮をドゥル・シャルキンに移したが、その翌年、中央アナトリアのタバルへの討伐遠征のさなか、王の野営地は敵に陥れられ、王は殺害された。その後、後継者センナケリブ(在位前七〇四―前六八一年)は、縁起の悪いサルゴン二世の関係したあらゆるものから距離を置き、行政府をドゥル・シャルキン南方の主要都市ニネヴェに移し、それをカルフやドゥル・シャルキンの倍ほどのサイズ(約七〇〇ヘクタール)の巨大な帝国首都として再建した。

五、帝国の行財政構造

センナケリブとその後継者エサルハドン(在位前六八〇―前六六九年)、アッシュルバニパル(在位前六六八―前六三一?年)の治世に、アッシリア帝国は最盛期を迎え、その支配地域と影響圏はさらに拡大した[図2]。東方でイラン高原

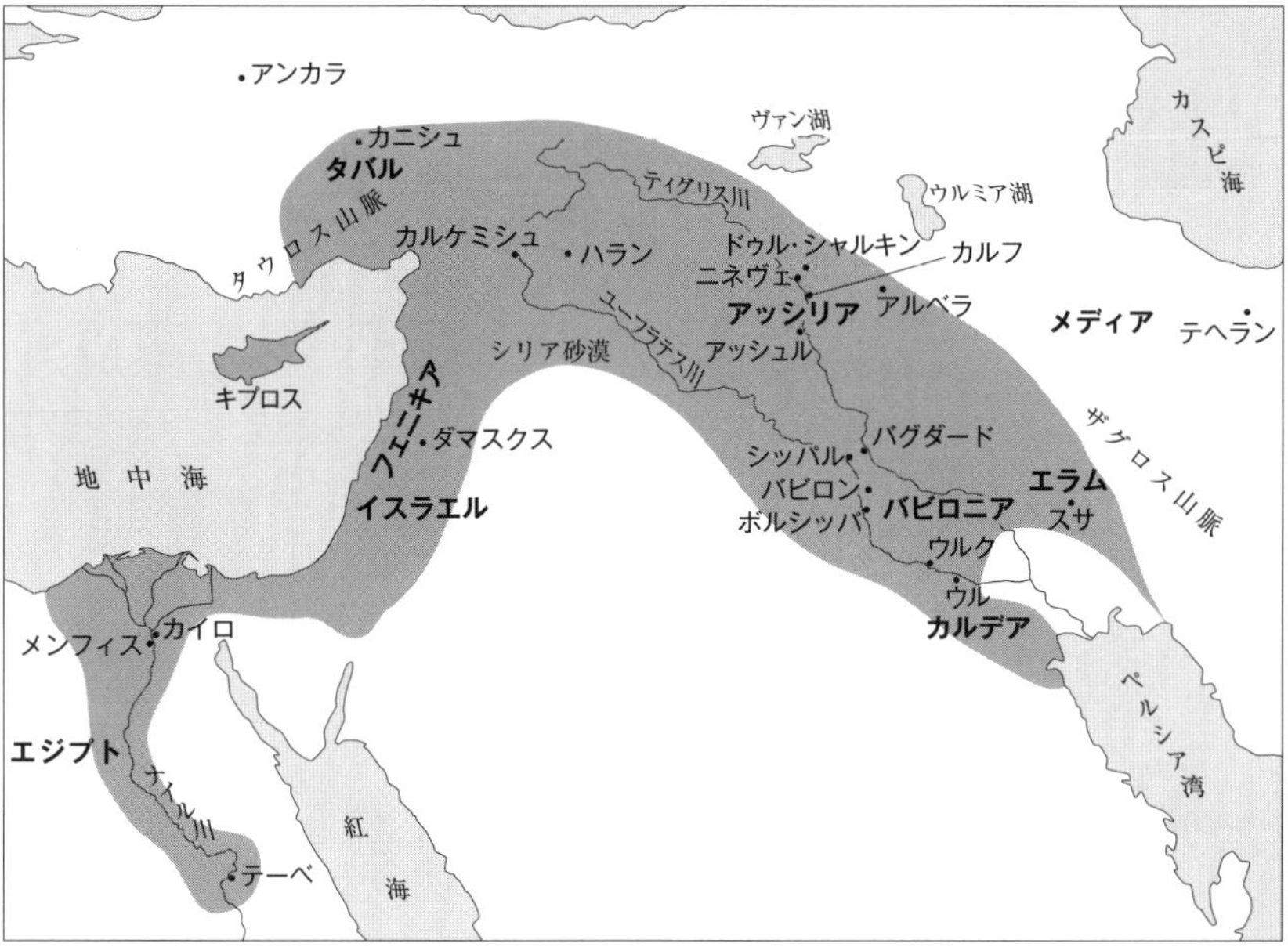

図2　アッシリア帝国の最大版図(前668-前630年頃)

https://blog.britishmuseum.org/introducing-the-assyrians/

のメディアの諸侯を服属させ、西方では東地中海岸の国々をことごとく直接間接の支配下に置いた。また、ナイル・デルタのエジプトの首都メンフィスを落城させ、さらにテーベまで進軍してこれを略奪している。

アッシリアの国土は、多数の行政州に分割されて直接統治される固有領土「アッシュルの地」とその周囲にあって独立を保ちつつ年貢を納める朝貢国の二種類の支配領域から構成されていた。最盛期には五〇以上を数えた行政州は、基本的に均一な行財政規模に整備されたと考えられ、都市や村落が集中し人口密度の高いアッシリア中心部では、州の面積は小さく、未開拓地域ではそのサイズは大きかった。アッシリア中核の北方にあるティグリス川と大ザブ川流域の三つの行政州、ならびに西方のユーフラテス川大湾曲部内側につくられた一つの行政州は、帝国防衛の要とされ、特別に高いステイタスが与えられ、「軍の長」(*turtānu*)、「財務官」(*masennu*)、「主任献酌官」(*rab šāqê*)、「宮廷広報官」(*nāgir ekalli*)という最高官職の管理に委ねられた。各行政州は、中アッシリア時代同様、行政州長官(*bēl pāhete*)によって統治され、物資と労働力・兵力を管理して必要時に徴収・徴用し、自律的に運用するとともに、王の要請にしたがってこれを提供した。また、各行政州をつなぐ街道と宿駅の管理とそこを移動する隊商、外交使節、軍隊への支援も行政州が責務として担った。

王は、中央はもちろん帝国各地に宮殿を持ち、軍事遠征、外交、祭儀への参加などの目的で、王宮スタッフや軍を率いて、各地を移動した。王のオイコス経済であり行政体である「王宮」は、各地に所有する王領の経営に加え、貴金属と労働者を含む戦利品や貢納を独占的に受領、所有、運用し、行政州から物資とサービスを提供させて各種事業を運営した。

多くの貢納国が行政州として取り込まれた後、貢納と略奪による収入は減少し、財政における徴税のウエートは高まり、より複雑でコストのかかる行政手続きを必要とするようになったと推測される。一方、東地中海世界やザグロス地域のような行政支配地域の外側とアッシリアを連結する交易拠点(*kāru*)を作り管理することで、国際交易の発展をはかりつつ、関税収入を得ることが政策的に推進された。

六、複合国家の文化的多様性と統一への施策

古アッシリア時代の都市国家アッシュルが中アッシリア時代に周辺の国々を含んだ領域国家になっていく過程で、アッシュル土着のアッカド語を母語とする人々に加え、アムル系、フリ系など異なる民族的・言語的ルーツを持つ人々が、すでにアッシリア領内に混在していた。しかし、アッシリアの人口構成は、新アッシリア時代になると、さらに複雑さを増した。支配領域の拡大とともに、強制移住政策によって大規模な住民の入れ替えが行われたため、帝国領

内の人口動態は大きく変化した。特にメソポタミア周辺とシリアの多数のアラム系住民を帝国に内包したことは、アッシリアが「アラム化」する結果をもたらし、帝国内でアラム語がアッカド語とならんで行政言語として用いられる二言語主義が常態化した。アッシリアの王宮の浮き彫りやフレスコ壁画には、粘土板を持ってアッカド語を記す書記と羊皮紙あるいはパピルスにアラム語を書く一対の書記の姿を描いた図像が知られている〔**図3**〕。前九世紀以降には、アラム語は公用語的な地位を獲得していった。一方、大量に書かれたであろうアラム語文書は、耐久性に優れる粘土板に書かれたアッカド語文書と異なり、朽ちたり、焼失したりして、ほとんど残存していない。

図3　粘土板と羊皮紙あるいはパピルスに筆記する一対の書記を描く壁画（紀元前8世紀頃，シリア，Tell Ahmar，ルーヴル美術館展示における再構成，写真著者撮影）

多民族化するアッシリア帝国における国家的教育の例として注目されてきたのは、サルゴン二世の複数の碑文に見られる新都ドゥル・シャルキンにおける外国人の教育に関する以下の記述である。

> 言葉が通じない、言語の異なる四方世界の臣民たち、山岳の民と平地の民、主「神々の光」〔太陽神シャマシュ〕が〔牧羊者のように〕導くすべての者ども、私の主アッシュル神の命により私が連れてきた者ども。彼らを私は、私の王笏の力をもって一まとめに統治し、そこ〔ドゥル・シャルキン〕に定住させた。私は彼らをあらゆる技術に通じたアッシリア人の監督者や指導者たちに委ね、神と王を敬うように、正しい行いを教えた。

この一節は「アッシリアのマニフェスト」(Liverani 2017: 206)とされ、しばしば臣民に広く行われた国家的教育施策と見なされてきた。この見方は、アッシリア中核の諸都市においては当てはまるであろうし、捕囚民を含むすべての人々が理念的にはアッシリア帝国の臣民と見なされたと考えられる。その一方、アッシリア王に対する政治的忠実が維持され、行政が課す納税、労働、従軍など臣民としての義務を果たすなら、捕囚民たちのエスニック集団としての個性は、帝国の中である程度は保持され、出自に基づいた宗教文化も容認されたことは、種々の文書から推測される。外部から帝国に吸収された人々の間で時間をかけてしだいに醸成されていったアッシリアへの帰属意識は、各人が置かれた職業、社会的地位、所属共同体によって一様でなかったものと思われる。

七、アッシリア帝国の崩壊とその要因

エサルハドンは、あらかじめ王位継承の方法を取り決め、広く帝国各地の関係者たちにその遵守を誓約させたうえで、帝国をアッシリアとバビロニアに分割して二人の息子アッシュルバニパルとシャマシュ・シュム・ウキン（在位前六六七—前六四八年）に相続させた。この王位継承において、アッシリア帝国の実権はアッシュルバニパル一人が掌握した。しかし、前六五二年には、バビロニア王シャマシュ・シュム・ウキンが周辺諸国と同盟してアッシリアに反旗を翻し、兄弟間で四年もの戦争が行われた。アッシリア軍がバビロンを征服しシャマシュ・シュム・ウキンが死亡してこの戦いが終結すると、アッシュルバニパルは傀儡《かいらい》の王としてカンダラヌ（在位前六四七—前六二七年）をバビロンの王位につけてバビロニアを属国として支配し、反乱を支援した東方のエラム王国に対して懲罰遠征を行って、前六四七年には首都スサを征服した。

エジプトでは、バビロニアでの混乱に先立って、プサメティコス一世がサイスにおいて第二六王朝を建ててアッシリアの支配から離脱し、シリア砂漠のアラブ系遊牧民もアッシリアに反抗し続けた。それでもアッシリア帝国は、なおしばらくの間繁栄を維持した。アッシュルバニパルの軍事遠征を記念する王碑文が前六四〇年頃まで版を重ねて多

数作成され、発見されている事実がこれを示唆している。しかし、この時期を境に王碑文はほとんど見られなくなり、アッシリアの毎年のリンム名と軍事遠征先などを記した『リンム表』・『リンム年代誌』も前六四九年で途絶えている。こうした状況は、アッシリア帝国に何らかの問題が生じたことを暗示するが、アッシュルバニパルの治世末期に何がおこったのか、詳細は不明である。

いくつかの断片的な史料から、アッシュルバニパルの世継ぎである若年のアッシュル・エテル・イラニ（在位前六三〇?―前六二七?年）が、「宦官の長」(*rab ša-rēši*)であるシン・シュム・リシルを後見人として、反乱を鎮圧して王位についたが、まもなくシン・シュム・リシル（在位前六二七?年）が自ら王権を握り、そのわずか数ヵ月後には、次の王としてアッシュル・エテル・イラニの兄弟シン・シャル・イシュクン（在位前六二六?―前六一二年）が王位を引き継いだことがわかる。頻繁な王位の交替の原因は不明だが、王位継承が不安定だったことがうかがわれる。

この間のバビロニアの状況も含め、アッシリア帝国末期の事件史については、バビロニアに由来する『バビロニア歴代誌』が情報を提供する。傀儡のバビロニア王カンダラヌが前六二七年に亡くなると、南バビロニアのウルク市の守護であったナボポラサルがアッシリアに反乱し、翌年にはアッシリア軍をバビロニアから駆逐して、バビロンで即位した。これによってアッシリアのバビロニア支配に終止符が打たれた。

東方では、多くの部族のゆるやかな連合体にすぎなかったメディア諸国が、キャクサレスのもと結束し、バビロニアと同盟を組んでアッシリアの中心都市を次々と攻撃した。前六一四年にはアッシュルが、前六一二年はニネヴェが陥落し、アッシリア王シン・シャル・イシュクンは殺害された。その後、皇太子アッシュル・ウバッリト二世が降伏を拒んで西方に逃れ、ハランを拠点にメディアとバビロニアの軍勢に抵抗を試みたが、前六〇九年にハランを追われ、エジプトの支援を受けてのハラン奪回の試みにも失敗すると、消息を絶っている。こうしてアッシリアは歴史の舞台から姿を消した。

アッシリア滅亡は、直接的にはバビロニアとメディアによる攻撃によって起こったが、短期間での帝国崩壊の背景には急速な国力低下があったと想定され、その要因が論じられてきた（Liverani 2001）。第一に、中央集権化の過程で、有能な在地の有力者を権力から排除して王に従順な宦官を重用する一方、卜占や儀礼を過剰に重視して、現実的な統治機能が低下した疑いがある。第二に、軍事遠征による略奪経済が持続的に機能しなくなった可能性が考えられる。アッシリアは軍事遠征で版図を拡大しながら、被征服地から大量の労働者と略奪品を得て、獲得した人力と財力を各種の大規模事業に投入してきた。しかし、前線がエジプト、中央アナトリア、メディアといった遠方におよび、持続的支配が困難な地域に達して膨張が止まると、略奪を前提とする財政は、破綻したのではあるまいか。また、略奪経済の恩恵にあずからなかった辺境では、十分な社会的見返りを受けなかった国々において人々が帝国支配に不満を感じ、国勢が傾き外敵に脅かされる帝国を下支えする気運をもたなかっただろう。第三の原因として論じられてきたのは、人口のアンバランスと天候不順である。帝国期のアッシリア中心部では、多くの都市が密集し人口密度が高く、住民は外部からの食糧供給に依存していた。そのため、気候不順による不作の影響を深刻に受ける食物経済的な脆弱さが想定され、それが帝国中枢の基盤を揺るがしたという。おそらく、こうした要因が複合的に作用するなか、メディアとバビロニアの軍事的攻勢の前に、史上空前の帝国は、短期間に消滅する運命を辿ったのであろう。

エピローグ――アッシリアの遺産

以上、アッシリアの国家としての変貌と帝国の構造を、政治と行政を中心に見てきたが、ここでは触れることができなかった事柄も少なくない。アッシリアが構築した街道と駅伝制度といったコミュニケーション・システム（Radner 2015）、軍事制度・技術（Dezső 2012）、都市計画・建築（Russell 2017）、美術（Curtis and Reade 1995）は、新バビロニア帝国やアケメネス（ハカマーニシュ）朝ペルシア帝国など後継の広域支配国家に有形・無形の影響を与えている。ヘロドトスやクテシアスといった前五世紀の著作家は、世界史を複数の帝国の連鎖と捉え、アッシリアをその最古の帝国と見なした。また、アッシュルバニパルがニネヴェで収集し「アッシュルバニパルの図書館」と呼ばれた粘土板文書の収集は、卜占、語彙・事典・文法、医術、呪術、祈禱、儀礼、叙事詩、神話、歴史、科学など多分野におよび、南北メソポタミアの知の体系を包括する国家的事業であった（Finkel 2019）。こうしたメソポタミアの知の伝統の収集・研究もまた、アッシリア帝国において行われた重要な事業であり、その粘土板文書は一九世紀に発見され、現在においても、私たちにメソポタミアの楔形文字文明の本質を知らしめている。

注

（1） 前一九世紀末にアムル系君主シャムシ・アダド一世（アムル語でサムスィ・アッドゥ）は、アッシュルの北方の拠点エカッラトゥムから侵攻してアッシュル市の王権を掌握し、その後、一八世紀前半には北メソポタミア全域に支配を確立し「世界の王」（*šar kiššatim*）を自称した。この人物も、アッシュルとの関連では自らを「アッシュル神の代理人」と呼んでおり、「アッシュル」あるいは「アッシリア」の「王」（*šarrum*）とは名乗らない。

（2） 本稿におけるアッシリアの王の治世年は、Frahm（2017: 613-616）にしたがった。

参考文献

Curtis, J. E., and J. E. Reade (eds.) (1995), *Art and Empire: Treasures from Assyria in the British Museum*, London: British Museum Press.

Detzsö, T. (2012), *The Assyrian Army, I: The Structure of the Neo-Assyrian Army*, 2 vols., Budapest: Eötvös University Press.

Finkel, I. (2019), "Assurbanipal's Library: An Overview", K. Ryholt, and G. Barjamcvic (eds.), *Libraries before Alexandria: Ancient Near Eastern Traditions*, Oxford: Oxford University Press.

Frahm, E. (ed.) (2017), *A Companion to Assyria*, Malden, MA: Wiley-Blackwell.

Liverani, M. (2001), "The Fall of the Assyrian Empire: Ancient and Modern Interpretations", S. E. Alcock et al. (eds.), *Empires: Perspectives from Archaeology and History*, Cambridge: Cambridge University Press, 2001.

Liverani, M. (2017), *Assyria: The Imperial Mission*, Mesopotamian Civilizations 21, Winona Lake, IN: Eisenbrauns.

Radner, K. (2015), "Royal Pen Pals: The Kings of Assyria in Correspondence with Officials, Clients and Total Strangers (8th and 7th Century BC)", S. Procházka et al. (eds.), *Official Epistolography and the Language(s) of Power*, Wien: Österreichische Akademie der Wissenschaften.

Radner, K., N. Moeller, and D. T. Potts (eds.) (2023), *The Oxford History of the Ancient Near East*, vol. 4: *The Age of Assyria*, Oxford: Oxford University Press.

Russell, J. M. (2017), "Assyrian Cities and Architecture", E. Frahm (ed.), *A Companion to Assyria*, Malden, MA: Wiley-Blackwell.

Sano, K. (2020), *Die Deportationspraxis in neuassyrischer Zeit*, Alter Orient und Altes Testament 466, Münster: Ugarit-Verlag.

コラム｜*Column*

『バビロン天文日誌』と十二宮・占星術

三津間康幸

古代西アジアの天文観測を記録する史料として、アッシリア、バビロニアの学者たちが王に送った書簡や占星術レポート、そしてバビロンで継続的に作成された『バビロン天文日誌』(以下『日誌』)があり、粘土板に楔形文字・アッカド語で記されて現在に伝わっている。

アッシリアの天文占星学者ナブ・アヘ・エリバは最古のオーロラ様現象記録の一つと見られる占星術レポートK. 748を作成した。前七世紀前半のことである。ナブ・アヘ・エリバは一九四二年に発表された中島敦の小説『文字禍』の主人公として現代日本に甦った。『文字禍』の舞台はバビロニアの反乱鎮圧(前六四八年)後のアッシリアの都ニネヴェで、ナブ・アヘ・エリバによる「文字の霊」探求が語られる。反乱が始まった前六五二／一年の『日誌』は現存最古のものである。天文観測の記録に加え、ユーフラテス川の水位の変動、アッシリア軍とバビロニア軍が衝突したヒリトゥの戦いも記録された。この『日誌』には特異な虹の記述が多く、戦争の予兆が天空に求められたことを示している。

前七世紀に栄えた天文予兆占いは支配者や国の運命を占ったが、前四〇〇年過ぎには、現在盛んな「星座占い」の重要なツールともなった「十二宮」の概念がバビロニアで発達する。新アッシリア時代の天文学の要覧『ムル・アピン』は天球上で月や太陽、惑星の動く一帯に「獣帯星座」を一八個挙げるが、この一帯が三〇度ずつ一二等分された(Kurtik 2021)。紀元前五世紀ごろに十二宮の原形を楔形文字・アッカド語で記した史料が「TE粘土板」(大英博物館所蔵粘土板BM 77824)である。そこでは各星(座)の名はMÚL(TE)というサイン(星、星座の名称に付く限定符、または名称の一部)から書き始められている。翻訳は次のようになる。現代の星座との対応は訳に続けて括弧内に示し、十二宮との対応を下の括弧内に示す(Gössmann 1950; Kurtik 2021 参照)。

I月　雇夫(おひつじ座)　(白羊宮)
II月　星々(プレアデス)と
　天の牡牛(ヒアデス＋おうし座α星)　(金牛宮)
III月　アヌの真の羊飼い(オリオン座)と
　大きな双子(ふたご座α星・β星)　(双児宮)
IV月　かに(座)　(巨蟹宮)
V月　しし(座)　(獅子宮)
VI月　穂(おとめ座)　(処女宮)
VII月　てんびん(座)　(天秤宮)
VIII月　さそり(座)　(天蝎宮)
[IX月]　パビルサグ(いて座)　(人馬宮)

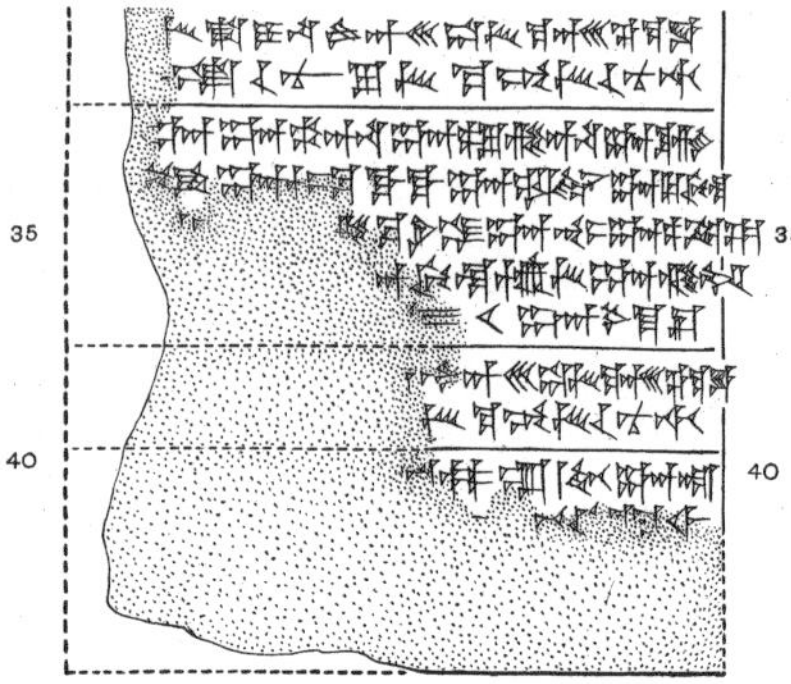

『ムル・アピン』粘土板 BM 86378 裏面第 4 欄(行番号 35 が付くセクションが「獣帯星座」を記した部分．King 1912: pl.8)

［X月］やぎ魚(やぎ座)　(磨羯宮)
XI月　偉大な者(みずがめ座)　(宝瓶宮)
XII月　耕地(ペガスス座の四角形＋うお座の一部)と
　尾(うお座の南側部分)　(双魚宮)

メソポタミア標準暦の各月ごとに或る星座が割り当てられ、配列はおひつじ座に当たる「雇夫」から始まり、うお座の一部に当たる「尾」で終わっている。二つの星座が割り当てられた月もあるが、やがて各月に一星座(宮)が完全に対応していくことになる。前三世紀後半までに確立した『日誌』の書式では毎月のセクションの中に当月の五惑星(肉眼で見える水星から土星まで)の位置を表示する要約があり、そこでは惑星の位置は十二宮を基準に記されることになる。また子供の誕生時の月、太陽、惑星の十二宮による位置をもとにその人物の運命を占う「ホロスコープ」と呼ばれるアッカド語楔形文字文書も前五世紀末から作成が確認されるようになる。「ホロスコープ」粘土板の集成を公刊したロックバーグは「ホロスコープ」が『日誌』の様々な部分を活用して作成された可能性が高いことを述べ、特に十二宮を基準とする惑星の位置表示の有用性を強調している(Rochberg 2007: 147-151)。天文学ばかりではなく、占星術の発展にも、『日誌』は重要な役割を果たしたのかもしれない。

参考文献

Gössmann, P. Felix (1950), *Planetarium Babylonicum*, Rome, Verlag des Päpistl. Bibelinstituts.
King, Leonard W. (1912), *Cuneiform Texts from Babylonian Tablets, &c., in the British Museum*, part 33, London, The Trustees of the British Museum.
Kurtik, Gennady E. (2021), "On the Origin of the 12 Zodiac Constellation System in Ancient Mesopotamia", *Journal for History of Astronomy*, 52-1.
Rochberg, Francesca (2007), *The Heavenly Writing: Divination, Horoscopy, and Astronomy in Mesopotamian Culture*, first paperback edition, Cambridge, Cambridge University Press.

焦点 *Focus*

ヘブライ語聖書と古代イスラエル史

長谷川修一

一、高校世界史教科書における古代イスラエル史記述

ヘブライ語聖書(旧約聖書)[1]に所収の物語は、古代西アジアの片隅を舞台に、ヤハウェという神とその民が数百年以上の期間において経験したとされる出来事を描いている。ヘブライ語聖書を手にする人は、その頁を繰ることによって古代イスラエル史の一端に触れることになる。とはいえ、日本におけるユダヤ教徒やキリスト教徒はその総人口に比して極めて少ないので、彼らの聖典であるヘブライ語聖書に信徒以外の人が触れる機会は限定的かもしれない。したがって日本列島で暮らす人々の多くが古代イスラエル史に触れるのは、高校世界史の授業においてということになろう[2]。世界史の教科書に古代イスラエル史の梗概が載せられているからである。

では、日本の高校世界史教科書は、古代イスラエル史をどのように描いているのだろうか。現在入手可能な複数の教科書記述の情報を最大限に取り入れ、バビロニア捕囚までの古代イスラエル史を記述するならば、次のようになろう[3]。

前一五〇〇年頃、遊牧民であったヘブライ人の一部はパレスチナ(以下、南レヴァント[4])に定住し、さらにその一部

はエジプトに移住した。新王国のエジプトにあってその圧政に苦しんだ彼らは、前一三世紀頃、モーセの指揮下、エジプトからパレスチナへ脱出した(「出エジプト」)。その後、彼らはパレスチナ内陸部に分散して住んでいたが、前一一世紀末／前一〇〇〇年頃に、「海の民」の一派であるペリシテ人に対抗するため、諸部族が連合して王国を建設し、イェルサレムをその都に定めた。前一〇世紀のダヴィデとその子ソロモンの時代に王国は支配領域を拡大し最盛期を迎えた。ソロモンはイェルサレムに壮大な神殿を築き、隊商交易を組織して紅海の海上交易に従事した。ソロモン死後の前一〇世紀、国は北のイスラエル王国と南のユダ王国に分裂し、北王国は前七二二年にアッシリア帝国に滅ぼされて住民が強制移住させられ、南王国は前五八六年に新バビロニア王国に滅ぼされた。新バビロニアはユダ王国の住民をバビロンに連行した(「バビロン捕囚」)。

ヘブライ語聖書に通じている者が右のような世界史教科書の記述を読むならば、それがヘブライ語聖書の物語を大筋でなぞっていることに気づくだろう。では、これらの出来事はすべて今日の歴史家から史実と目されているのだろうか。

二、教科書記述の検討

ここでこれらの事件一つ一つの史実性を詳細に論じることはできない。そこで、右に紹介した記述とそれが依拠するヘブライ語聖書の箇所を挙げ、それぞれの事件について、それらに関する聖書外史料の有無とその内容を注釈として添える形で紹介したい。

「ヘブライ人」はいたのか

「前一五〇〇年頃、遊牧民であったヘブライ人の一部はパレスチナに定住し、さらにその一部はエジプトに移住した」という記述は主として創世記一二―五〇章に展開する物語に基づいている。教科書によっては、ヘブライ人が他称であって自らはイスラエル人と称したという趣旨の注が入っている。(5) そもそも「ヘブライ人」という呼称は同時代史料からは確認できず、それを用いるのはヘブライ語聖書のみである。他方、「イスラエル人」という呼称は、ヘブライ語聖書で用いられる(厳密には「イスラエルの子ら」)ほか、複数の同時代史料によって確認できる(歴史学研究会 二〇一二：七二―七九頁)。そのため本稿ではこれ以降、世界史教科書に「ヘブライ人」と表記される人間集団を「イスラエル人」と表記することとする(長谷川 二〇一八：五―八頁)。

イスラエル人が「遊牧民であった」という記述も、ヘブライ語聖書がイスラエル人の祖先とし、「父祖」と呼ばれるアブラハム、イサク、ヤコブの三人が季節的移動を伴う牧畜を営んでいたという創世記の物語による。しかし父祖の実在を含め、こうした伝承を裏付ける史料は見つかっていない。創世記一一章三一節によれば、アブラハムはメソポタミアの都市を指すと思われる「カルデアのウル」から南レヴァントへやってきたという。これが「一部はパレスチナに定住し」という記述の根拠となっているのだろう(長谷川 二〇一八：五―八頁)。

「前一五〇〇年頃」という数字が何に基づくのかは必ずしも判然としない。ヘブライ語聖書内に残された年代データを用いると、アブラハムが南レヴァントに到来したのは、前二二世紀頃と計算できる(長谷川 二〇一三：六六―六八頁)。一つの可能性として考えられるのは、イスラエル人の移住をエジプトによるヒクソス追放の年代とリンクさせた可能性である。(6) ヒクソスは前一七世紀半ばに西アジアからエジプトに移住し、デルタ地域を支配するに至ったと考えられてきた人々の総称である。彼らは前一六世紀中頃にエジプト人の王朝によって国外に追放されたとされる。イスラエル人をヒクソスの一派と解せば、移住の方向こそ反対になるものの、彼らの南レヴァントへの到来の年代は前一五五〇年頃となる。さらに民数記三三章一三節が記すように、彼らが定住するまでに四〇年の時が経過したとすると前一五〇〇年頃という年代が求められる。

「さらにその一部はエジプトに移住した」の部分は、創世記三七―四六章に描かれた、飢饉に襲われた父祖たちが南レヴァントからエジプトに移住した物語に基づいている。ヒクソスの例に見られるように、南レヴァントの人々は時としてエジプトへ移住したが、この時代にエジプトに移住した人々がイスラエル人であったことを示す史料はない。

「出エジプト」の史実性

次に、「新王国のエジプトにあってその圧政に苦しんだ彼ら(イスラエル人)は、前一三世紀頃、モーセの指揮下、エジプトからパレスチナへ脱出した(「出エジプト」)」という記述について考えてみよう。「新王国のエジプトにあってその圧政に苦しんでいた」という記述にぴたりと符合する状況が出エジプト記一章八―二二節に記されている。しかし、イスラエル人がこの時代にエジプトにいたことを示す同時代史料は皆無であるため、この記述は裏付けが得られない。

「前一三世紀頃、モーセの指揮下、エジプトからパレスチナへ脱出した」という記述は出エジプト記一二章三七節―一四章三一節の「出エジプト」のくだりの要約である。しかしながらヘブライ語聖書が語る「出エジプト」という出来事に言及する同時代史料は発見されていないし、「モーセ」の実在を示すいかなる同時代史料も現存しない。また、主として人々の移動であるこの出来事は、都市の建設や破壊などといった、地中にその痕跡の残りやすい活動ではない。そのため、考古学的に検証すること自体が困難を極める。

ヘブライ語聖書内の年代データを使えば、この出来事の年代は前一五世紀と計算できるが、この時代、エジプトは南レヴァントを勢力下に収めていたため、「出エジプト」を果たして南レヴァントへ逃れても、そこにエジプトの手が及んだはずである。こうした理由に加え、出エジプト記一章一一節に、前一三世紀のエジプト王であったラメセス二世が建設した都市が含まれていること、前一三世紀末から生じていた東地中海世界一体における複数の人間集団の大移動と「出エジプト」とが関連していると見られることなどを勘案し、「前一三世紀」という年代が決定されたようである（長谷川 二〇一三：九七—九九頁）。

南レヴァント定住

続く「その後、彼らはパレスチナ内陸部に分散して住んでいたが、前一一世紀末／前一〇〇〇年頃に、「海の民」の一派であるペリシテ人に対抗するため、諸部族が連合して統一王国を建設し、イェルサレムをその都に定めた」という記述について考えてみよう。「パレスチナ内陸部に分散して住んでいた」という記述、また「海の民」の一派であるペリシテ人に対抗するため、諸部族が連合して」という記述は「出エジプト」後に南レヴァントに侵入した人々が、モーセの後継者ヨシュアの指揮下、従来その地に住んでいた人々を短期間で征服したと記すヨシュア記の物語と、それに続く士師記で展開する、各部族の定住にいたるプロセスを描く物語に依拠している。「ペリシテ人」と呼ばれる人々は前一三世紀末のエジプトの史料に、エジプトに侵入を企て撃退された人々として言及される（歴史学研究会 二〇一二：一三八—一四〇頁）。この時代、「イスラエル」と呼ばれる集団が南レヴァントに存在していたことも確認されていることから、両集団間で衝突があったとしても不思議ではない。ペリシテ人は、サムエル記の中でイスラエル人の主要な敵として登場する。サムエル記は、イスラエル人が王制を導入したのはペリシテ人に対抗するためであったと説明している。部族に関して言えば、ヘブライ語聖書に登場する　部族（「ガド」）の名が前九世紀の史料に残っていることから（歴史学研究会 二〇一二：七四—七五頁）、南レヴァントにヘブライ語聖書に言及される部族が存在していたことは確認できる。ただし、「諸部族が連合」したことについては史料から直接確認はできない（山我 二〇〇三：五六—七二頁）。

教科書によれば、この出来事は前一三世紀の「出エジプト」後ということになる。南レヴァントにおける前一二世紀は、後期青銅器時代と鉄器時代の過渡期に位置付けられる。考古学的調査は、この時代の南レヴァントにおいて、それまで低地平野部を中心に栄えた都市文化が衰退し、新たに中央丘陵地に小規模な集落が急増したことを示している(フィンケルシュタイン&シルバーマン 二〇〇九:一三三―一四二頁)。低地の都市の中には、この時代に破壊され、放棄されたり、再建されたりしたものも見られる(フィンケルシュタイン&シルバーマン 二〇〇九:一〇一―一〇四頁)。ただし、破壊の年代には時代幅があることから、イスラエル人が先住民の都市を短期間に次々と破壊したというヨシュア記の記述とは相容れない。また、ヨシュア記が征服したとする都市でも、破壊の痕跡が見つからなかったり、その時代にそもそも人が住んでいなかったものがあったりと、とヨシュア記の記述と矛盾する結果が出ている(長谷川 二〇一三:一一〇―一一四頁)。他方、考古学が提出する全体像は、征服できなかった先住民と共存する様子を描く士師記の描写により、符合する(長谷川 二〇一三:一一八―一二〇頁)。

王国の繁栄

「前一一世紀末/前一〇〇〇年頃に王国を建設」という記述もサムエル記の物語に依拠している。しかしながら、この王国の存在を直接的に裏付ける同時代史料は見つかっていない。また、考古学的証拠は、十分に発展した勢力が南レヴァントに形成されたのが、早くても前一〇世紀後半から前九世紀前半にかけてである可能性が高いことを示している(フィンケルシュタイン&シルバーマン 二〇〇九:一九二―一九七、二一八―二三一頁)。

「ダヴィデ」(以下、ダビデ)[7]はサムエル記下の記述によれば、この王国第二代の王であるが、彼の存在を史料は裏付けているのだろうか。一九九〇年代に「ダビデの家の王」に言及するアラム語の碑文が南レヴァント北部の遺跡から出土し注目を集めた(歴史学研究会 二〇一二:七八―七九頁)。前九世紀後半に作成されたと目されるこの碑文は、それ自体がダビデの実在を証明するわけではないが、ダビデという名の人物を創始者とする王朝が当時の南レヴァントに存在していたことを物語っていると言えよう（長谷川 二〇一三：一五〇―一五五頁）。「イェルサレム（以下、エルサレム）[8]をその都に定めた」という記述は、サムエル記下五章六―九節の物語に依拠している。

王国の繁栄に関する「前一〇世紀のダヴィデとその子ソロモンの時代に王国は支配領域を拡大し最盛期を迎えた」という記述は、サムエル記下一〇章や列王記上四章―五章五節などの物語に基づく。この物語によれば、この二人の治世、王国は最盛期を迎えていた。しかしソロモンについても、その実在を裏付ける同時代史料は皆無である（長谷川 二〇一八：九―一二頁）。また、一五〇年以上に及ぶエルサレムの発掘調査によっても、この時代にこの都市が最盛期と言えるほどの繁栄を享受していた確実な証拠は見つかっていない（フィンケルシュタイン&シルバーマン 二〇〇九：一六五―一六七、一七七頁）。

「ソロモンはイェルサレムに壮大な神殿を築き、隊商交易を組織して紅海の海上交易に従事した」という記述は、列王記上五章一五節―六章三八節、九章二六―二八節、一〇章一一―一二節などの物語に依拠している。この神殿があったと比定される場所には現在アル＝アクサ・モスクが立っているため、その直下の発掘は事実上不可能である。エルサレムの発掘調査からは、確実に前一〇世紀半ばに年代づけられるような紅海からの物品は確認できていないが、その時代の南レヴァントの土器から南アジアもしくは東南アジア由来と思われるシナモンの残留物が近年の研究で見つかっているため、おそらく紅海経由の交易はすでに行われていたと考えてよいだろう（Gilboa and Namdar 2015）。ただし、それを主導していたのがソロモンだったかどうかはわからない。シナモンが付着した土器は主としてフェニキアで生産される土器であった。

王国の分裂と滅亡

最後に「ソロモン死後の前一〇世紀、国は北のイスラエル王国と南のユダ王国に分裂し、北王国は前七二二年にアッシリア帝国に滅ぼされて住民が強制移住させられ、南王国は前五八六年に新バビロニア王国に滅ぼされた」という記述を検討してみよう。列王記上一二章によれば、統一王国はダビデの子ソロモンの死後、「北イスラエル王国」と「南ユダ王国」の二つに分裂し、いわゆる「分裂王国時代」を迎える。列王記は分裂の契機を、北側の諸部族がダビデ王家の支配に対して反乱を起こしたことにあると説明する。この記述を裏付ける同時代史料はないが、サマリアを都とする北イスラエル王国とエルサレムを都とする南ユダ王国が南レヴァントに存在していたことは、前九世紀以降のアッシリアや周辺地域の文献史料からもうかがえる(歴史学研究会 二〇一二：七六―七七、七九―八〇頁)。つまり、分裂する前の王国の存在やその実態についてはほとんどわかっていないが、分裂後の両王国についてはある程度の史料が入手できるということになる。

「北王国」が「前七二二年にアッシリア帝国に」滅ぼされ「住民が強制移住させられ」た出来事は、列王記下一七章一―六節、一八章九―一一節に記されている。この事件はアッシリアとバビロニアの同時代史料によっても裏付けられている(Frame 2020: 141, 329-330; Grayson 1975: 73)。ただし、「前七二二年」という年代については、「前七二〇年」とする説もある(Na'aman 1990)。また、北王国の住民がすべて強制移住させられるということは現実的に考えにくい。アッシリアの史料が三万人弱の人々を捕囚したと記していることも考えると、「住民の一部」とした方が正確だろう(Frame 2020: 56, 141, 330)。

「南王国」が「前五八六年に新バビロニア王国に滅ぼされた」という出来事は、列王記下二五章一―一〇節に記されている。「新バビロニアはユダ王国の住民をバビロンに連行した(「バビロン捕囚」)」という記述は、列王記下二五章一一―一二節の記述に依拠している。バビロンにユダの王が住まわされたことを示す同時代史料や(Pritchard 1969: 308)、バビロニアに定住するようになったユダ出身の人々の子孫と思われる人々が記した楔形文字文書史料も大量に存在する(Pearce and Wunsch 2014)。ただし、バビロニアの都であったバビロンに連行されたのは、王族などごく一握りの人々で、おそらくその他大勢は、それ以外のバビロニア諸地域に移住させられたようである。右に言及した楔形文字文書史料もバビロン以外から出土しているため、この歴史的現象は「バビロニア捕囚」と呼ぶべきだろう(長谷川二〇二三)。さらに、バビロニアによるエルサレム攻囲と住民の捕囚は、教科書に記載されている「前五八六年」よりも前、前五九七年にすでに一回目が実施されていたことにも留意する必要がある(列王記下二四章八―一六節)。一回目のエルサレム征服はバビロニアの年代記にも言及されている(Grayson 1975: 102)。またこの時代にエルサレムが破壊され、その後しばらく荒廃していたことは発掘調査によって裏付けられている(フィンケルシュタイン&シルバーマン二〇〇九:三五二―三五四頁)。

以上、近年の歴史学・考古学の知見から高校世界史教科書掲載の古代イスラエル史の記述を検証した。古代イスラエルに関する教科書の記述がヘブライ語聖書の物語にほとんど全面的に依拠していることは一目瞭然だろう。大きく異なるのは次の点である。ヘブライ語聖書はヤハウェという神によるイスラエル民族の救済史という視点から歴史物語を展開する。そこでは歴史の主宰者は神である。それに対し、教科書では神を歴史舞台から排除し、代わりに「ヘブライ人」を主役に抜擢することによって、より「近代的」な歴史記述らしく仕立てているのである。

無論、ヘブライ語聖書以外で確認ができない出来事のすべてが史実ではなかったということにはならない。考古学の研究対象は主として発掘調査による出土品であるため、土中に残りにくいものはその射程外にある。また、発掘では通常遺跡の一部しか調査できないため、今後の調査により、ヘブライ語聖書にしか描かれていない出来事の一部が史実であった可能性が高いという証拠が提出されることも十分にあろう。ただ、すでにこの地域では一五〇〇年以上もの調査の歴史があるため、これまでの成果によって、ヘブライ語聖書の歴史物語の史実性について大体の結論は導き出せる。すなわち、前九世紀以降に関する記述については、同時代史料からも確認され、考古学的にもそれを裏付ける材料が得られるものが多いのに対し、それ以前の出来事については同時代史料や考古学によって裏付けられるものが極めて限られている、と言えよう。そのような結果は、ヘブライ語聖書執筆・編纂の歴史的背景と関係がある。次にその点について見てみよう。

三、ヘブライ語聖書執筆・編纂の歴史的背景

ヘブライ語聖書は現代歴史学の標準に照らしてみれば「史書」とは言い難い。ヘブライ語聖書執筆・編纂の第一の目的は、出来事を起こった通りに記述し、それを当時あるいは後世の読者に伝えることではなかった。ヘブライ語聖書における歴史物語全体に反映しているのは、現在自らの置かれた状況の原因を神学的観点から過去の出来事に求めるという著者の態度である。では、その「現在」とはいつのことだったのだろうか。

ヘブライ語聖書は多数の書物から構成される。それぞれの著者も不明で、執筆・編纂当時の物的証拠も伴わない中、それぞれの書物の執筆・編纂年代を決めるのは容易ではない。研究者はこれまで、歴史的・社会的背景を参照しつつ、各書の執筆・編纂年代をめぐって議論を戦わせてきた。ところが、こうした「背景」そのものがヘブライ語聖書を主たる史料として想定されてきたという事情がある。これでは議論が堂々巡りになる。

考古学の貢献

こうした状況に突破口を開いたのが、近年急速に発達した考古学であった。出土する遺構や遺物の年代を正確に決定できれば、考古学は物的証拠によって当時の社会像復元に資する。文献史料は、事実の潤色や歪曲など、著者の意図を色濃く反映するものが多いのに対し、考古学が対象とする物質文化は、それを総体として扱える状況においては社会全体の様相を比較的客観的に示すと考えられているからである。無論、どちらも解釈する側のバイアスから解き

放たれているわけではないが、犯罪における証人の証言と物的証拠の間の関係のように、矛盾が生じた場合には、物的証拠が「動かぬ証拠」として史実性の判断に際して優先されるケースが増えてきている。また考古学は、文献史料のない「空白」の時代についてもある程度の情報を提供してくれる。

申命記史の成立

先に見たように、高校世界史教科書が依拠するヘブライ語聖書の物語は主として創世記、出エジプト記、民数記、ヨシュア記、士師記、サムエル記、列王記に収められている。創世記と出エジプト記はヘブライ語聖書の伝統的な三区分のうちの「律法」に属し、それ以外の四書は「預言者」に属する。「預言者」に含まれる書物の執筆年代は各書によって異なると考えられているが、一続きの歴史物語を展開するヨシュア記、士師記、サムエル記、列王記は、「申命記史」というひとまとまりとして一つの時代に執筆・編集が進められた、というのが伝統的に唱えられてきた仮説である。

申命記史編纂の重要な契機として想定されてきた出来事は二つある。一つは前七世紀後半の南ユダ王ヨシヤによる中央集権体制の強化、もう一つは前六世紀前半における同王国の滅亡とバビロニア捕囚である。前七世紀後半は、北イスラエル王国を滅ぼしたアッシリアが衰退した時代であった。前者の説は、その機に乗じたヨシヤがかつての北イスラエル王国の支配領域まで南ユダ王国の勢力を広げ、その亡民を支配する際に、かつて統一されていた栄光の時代を強調し、自らの祖であるダビデと、時の都であったエルサレムの権威を高めるべく歴史編纂を進めた、というものである(クロス 一九九七：三二八―三四五頁)。他方、後者の説では、バビロニアによる都と神殿の破壊、バビロニアへの捕囚という前例のないカタストロフを経験した南ユダ王国のエリートが、そのような破滅を民の不忠への神罰と説明し、回復への希望を保つためにそれまでの歴史を編纂した、と説明する(ノート 一九八八)。

ヨシヤによる中央集権体制の強化という出来事自体は列王記下二二―二三章に描かれた、エルサレムに祭儀の場所を集中させるという改革の記述に基づく仮説であるが、この出来事自体、同時代史料からも発掘調査からも直接的な裏付けを得られていない。たとえそうであれ、申命記史の中でも、列王記の記述には王の即位年や統治期間、その間の主要な出来事等、何らかの史料に基づいていると思われる部分があり、部分的に同時代史料から裏付けられる出来事もあるため、少なくともその一部は正確な歴史的情報を反映している可能性が高い。王国時代であれば、文書記録に基づいてそうした記述を作成するのは容易だが、王国滅亡後になると難しいという想像も働く。そのため、申命記史全体というよりは、列王記をはじめ、申命記史の核となる部分の執筆が、王国時代にすでに始まっていたと考えるのは理にかなっていると言えよう(レヴィン 二〇〇四:八五―九二頁、レーマー 二〇〇八、シュミート 二〇一三:一二九―一三七頁)。

「律法」の編纂とヘブライ語聖書の成立

これに対し、創世記、出エジプト記、民数記を含む「律法」は、主としてバビロニア捕囚以後に編纂されたというのが定説である(レヴィン 二〇〇四:一二八―一三二頁)。時代としては王国時代よりも前の出来事を扱っているのにもかかわらず、その編纂年代が遅いということは、たとえそこに収められている物語が何らかの歴史的事件にまつわる伝承に基づいているとしても、その内容を直ちに史実として捉えることが難しいことを意味する。そのような伝承の内容は、長い伝承過程において改変が加えられた可能性が高いからである。さらに執筆者・編者は、当時の読者が直面する現実に対処するための教訓を物語から引き出せるよう、物語を潤色したり、時として複数の伝承を使いつつ新たな物語を創作したりしたことも想定される。

ヘブライ語聖書に収められたこれらの書物は、一つの時代に一人の著者が執筆・編纂して完成した作品ではない。

それぞれの書物は、後代に引き継がれていく中で、当時の社会に即して適宜改訂が加えられていった。バビロニア捕囚後に一部の人々がエルサレムに帰還したこと、アケメネス(ハカーマニシュ)朝ペルシアの支配下で共同体として自治を許されたこと、捕囚されなかった人々やエルサレム周辺の人間集団との軋轢《あつれき》、ヘレニズム時代になって獲得した半独立など、長い間に生じた様々な歴史的事象とそれによって生じた社会変動がそれぞれの書物の改訂に影響を与えていたことだろう。こうした過程は、聖典たるヘブライ語聖書に最終的にどの書物が含められるべきかがユダヤ共同体によって議論され決定された、後二世紀末まで続いた。それゆえ、ヘブライ語聖書に記載された物語を史料として用いる際には、厳密な史料批判が求められるのである。

おわりに

最後に、高校世界史教科書に立ち戻りたい。なぜ今日、歴史家が史実とみなさない出来事が古代イスラエル史上の事件として教科書に掲載されているのだろうか。執筆者・編集者に古代イスラエル史の専門家が少ないこと、国内の研究者層が薄く、和文における書物の絶対数が少ないこと、また古代イスラエル史研究関連の出版物が歴史分野の書物ではなく、キリスト教書として刊行されることが多いため他分野の歴史家の目に触れる機会が少ないことなどがその理由に挙げられよう(長谷川 二〇一八：一三一―一七頁)。

では、なぜ古代イスラエル史の記述が世界史教科書に掲載され続けているのだろうか。それは、今から二〇〇〇年以上前にアジアの反対側で起こったとされる出来事が、世界史に多大な影響を与えてきたと考えられているからであろう。確かに一神教の成立と普及は世界の歴史に重大な影響を及ぼしてきた。しかし、そうであるならばなお一層、安易にヘブライ語聖書の記述をまとめるだけではなく、史料を批判的に精査したうえでの歴史記述が求められるのではないだろうか。

注

（1）「旧約聖書」はキリスト教側からの呼称であり、ユダヤ教徒は単に「聖書」と呼ぶ。今日ではこうしたバイアスを避けるために、書物が書かれた言語である「ヘブライ語」を「聖書」の前に付した「ヘブライ語聖書」という呼称が学界に定着してきた。宗教的価値観というバイアスを避けるべき高校世界史教科書において旧約聖書という呼称がこれまで長らく用いられてきたことは反省すべきであろう。

（2）高校における倫理の授業においても、ユダヤ教とそれを母胎とするキリスト教の起源と展開の背景として古代イスラエル史の一端に触れる機会がある。

（3）参照した世界史教科書は以下の通りである。木村靖二ほか（二〇一八）『詳説世界史B 改訂版』山川出版社、二二頁、岸本美緒ほか（二〇一四）『新世界史B』山川出版社、二五―二六頁、福井憲彦ほか（二〇一八）『世界史B』東京書籍、三五頁、川北稔ほか（二〇一八）『新詳 世界史B』帝国書院、一七頁、木畑洋一ほか（二〇一八）『世界史B 新訂版』実教出版、二九頁。二〇二三年四月から高等学校で採用された『世界史探求』の教科書は、本稿執筆時には入手できなかった。

（4）「南レヴァント」という呼称は政治的により中立とされる。

（5）東京書籍と実教出版の教科書には「ヘブライ人」のところにルビでHebraiとあるが、この表記は原語（ʿibri）とも、英語（Hebrews）とも異なっており、その由来は不明である。

（6）木下ほか（二〇〇八）二五頁には、「ヘブライ人の祖先は、（中略）前二千年紀の前半に現在のパレスチナ地方に移動したが、一部はおそらくヒクソスとともにエジプトに入ったと考えられる」とある。

（7）高校世界史教科書の多くが古くから用いる「ダヴィデ」という表記は、世界史学習でしか用いられることのない用語となってしまっている。本稿では日本語訳聖書のほとんどで用いられている「ダビデ」という表記を採用する。

（8）「イェルサレム」は、日本語訳聖書に加え、現代の都市名としては報道でも「エルサレム」と表記するため、後者の表記を本稿では採用する。

参考文献

木下康彦ほか編（二〇〇八）『改訂版　詳説世界史研究』山川出版社。

クロス、フランク・M（一九九七）『カナン神話とヘブライ叙事詩』輿石勇訳、日本基督教団出版局。

シュミート、コンラート（二〇一三）『旧約聖書文学史入門』山我哲雄訳、教文館。

ノート、マルティン（一九八八）『旧約聖書の歴史文学――伝承史的研究』山我哲雄訳、日本基督教団出版局。

長谷川修一（二〇一三）『聖書考古学――遺跡が語る史実』中公新書。

長谷川修一（二〇一八）「高校世界史教科書の古代イスラエル史記述」『歴史学者と読む高校世界史――教科書記述の舞台裏』勁草書房。

長谷川修一（二〇二三）『ユダヤのアイデンティティはいつ芽生えたか――バビロニア捕囚』ＮＨＫ出版。

フィンケルシュタイン、イスラエル、ニール・アシェル・シルバーマン（二〇〇九）『発掘された聖書――最新の考古学が明かす聖書の真実』越後屋朗訳、教文館。

山我哲雄（二〇〇三）『聖書時代史　旧約篇』岩波現代文庫。

レーマー、トーマス・C（二〇〇八）『申命記史書――旧約聖書の歴史書の成立』山我哲雄訳、日本キリスト教団出版局。

レヴィン、クリストフ（二〇〇四）『旧約聖書――歴史・文学・宗教』山我哲雄訳、教文館。

歴史学研究会編（二〇一二）『世界史史料１　古代のオリエントと地中海世界』岩波書店。

Frame, G. (2020), *The Royal Inscriptions of Sargon II, King of Assyria (721–705 BC)*, University Park, PA, Eisenbrauns.

Gilboa, A., and D. Namdar (2015), "On the Beginning of South Asian Spice Trade with the Mediterranean Region: A Review", *Radiocarbon*, 57-2.

Grayson, A. K. (1975), *Assyrian and Babylonian Chronicles*, Locust Valley, NY, J. J. Augustin.

Na'aman, N. (1990), "The Historical Background to the Conquest of Samaria (720 BC)", *Biblica*, 71.

Pearce, L. E., and C. Wunsch (2014), *Documents of Judean Exiles and West Semites in the Collection of David Sofer*, Bethesda, MD, CDL Press.

Pritchard, J. B. (ed.) (1969), *Ancient Near Eastern Texts Relating to the Old Testament*, Princeton, NJ, Princeton University Press.

焦点 Focus

ミケーネ宮殿社会からポリス社会へ

周藤芳幸

一、二つの文明、二つの社会

歴史上のある時点で一定の広がりをもった空間に誕生し、都市、大規模建築物、独自の文字という高度な文化要素の存在によって特徴づけられ、数百年にわたる安定した繁栄の後に衰退していった動的な社会システムを文明と呼ぶならば、古代のギリシアには明確に時代を異にする二つの文明が存在した。それが、前一七世紀中頃から前一二世紀まで続いたミケーネ文明と、いわゆる「前八世紀のルネサンス」によって確立され、前二世紀以降にローマによって吸収されていったポリス社会の文明である。

文字史料に由来する情報量が大きく異なっているため単純な比較は困難であるが、これら二つの文明のあいだには、興味深い類似点と相違点を認めることができる。先に相違点から見ていくと、ミケーネ文明を構成していた基本的な社会単位が小規模な王国であったのに対して、ポリス社会は何よりもポリス、すなわち主要な構成員である市民の共同体をその存立基盤としていた。考古学的な証拠に目を向けるならば、ミケーネ文明の遺跡が、王国の支配者の座である宮殿や、それをとりまく堅固な城壁、それらを結ぶ構築道路などをその特徴としているのに対して、ポリスの遺跡は、しばしば街区によって均等に区画された市民たちの居住する都市そのものであって、その一角を占めていたアゴラ（広場）や公官庁、さらには数多くの市民たちが詰めかけた劇場や競技場、神々を祀っていた神殿などの遺構からなっている。葬制面でも、ミケーネ文明のもとでは石積みの巨大なトロス墓や岩盤に横穴を穿った岩室墓への豊かな副葬品をともなう合葬や追葬が主体であるのに対して、ポリス社会では都市域の外側に墓域が広がり、戦没者国葬墓のような例外はあるものの、そこに市民一人一人のための簡素な墓が設けられるのが一般的だった。また、ミケーネ文明（及びこれに先行してクレタ島を中心に栄えたミノア文明）には、神であれ王であれ人間の姿を象った等身大、あるいはそれよりも大型の彫像がほぼ皆無であるのに対して、ポリス社会では早くから木製、あるいは大理石製やブロンズ製の祭神像が神殿に奉納され、後には神々や半神だけではなくポリスに貢献した市民や外国人の顕彰像が聖域やアゴラなどに林立するようになる。しかし、何よりも大きな違いは、ミケーネ文明が西アジアの粘土板文化圏の周縁に位置し、そこでは線文字Bと呼ばれる独特の文字を粘土板に刻む書字文化が宮殿を中心に発達したのに対し、ポリス社会ではアルファベットが社会の隅々にまで浸透し、市民たちによって公私にわたり幅広く用いられていたことであろう。

その一方で、近年ではこの二つの文明のあいだに顕著な類似点があることも、注目を集めるようになってきている。そのきっかけとなったのは、もちろんマイケル・ヴェントリスによる線文字Bの解読であり（Ventris and Chadwick 1953）、ミケーネ時代の宮殿から出土する粘土板に刻まれた言語がギリシア語であると証明されたことは、ミケーネ文明を伝統的な古代ギリシア史から排除する理由を失わせることになった。あらためてその空間的な広がりを見るならば、この二つの文明は、いずれも中部ギリシアとペロポネソス半島、及びエーゲ海の島嶼部を中心に発展し、そこから周辺に進出していった点で共通している。考古学的に推測されるミケーネ文明の小王国の規模も、アテナイやスパルタなどの領域ポリスとさほど変わるものではなく、むしろそれよりも小さかったのではないかと想定される場合も少なくない。また、かつては線文字B粘土板の解釈からピュロス王国に代表されるミケーネ文明の小王国を「未成熟なデスポティズム国家」と規定し(太田 一九六八)、その官僚制にもとづく中央集権的な性格を強調する立場が有力だったが、後述するように、今日ではむしろ宮殿による領域の統治はより緩やかなものであったと考えられるようになってきている。さらに、ポリスの世界と同様、ミケーネ時代においても小王国は競争的な関係にあって、互いに抗争を繰り返していたらしい。いずれにしても、もっとも重要な点は、どちらの場合も、その文明の及んだ空間が、西アジアやエジプトの場合のように単一の王権によって安定的に統一支配されることがなかったという事実である。なお、いずれの時代においても、その経済的な発展は目覚ましく、たとえばそこで生産されたきわめて斉一的な様式と高い品質を誇る土器(陶器)は、交易によって地中海各地にもたらされていた。

しかし、このような類似点の存在にもかかわらず、それらに注目することによってこの二つの文明の関係を再定義しようとする試みは、一九九〇年代に入るまで本格的には取り組まれてこなかった。その原因は、これらを隔てる約五〇〇年という年代差ではなく、むしろ、それぞれを取り扱う学問分野を隔ててきた目に見えない壁にある。というのも、ポリス社会の文明が長らく古典学の研究対象であったのに対して、ミケーネ文明は一八七六年のシュリーマンによるミケーネの発掘によって初めてその存在が明らかにされ、線文字Bの解読から半世紀以上を経た現在でもなお、基本的には先史考古学という人類学とより親和性の高いディシプリンのもとで解明が進められているからである。イギリスの考古学者コリン・レンフルーはこの壁を「大分水嶺」と呼んでいるが(Renfrew 1980: 290-295)、それがこの二つの文明の類似点よりも相違点を際立たせてきたのは当然であろう(周藤 二〇〇六)。しかし、各地における発掘調査の進展を契機として、近年ではミケーネ文明の諸宮殿の崩壊からポリスの成立までを通時的に見通した上で、その歴史的なプロセスを再検討する作業が精力的に進められつつある。

そこで、本稿では、ミケーネ宮殿社会とポリス社会とを両端においたときに、これらのあいだに広がり、その史資料の乏しさから長らく「暗黒時代」と呼び慣わされてきた時代のギリシアにおいて、いったいその社会の変化の画期がどこにあったのかを探ることを課題とする。紙幅の関係から、この時代の文化の流れの概要については他に譲り(周藤 二〇〇六、Degel-Jalkotzy and Lemos 2006; Dickinson 2006)、経済構造と宗教文化という二つの観点に限って、考察を進めることとしたい。

二、ミケーネ宮殿社会の経済構造

ポリス社会の成立過程を論じる近年の研究は、その出発点をしばしば前一二〇〇年においている。ここでいう前一二〇〇年とは、それまで繁栄をきわめていたミケーネ時代の諸王国の中心にあった宮殿が相次いで焼壊し姿を消していった時期のことであり、より正確には前一二〇〇年を前後する数十年間のことを意味している。いずれにしても、エリック・クラインの著書のタイトルに取り上げられている前一一七七年(エジプトが「海の民」の襲撃を受けたと伝えられるラメセス三世の治世第八年)も含めて(Cline 2014)、この頃の東地中海世界が広範囲にわたってかつてない激動の時代を迎えていたことは間違いない。

ミケーネ文明の諸宮殿だけではなくヒッタイト帝国やエジプト新王国を滅亡や衰退に導いたこの広域的な破局の原因をめぐっては、これまでさまざまな説が提示されてきているが、なお定説といえるものはないのが現状である。確かに、質の高いミケーネ土器の生産や岩室墓への追葬といったミケーネ文明の特徴的な文化要素は、諸宮殿が崩壊した後もなお一世紀以上にわたって続き(LHⅢC期)、その間には破壊されたかつての宮殿の部分的な修復や一時的な都市域の拡大なども認められている(Maran 2006: 124-125)。それでも、この「前一二〇〇年の破局」がギリシア先史時代における最大の画期であったことに、疑いの余地はないであろう。

それでは、この事件を契機としてやがて歴史から姿を消していったミケーネ宮殿社会とは、少なくともその直前段階においては、いったいどのような構造を特徴としていたのであろうか。この点に関して、二一世紀に入るまでは、たとえば以下のような見解に異論が唱えられることは、ほとんどなかったと言ってよい。いわく、ミケーネ時代のギリシアには、後のギリシアとはおよそ対照的な世界が広がっていた。この時代の諸王国は、後の時代のポリスと比べてずっと大きな領域をもっており、そこでは王が萌芽的な官僚組織を通じて一般の民衆を強力に支配していた。王の権力は、ホメロスの叙事詩に描かれる王のそれよりも一段と大きく、それは発掘によって知られる宮殿や城壁の規模にも照応している。総じて、それはポリス社会とは異質な存在であり、「オリエント」の専制王政にある意味で近い存在だった(伊藤 二〇〇四)。

このような特徴をもった宮殿社会を支えていた経済構造として注目されてきたのが、いわゆる再分配システムである(周藤 一九九四)。人類学者のエルマン・サーヴィスは、国家社会の前段階にあたる首長制社会を「恒久的な中央調節機関をともなう再分配社会である」と定義したが、この再分配システムのモデルをミノア・ミケーネ文明の宮殿社会の解釈に適用したのがレンフルーである(Renfrew 1972)。彼は、宮殿が貯蔵機能の面で卓越していること、また、粘土板文書が基本的に物資の受け取りと分配の記録であることから、宮殿は何よりも重要な再分配のためのセンターだったと推断した。二〇世紀後半には、『古代経済』でいわゆるプリミティヴィズムの立場からギリシア経済史研究に大きな影響を与えたモーゼス・フィンリーが(Finley 1973)早くからミケーネ宮殿社会の「西アジア的」性格を強調していたこともあって、宮殿というセンターによって管理された再分配システムこそがミケーネ宮殿社会の存立基盤であったという考え方は広く普及していくことになった。

しかし、この状況は、一九九〇年代から二〇〇〇年代にかけて一変する。再分配システムを強調する説に対する批判が、さまざまな方向から噴出してきたのである。論点は、大きく二つに分けることができる。第一に、従来の研究が、限られた数の遺跡から出土している線文字B粘土板文書をもとに、そこから得られる情報を総合することで、斉一的な社会像を描こうとしてきたのに対して、近年の研究は、各地における発掘や踏査の成果を踏まえて、当時の社会がより地域性と多様性に富んだものであったことを強調する。

たとえばメッセニアでは、線文字B粘土板文書が作成されたLHⅢB期末までには、ピュロスを拠点とする王権が「こちら側」と「向こう側」とに区分される広大な領域を統一的に支配する体制が確立されていた(Davis 1998)。しかし、同じ頃、ペロポネソス半島北東部では、アルゴス平野に少なくともミケーネ、ティリンス、ミデアという三つの宮殿が徒歩で数時間の距離を隔てて鼎立していた。これらの宮殿の関係やこの状況を生み出した歴史的過程をめぐっては様々な見解が提示されているものの(周藤 一九九一、Voutsaki 2010)、この時期には宮殿の支配領域の規模という点で両地域は大きく異なっていた。ラコニアでも、エウロタス川の流域にメネライオン、ヴァフィオのトロス墓で知られるパレオピュルギ、さらには最近線文字B粘土板が出土したアイオス・ヴァシリオスと、互いに五キロメートルほどを隔てて宮殿とみなしうる遺跡が分布している。さらに、二〇一〇年にはピュロスの南東約五キロメートルに位置するイクレナから、ギリシア本土では最古段階の線文字B粘土板が発見され、いまや、伝統的なミケーネ宮殿社会像は、メッセニアでもおそらく宮殿焼壊の直前にしかあてはまらないことが明らかになりつつある。この時代の諸王国の規模は、古典期のポリスと変わらないどころか、地域によっては、明らかにそれよりも小規模だったらしいのである。

第二に、この時代の宮殿が物資の再分配センターとして機能していたという説に対しては、現在では、新たな考古学的証拠や粘土板文書の再解釈から、宮殿の関心が向かっていたのはあくまで社会的位階などの表現に関わる高価な奢侈品の生産と交換(ウェルス・ファイナンス)であって、その外側には必ずしも宮殿の介入が及んでいない農作物や生活用品の交換(スティプル・ファイナンス)にもとづく経済領域が広がっており、そのあり方は地域によって多様であったという説が有力になってきている(Parkinson 1999: 83-84; Nakassis 2010: 128-129; Pullen 2013)。この新説によれば、ミケーネ宮殿社会の最盛期においても、宮殿中心の経済システムだけではなく、萌芽的な市場経済が重要な役割を担っていた。古典期のアテナイのアゴラの前身をミケーネ宮殿社会に見いだそうとするこのような立場は、ここ数十年の考古学的あるいは人類学的研究の進展を背景として、ますます多くの支持を集めている。

それでは、宮殿による管理の外側にあった市場経済では、いったいどのような物資が取り引きされていたのであろうか。その代表的な例が、日常生活で用いられた粗製土器である。ピュロスの宮殿からは、膨大な数のキュリクス(細長い脚部を特徴とする高坏)が出土しており、このような特殊な土器の集積と分配に宮殿が関心を向けていたことを示している。キュリクスは、飲酒だけではなく宗教的な祭儀のために広く用いられた土器であり、宮殿がその管理に気を配ったのも当然である。しかし、キュリクスのような土器はむしろ例外であり、ククナラ、ニホリア、ペリステリアなどメッセニア各地の遺跡から出土した粗製土器の胎土分析の結果は、これらがかつて想定されたような宮殿付属の工房の製品ではなく、領域内の各地で生産され市場で交換されたものだったことを示唆している(Galaty 1999)。同様に、収穫用の鎌などに用いられていた黒曜石についても、地域踏査を通じて明らかになった石核や石刃の分布状況から、その流通が宮殿によって管理されていたわけではなかったことが主張されている(Kardulias 1999)。

このように、宮殿が再分配システムのセンターだったとする旧説を退けるならば、次に浮上するのは、粘土板に記録された宮殿を中心とする物資の動きがいったい宮殿におけるどのような経済活動と対応していたのかという問題である。この点に関して、近年注目を集めているのが、宮殿で行われていた大規模な饗宴である。饗宴とは、言うまでもなく、社会を構成しているさまざまな規模のグループがしばしば飲酒をともなう食事をともにすることでその結束を固め、また相互の権力関係を確認しあう特別な行事のことである。その意義は世界各地の前近代社会において(さらには近現代社会においても)通文化的に広く認められているが(O'Connor 2015)、とりわけミケーネ宮殿社会の場合には、宮殿に保管されていた膨大な数の飲食用の土器、墓の副葬品の内容、フレスコ画に描かれている情景、さらには粘土板や封泥の記載内容からも、饗宴がワナクス(王)による支配を維持強化するとともに宗教的にも重要な役割を担っていたことに疑いはない。そこでは、ワナクスを筆頭とする有力者たちが金や銀の杯で酒を酌み交わすことによってその地位をアピールし、参加者たちに牛肉や羊肉をふんだんに振る舞うことで彼らからの支持を確かなものにしていた。近年における研究の進展は、ピュロス出土の粘土板の多くが宮殿の主催する饗宴で消費される物資の動きを記録したものであったことを明らかにしており(Nakassis 2010)、また、テバイなどから出土した封泥は、それらが饗宴のための犠牲獣の供出を記録したものであって、そのような饗宴がピュロス王国だけではなくミケーネ文化圏の各地で広く行われていたことを示唆している(Palaima 2004)。さらに最近では、この時代にキクロペス様式の城壁などの膨大な労働力の動員を必要とする事業をワナクスたちが遂行できたのも、彼らが社会の構成員に対して数千人規模の饗宴を対価として提供していたからではないかという興味深い説も提示されている(Weilhartner 2017)。

しかし、多少なりとも古典期のポリス社会の研究動向に通じている者であれば、このような議論を目にして、いささかの既視感を拭うことはできないであろう。というのも、これよりも早く、ポリス社会の起源をめぐっては、オズウィン・マレーのいわゆるシュンポシオン論が一世を風靡していたからである(Murray 1983)。シュンポシオン論とは、端的に言えば、初期のポリスの構成原理が氏族制に基づくものであったという通説が批判にさらされるなか、これに代わるものとして、儀礼的飲酒の集まりを持つことで集団としての一体性を確認する機能集団の役割を評価しようとする学説である(古山　一九九九、Sherratt 2004)。ここではシュンポシオン論の当否に立ち入る余裕はないが、その規模や性格に明らかな相違があることは確かだとしても、ミケーネ宮殿社会についてもポリス社会についても(さらには後述するようにこれらを媒介する初期鉄器時代の場合にも)、共同体による饗宴の持つ社会的な機能が改めて注目を集めていることはきわめて興味深い。

三、宗教文化とその景観

ミケーネ宮殿社会とポリス社会との顕著な相違点の一つは、後者では祭神像を安置した神殿と聖域、そしてそこで定期的に開催されていた各種の祭儀が、市民たちの日々の暮らしに欠かせないものだったことである。線文字B粘土板は、ミケーネ時代にもゼウスやポセイドンをはじめ後代の神々の祖型と考えられる神格が崇拝されていたこと、また、ピュロス王国には *pa-ki-ja-ne* のような宗教上の要地が存在したことを伝えているが、少なくとも景観として独立した神殿と聖域は、これまでメッセニアなどで行われてきた地域踏査によっても、考古学的にはその存在がごく少数しか確認されていない(Palaima 2004)。

これに対して、アテナイやスパルタのようなポリスでは、早くからアクロポリスの上にポリスを守護する神々を祀る聖域があり、それらは市民たちによる重要な祭儀の場として発展していった。また、前八世紀の後半からイタリア半島南部やシチリア島の東岸などに建設されたギリシア人の植民市では、その建設当初から都市プランの中心にアゴラが設けられ、そこにはやがて都市のランドマークとなる神殿が築かれていく(周藤 二〇〇六)。しかし、ポリスの形成期において何よりも特徴的なことは、このような都市の中心に位置する聖域だけではなく、中心市から遠く隔たったポリスの辺境(しばしば隣接するポリスとの境界)にも聖域が営まれるようになったことである(de Polignac 1984)。イストミアのポセイドン神の聖域、アルゴスのヘラ女神の聖域、エレウシスのデメテル女神とコレの聖域などはその代表的なものであり、これらはそれぞれコリントス、アルゴス、アテナイの辺境聖域としてポリスの領域を視覚的に画定していた。

これらのローカルな聖域の誕生に加えて、前八世紀におけるポリス世界の成立と大きく関わっていたと考えられるのが、ギリシア世界各地から参詣者を集めた国際聖域の興隆である(Morgan 1990)。ペロポネソス半島北西部のアルペイオス川のほとりで四年に一度開催された古代オリュンピア競技会が実際にいつ創始されたのかは定かでないが、テラコッタ像のような奉納品が前八世紀に激増していることは、その名声が前八世紀にいたって急速に高まったことを示している。中部ギリシアの高峰パルナッソス山の麓にあるアポロンの神託の地デルポイの場合も同様であり、青銅製の小像の出土数は、前八世紀に急速に増加している。これらの聖域が古代を通じてポリス社会における宗教文化の結節点であり続けたことは、「前八世紀ルネサンス」の歴史的意義を裏付けるものといえよう。

しかし、これらの聖域については、近年の発掘調査の進展にともなって、その起源が前八世紀よりもはるか以前に遡るものであることが明らかになりつつある(Hall 2007: 85-86)。そこで、ここでは比較的豊富な考古学的情報が得られているカラポディ、イストミア、リュカイオンという三つの聖域について、その様相を概観してみたい。

カラポディ

ローマ帝政期の旅行案内記作家パウサニアスは、ポキスのヒュアンポリスを紹介するにあたって同地のアルテミス神殿に言及しているが(Paus. 10. 35. 7)、これは実際にはヒュアンポリスの遺跡から北に五キロメートルほどを隔てたカラポディで発掘されているアルテミス・エラペボロス女神とアポロン神の聖域のことであると考えられてきた(Felsch 1996: 103. ただし、近年ではこれをアバイの託宣所(Paus. 10. 35. 1)とする異説も提示されている)。いずれにせよ、ここでは、過去の調査に際して、古典期の神殿の南東隅で、ミケーネ時代の末期(ＬＨⅢＣ初期)から初期鉄器時代を経て歴史時代にいたる祭儀の連続性が層位的に確認されている(Felsch 1996)。最初期の遺物はキュリクスやクラテルなど飲食用の土器が中心であり、動物遺存体の分析からはシカやカメなどが犠牲に捧げられていたことが推測されている。また、クマの骨が出土していることは、この聖域が早くからアルテミス女神と結びついていたことを示唆している。二〇〇四年に始まった再発掘では聖域の歴史がさらに古い時代にまで遡る可能性が示唆されているものの、この聖域の歴史においてＬＨⅢＣ期が一つの転機であった可能性は依然として高い。

デルポイがあまりに有名であるために現代ではその存在感が薄いものの、少なくとも古典期のカラポディはポキス全土から参詣者を集めるきわめて重要な聖域の一つとなっていた。その理由としては、この聖域がコリントス湾とロクリスやテッサリアとを結ぶ交通の要所に立地していたことが指摘されている(Morgan 1999: 382)。

イストミア

コリントスの都市域から東へ約一〇キロメートル、ペロポネソス半島とギリシア本土をつなぐ地峡に位置するポセイドン神の聖域イストミアは、前五八二年頃から古代ギリシアの四大運動競技会の一つとしてコリントスが主催していたイストミア祭の舞台として知られている(Gebhard 1993)。古典期に神殿が築かれることになる台地とその周辺からは若干のミケーネ時代の土器片が見つかっているものの、該期の建築遺構や墓の存在は確認されていない。そのため、この場所が宗教儀礼に特化した活動の場となったのは、初期鉄器時代になってからのことだったと考えられている。この時代の土器は後代の建築活動による攪乱層から出土しており、カラポディのように層位的な変遷をたどることはできないが、前八世紀に恒久的な建築物が現れるまで、この地では開地で祭儀が行われていたらしい。

カラポディの場合と同じように、初期鉄器時代の土器は口縁部が広がった飲食用のものが多い。そのため、キャサリン・モーガンは、ここでは祭儀が確立された当初から供犠とそれに続いて参加者が催した饗宴が祭儀の中心をなしていたと推測している(Morgan 1999: 373)。イストミアはコリントス湾とサロン湾との、またコリントスとアテナイとの中継点に位置しており、このような地政学的な条件が領域部から人々が集まって定期的に饗宴を行うコミュニケーションの場としての聖域の発展を促したのであろう。

リュカイオン

ミケーネ時代から初期鉄器時代にかけての宗教文化の変遷に関して、近年もっとも衝撃的な知見をもたらしたのが、エリスとメッセニアとの境界に近いアルカディア山中のリュカイオンにおける発掘調査の成果である(Romano and Voyatzis 2021)。特異な人身御供の伝承で知られるこの聖域について、パウサニアスは山頂にゼウス・リュカイオスの盛り土の祭壇があり、そこからはペロポネソス半島をほとんど一望することができると述べている(Paus. 8. 38. 7)。実際、海抜一四二一メートルのリュカイオンの頂には、周囲から盛り上がった直径三〇メートルほどの顕著な人工のマウンドがあり、その埋土を形成する黒色灰層中には激しく焼かれた犠牲獣の骨、膨大な数の土器片、初期鉄器時代のテラコッタ像、ミニチュアの青銅製トリポッドなどの遺物が包含されている。とりわけ興味深いのは、その最下層から前一四世紀中頃を中心とする時期のミケーネ土器、土偶やテラコッタ製の動物像が出土していることである。このキュリクスやテラコッタ像を含む最下層から採取された動物遺存体には、放射性炭素年代で前一六世紀後半を示す資料もあり、リュカイオンにおける供犠がおそらくミケーネ時代の初期にまで遡ること、ここが当時にあっては希有な宗教儀礼に特化した独立聖域であったことは確実である。

カラポディやイストミアとは異なり、リュカイオンは人里から遠く離れた高い山の頂上を占めている。にもかかわらず、ここがミケーネ時代から初期鉄器時代にかけて長期にわたり特別な祭儀の場として機能し続けていたことは注目に値する。調査者らは、LHⅢC期(とりわけその後期)の土器が数多く確認されていることから、この時期のリュカイオンへの参詣者として、アルペイオス川を隔てて北に一〇キロメートルほどの地点にあるパレオカストロの住民を想定している。ここでは密集様式の鐙壺などが副葬された一〇〇基以上もの同時代の岩室墓が見つかっているため、この仮説はきわめて魅力的である。

しかし、さらに興味深いのは、リュカイオンの祭儀が、そのパレオカストロからさらにアルペイオス川を下った地点に位置するオリュンピアの歴史にも関わっていたらしいことである。オリュンピアでは、一九八七年から九六年までヘラ神殿の南にあるペロピオンの発掘が行われた結果、そこでの祭儀が前一一世紀後半に遡ることが明らかになった(Eder 2001: 204; Kyrieleis 2006: 189-201)。ここでは、初期青銅器時代のマウンドの直上に、亜ミケーネ期のキュリクスや初期鉄器時代の土器、動物骨、テラコッタ製やブロンズ製の奉納品を包含する黒色灰層が広がっていたが、その遺物の内容はリュカイオンのそれと酷似している。このことは、ペロポネソス半島西部から広く参詣者を集める国際聖域としての機能が前一一世紀後半にリュカイオンからオリュンピアに移るとともに、その後のリュカイオンがアルカディアのローカルな聖域として存続したことを示唆している。

四、継承と革新の世紀

ミケーネ宮殿社会からポリス社会への移行過程をめぐる議論は、青銅器時代の末から初期鉄器時代の遺跡の調査がギリシア各地で進むにつれて、ますます多岐にわたるようになっている(Middleton 2020)。本稿では、そのごく一端にしか触れることができなかったが、そこからは、少なくとも二つの重要な論点を提示することができる。

一つは、饗宴という観点から見たときのミケーネ宮殿社会からポリス社会への連続性である。饗宴はホメロスの叙事詩にも盛んに描かれていることから、これがポリス形成期に一定の社会的機能を担っていたことは早くから推測されていた(Sherratt 2004)。もちろん、ワナクスが位階の差を強調するために宮殿で主催する大規模な饗宴と市民たちが平等性を確認し合うポリス社会の饗宴とのあいだには無視できない性格の相違がある。しかし、ミケーネ時代から初期鉄器時代を通じて前古典期以降にいたるまで、その相貌を変化させながらも饗宴が社会的統合の手段として重要な役割を果たし続けていた事実は、初期ギリシア史における文化の継承をめぐる問題に新たな光を投げかけている。

もう一つは、これまで宮殿文明の衰退に続く長い低迷期の入り口とみなされてきた前一一世紀に周縁地域が果たしていた独自の歴史的役割である。前節で見たカラポディ、イストミア、リュカイオンは、いずれもミケーネ宮殿社会の周縁に位置している。しかし、亜ミケーネ期から初期幾何学文様期にかけての段階で、続く時代の社会を特徴づけることになる独立した聖域が胚胎したのは、まさにそのような場所においてのことだった。振り返れば、二〇世紀までの考古学が目を向けてきたのは、基本的には一定期間に安定した繁栄を享受していた中心地の社会の様相ばかりだった。しかし、これらの遺跡からの知見は、そのような社会が崩壊したまさにその時期にこそ、周縁地域では次の時代に向けた新たな復興への曙光が差し込んでいたことを雄弁に物語っているのである。

参考文献

伊藤貞夫（二〇〇四）『古代ギリシアの歴史――ポリスの興隆と衰退』講談社学術文庫。

太田秀通（一九六八）『ミケーネ社会崩壊期の研究――古典古代論序説』岩波書店。

周藤芳幸（一九九一）「遺跡のトポグラフィに基づくミケーネ社会像の再検討――アルゴス平野の場合」『史学雑誌』第一〇〇編第六号。

周藤芳幸（一九九四）「再分配システム試論――エーゲ海宮殿社会の経済構造をめぐって」『歴史の理論と教育』第九〇号。

周藤芳幸（二〇〇六）『古代ギリシア　地中海への展開』京都大学学術出版会。

古山正人（一九九九）「スパルタのシュシティア――シュンポシオン論の視角から」『國學院大學紀要』第三七巻。

Cline, E. H.（2014）, *1177 B.C.: The Year Civilization Collapsed*, Princeton, Princeton University Press.（安原和見訳『B.C. 1177――古代グローバル文明の崩壊』筑摩書房、二〇一八年）

Davis, J. L.（1998）, *Sandy Pylos: An Archaeological History from Nestor to Navarino*, Austin, University of Texas Press.

Deger-Jalkotzy, S., and I. S. Lemos（eds.）（2006）, *Ancient Greece from the Mycenaean Palaces to the Age of Homer*, Edinburgh, Edinburgh University Press.

de Polignac, F. (1984), *La Naissance de la cité grecque: cultes, espace et société VIIIe-VIIe siècle avant J.C.*, Paris, La Découverte.

Dickinson, O. (2006), *The Aegean from Bronze Age to Iron Age: Continuity and Change between the Twelfth and Eighth Centuries BC*, London and New York, Routledge.

Eder, B. (2001), "Continuity of Bronze Age Cult at Olympia? The Evidence of the Late Bronze Age and Early Iron Age Pottery", R. Laffineur, and R. Hägg (eds.), *Potnia: Deities and Religion in the Aegean Bronze Age, Proceeding of the 8th International Aegean Conference, Göteborg, Göteborg University, 12-15 April 2000 (AEGAEUM 22)*, Liège, Université de Liège/Austin, University of Texas at Austin.

Felsch, R. C. S. (Hrsg.) (1996), *Kalapodi: Ergebnisse der Ausgrabungen im Heiligtum der Artemis und des Apollon von Hyampolis in antiken Phokis I*, Mainz, Philipp von Zabern.

Finley, M. I. (1973), *The Ancient Economy*, Berkeley, University of California Press.

Galaty, M. L. (1999), "Wealth Ceramics, Staple Ceramics: Pots and Mycenaean Palaces", M. L. Galaty, and W. A. Parkinson (eds.), *Rethinking Mycenaean Palaces: New Interpretation of an Old Idea*, Los Angeles, Cotsen Institute of Archaeology, University of California.

Gebhard, E. R. (1993), "The Evolution of a Pan-Hellenic Sanctuary: From Archaeology Towards History at Isthmia", N. Marinatos, and R. Hägg (eds.), *Greek Sanctuaries: New Approaches*, London and New York, Routledge.

Hall, J. M. (2007), *A History of the Archaic Greek World: ca. 1200-479 BCE*, Malden, Mass., Blackwell.

Kardulias, P. N. (1999), "Flaked Stone and the Role of the Palaces in the Mycenaean World System", M. L. Galaty, and W. A. Parkinson (eds.), *Rethinking Mycenaean Palaces: New Interpretation of an Old Idea*, Los Angeles, Cotsen Institute of Archaeology, University of California.

Kyrieleis, H. (2006), *Anfänge und Frühzeit des Heiligtums von Olympia: Die Ausgrabungen am Pelopion 1987-1996*, Berlin, De Gruyter.

Maran, J. (2006), "Coming to Terms with the Past: Ideology and Power in Late Helladic IIIC", S. Deger-Jalkotzy, and I. S. Lemos (eds.), *Ancient Greece from the Mycenaean Palaces to the Age of Homer*, Edinburgh, Edinburgh University Press.

Middleton, G. D. (ed.) (2020), *Collapse and Transformation: The Late Bronze Age to Early Iron Age in the Aegean*, Oxford and Philadelphia, Oxbow.

Morgan, C. (1990), *Athletes and Oracles: The Transformation of Olympia and Delphi in the Eighth Century B.C.*, Cambridge, Cambridge University Press.

Morgan, C. (1999), *The Late Bronze Age Settlement and Early Iron Age Sanctuary*, Isthmia VIII, Princeton, American School of Classical Studies at Athens.

Murray, O. (1983), "The Symposion as Social Organization", R. Hägg (ed.), *The Greek Renaissance of the Eighth Century B.C.: Tradition and Innovation, Proceedings of the Second International Symposium at the Swedish Institute in Athens, 1-5 June, 1981*, Stockholm, Swedish Institute in Athens.

Nakassis, D. (2010), "Reevaluating Staple and Wealth Finance at Mycenaean Pylos", D. J. Pullen (ed.), *Political Economies of the Aegean Bronze Age*, Oxford, Oxbow Books.

O'Connor, K. (2015), *The Never-Ending Feast: The Anthropology and Archaeology of Feasting*, London, Bloomsbury.

Palaima, T. G. (2004), "Sacrificial Feasting in the Linear B Documents," J. G. Wright (ed.), *The Mycenaean Feast*, Princeton, American School of Classical Studies at Athens.

Parkinson, W. A. (1999), Chipping Away at a Mycenaean Economy: Obsidian Exchange, Linear B, and 'Palatial Control' in Late Bronze Age Messenia, M. L. Galaty, and W. A. Parkinson (eds.), *Rethinking Mycenaean Palaces: New Interpretation of an Old Idea*, Los Angeles, Cotsen Institute of Archaeology, University of California.

Pullen, D. J. (ed.) (2010), *Political Economies of the Aegean Bronze Age*, Oxford, Oxbow Books.

Pullen, D. J. (2013), "Crafts, Specialists, and Markets in Mycenaean Greece: Exchanging the Mycenaean Economy", *American Journal of Archaeology*, 117-3.

Renfrew, C. (1972), *The Emergence of Civilisation: The Cyclades and the Aegean in the Third Millennium B.C.*, London, Methuen.

Renfrew, C. (1980), "The Great Tradition Versus the Great Divide: Archaeology as Anthropology", *American Journal of Archaeology*, 84-3.

Romano, D. G., and M. E. Voyatzis (2021), "Sanctuaries of Zeus: Mt. Lykaion and Olympia in the Early Iron Age", *Hesperia*, 90-1.

Sherratt, S. (2004), "Feasting in Homeric Epic", J. G. Wright (ed.), *The Mycenaean Feast*, Princeton, American School of Classical Studies at Athens.

Ventris, M., and J. Chadwick (1953), "Evidence for Greek Dialect in the Mycenaean Archives", *Journal of Hellenic Studies*, 73.

Voutsaki, S. (2010), "From the Kinship Economy to the Palatial Economy: The Argolid in the Second Millennium BC", D. J. Pullen (ed.), *Political Economies of the Aegean Bronze Age*, Oxford, Oxbow Books.

Weilhartner, J. (2017), "Working for a Feast: Textual Evidence for State-Organized Work Feasts in Mycenaean Greece", *American Journal of Archaeology*, 121-2.

Wright, J. C. (ed.) (2004), *The Mycenaean Feast*, Princeton, American School of Classical Studies at Athens.

焦点｜*Focus*

ジェンダーからみたアテナイ社会

栗原麻子

はじめに

前五・前四世紀のアテナイでは、民主政の発展に伴い、住民の法的・経済的権限の格差が明確化した。奴隷と自由人、在留外国人と市民の区別だけでなく、市民のあいだにも性差があり、参政権も発言の平等も発言の自由も、女性は対象外であった。アテナイ女性市民の立場を巡っては、法制度上の制約を重くみて、「オリエント的」隔離と蔑視のもとにあったとする悲観論と、実態面での隔離の程度を低くみて、尊厳のもとに保護されていたとする楽観論のあいだに、一九世紀以来の論争がある(桜井 一九八六、Just 1989)。今日的な観点からするならば、論争は、女性を排除しつつ包摂するアテナイの社会構造を、制度と運用、理念と実態の両面から、それぞれ正しく映しとってきたといえる。

一九八〇年代になると、女性史からジェンダー史への転回のもと、男女／公私の領域区分そのものが問い直されるようになる(Foxhall 2013)。市民権研究においても、参政権や法的要件だけではなく、市民共同体のありかたが、血縁共同体への帰属、宗教生活への参与、市民らしさの規範といった多角的な指標から論じられるようになった(Patterson 1981; Boegehold and Scafuro 1994; Blok 2017)。本稿では、この潮流を受け、とりわけ、①ホモソーシャルな「男らしさ」の規範(第一、二節)、②補完するものとしての女性(第三―六節)の二点から、アテナイ民主政のジェンダー構造を描きたい。

一、男性市民の社交空間

プニュクスの丘は、民会開催日には、ときに六〇〇〇人を超える男性市民で埋め尽くされる。地域での集会から、中心市のアゴラ(広場)で開催される法廷や評議会、年四〇回ほどの民会、数百におよぶ役職まで、アテナイの政治生活は、およそ男性市民のみの閉鎖的な空間で成り立っていた。男女分離は、幼少時に始まる。個人差もあるが、男子は七歳ごろになると読み書き・音楽を習い、公私の体操施設に通い、部族対抗の少年合唱競技に参加し、やがて新成人となるとエペボイと呼ばれる見習い兵となる(Fisher 1998; Pritchard 2003; Golden 2015)。二年間の教練が整備された前三三五年以降、数百人の若者が、一〇部族に分かれて共同生活を送った。軍務が、同年齢の若者同士の絆を培ったことは想像に難くない。若者たちは、ヘタイレイアと呼ばれる二〇名ほどの自発的結社に所属して、酒席を共にし、訴訟や政治活動でも協力した(Calhoun 1913; 栗原 二〇二〇)。デモステネス『コノン弾劾』(五四番)からは、コノンの息子たちが、若い時に軍営を共にした悪党仲間とヘタイレイアを組んだことがうかがわれる。酒席は、男部屋に遊女や笛吹き女を侍らせておこなわれた。正妻や娘たちが参加することはあり得ない。社交生活の男女分離は、ホメロスの世界とも、ヘレニズム宮廷とも、ローマとも異なる、古典期アテナイの特徴である。

少年愛と「男らしさ」

日常の社交生活を通して、男性市民は、「男らしさ」を身につけることを求められた。それは、少年愛をめぐる複雑な駆け引きにも現れている。少年愛は、大人になる前の少年を受動的な愛され役(エロメノス)、成人した青年を能動的な愛し役(エラステス)とする、男性間の恋愛である。アリストパネスが描くような身も蓋もない求愛行動のかたわらで、少年と青年の間には、欲望を抑制することで互いの価値を高めあうことを理想とする、求愛ゲームが繰り広げられた(ドーヴァー 一九八四)。哲学者プラトンは、抑制を伴う克己心を「男らしさ」と見做している(『ラケス』一九一d以下)。「男らしさ」が戦場での強さだけではなく感情の抑制をも意味するという見解は、アリストテレスにも、またアテナイの民主的価値観を体現する民衆法廷の言説にも見出すことができる(Roisman 2005)。

愛し役と愛され役の関係は、勝つか負けるかのゼロサムゲームではなかった。少年時代には愛され役であった男性も、愛し役の青年の教導のもとに「男らしさ」を学び、やがて青年期には愛する側として、ポリスを担う市民に成長する。ただし、少年期の愛され役が、長じて売春疑惑を招くこともあった(小山田 二〇二三)。また少年期を過ぎても受動的な快楽に屈して身を委ね続ける男性は、女性的な「キナイドス」と呼ばれて、蔑視の対象となった(Davidson 2001; Winkler 1990)。

兵士としての「男らしさ」

少年期を過ぎた男性たちに求められる「男らしさ」とはいかなるものだったのか。アテナイの公的言説は、「男らしさ」、すなわち「勇気」をめぐる言説に満ちている。リュクルゴスは『レオクラテス弾劾』で、「良き男たち」の系譜を称えて、アテナイ人の「男らしさ」を、次のように賞賛する。

(前略)彼らは防壁に安全への希望を見出さず、敵が国土に危害をもたらすのに屈さず、彼ら自身の「男らしさ」(アンドレイア)を石の境界よりも強固な防衛とみなし、彼らを育んだものが侵略されるのを見過ごすことを恥

としたのです。(四七)

兵士としての男らしさが重視されている。前四〇六年、前四〇三年、前三三八年の三度にわたって、国防上の危機に際して共に戦う在留外国人や奴隷、あるいはそのほかの外国人に市民権を賦与する提案がなされたことは、兵士としての「男らしさ」が市民権と不可分であったことを示している。逆に盾を放棄することは、男らしくない「臆病」(アナンドレイア)とみなされ、市民権の剝奪に相当した。エペボイのおこなう宣誓に次のようにある。

〔前略〕私は聖なる武具を辱めず、戦列で隣の男を見捨てません。聖俗のことがらを守護するために戦い、祖国を、力の及ぶ限りすべての人とともに、劣ることなく、より大きく優れた状態で引き渡します。私は、現行の職権の正当なる行使者と、今現在有効で、今後正しくも有効であるべきあらゆる法に従います。もしこれらを破壊するものがあれば、力の及ぶ限り、すべての人とともに、これに屈しません。私は父祖の祭祀を敬います。〔後略〕

(ローズ&オズボン 八八)

調和、競争心、協調、規律、軍事・聖俗のことごとくにおける服従が、新成人に必要な資質として列挙される。「男らしさ」に秩序が求められるのは法廷でも同様であり、名誉のための報復は、激情に駆られた実力行使ではなく、法に則って果たすべきであるとされる(デモステネス二一番、伝デモステネス五九番一二)。民主政下アテナイでは、「男らしさ」が、法と秩序を遵守する市民規範のなかに組み込まれていたのである(Balot 2014)。

二、「男らしさ」のヒエラルキー

「男らしさ」が洗練され、民主政に適合的な市民的特性と結びついていく過程で、アテナイ男性市民は、より優れた「男らしさ」の持ち主として特権集団化していった。「男らしさ」が市民男性の兵士としての資質と結びついたことは、それ以外のカテゴリーの人々の「男らしさ」を劣等視することにつながる。在留外国人は、ギリシア人亡命者から非ギリシア人の解放奴隷まで多様であったが、エペボイ制度から除外され、重装歩兵として従軍しても市民とは別の部隊に編入させられ、騎兵となることもできなかった。奴隷も、受動的・従属的なセクシュアリティの持ち主として描かれる。加えて、民族性も「男らしさ」の程度に影響すると考えられた。バルバロイ(異民族)は、野蛮で抑制に欠けるとみなされるか、「臆病」(アナンドレィア)と結びつけられた。非市民は、覇権的マスキュリニティから排除されたのである(栗原 二〇一六:一一七―一一八頁)。

「男らしさ」への要求が、ポリスの政治文化を規定していた状況を、エヴァ・クールズは「パロス(男根)支配」と呼んでいる(クールズ 一九八九)。その特権の根拠は、出自、すなわち、アテナイ人の両親から生まれたことにあった。リュクルゴスは、先の引用に続けて、「養子」とされた市民、すなわち市民権賦与を受けた市民は、生来の市民と同じようには、祖国にたいする武勇を示すことができないと述べている。

アテナイ民主政が、共に戦い平等な発言権をもつ男性市民によって運営されていたことは、女性を「男らしさ」から排除することにもつながった。アリストテレスは、『ニコマコス倫理学』で、「男らしさ」とは、恐れを感じながらもそれに怯まないことであると述べ、その最たるものが、戦場での美しい死にかかわる「男らしさ」であるとする。

さらにまたアリストテレスは、男性の特質と女性の特質が、本来的に異なると考えている。

〔職業によって徳が異なることも、〕ソクラテスは妻と夫に同じ節制の徳があると考えていたが、そうではないことも、明らかである。また「男らしさ」の徳も「正義」の徳も同様である。後者に備わる「男らしさ」の徳は支配的なものであり、前者に備わるその徳は、従属的なものである。ほかの徳についても同様である。

(『政治学』一二六〇a二〇―二四)

女性に備わる「男らしさ」の徳が従属的であるいっぽうで、男性のそれは支配的であるというのである。そのようなか、女性たちは、男性たちの民主政とどのようにむすびつけられていたのだろうか。

三、家のなかの女性たち

ギリシア語の家(オイコス)は、家屋、家産、世帯、家系といった多義的な要素を含む語である。いずれの要素を重視するとしても、家はポリス社会の基盤であり、女性は、その不可欠の要素であった。基本的な世帯は、夫と妻、未婚の子、家内奴隷からなる。親や、未婚の姉妹が同居することもあった(Cox 1998)。父親を法的権限の保有者(キュリオス)として育ち、嫁しては、夫の家(オイコス)に嫡出子をもうけ、老いて夫に先立たれては、息子の庇護を受けるのが、女性市民の典型的なライフ・サイクルであり、市民女性の活動は、まさに、家を基盤としておこなわれた。

クセノポン(『家政論』)は、家庭のなかでの男女の分業について、次のように述べている。夫は外で農地を管理し、家計のための生産活動とポリスのための政治活動をおこなう。妻は、家庭で、羊毛・穀物・什器を管理し、機を織り、四季折々の祭礼に備え、奴隷の世話をし、夫と共に子供を養育する。伝デモステネスの『ネアイラ弾劾』に、「遊女は享楽のために、妾は日々の肉体の慰めのために、妻は嫡出子をなし家中の信頼できる守護のために」(五九番一二二)とあるように、妻に求められたのは、家庭の管理と嫡出子を産むことであった。女性市民とポリスの関係を考えるうえで重要なのが、前四五一年のペリクレスの市民権法である。それまでは父親がアテナイ人であれば母親の出自は問われなかったが、これ以降、アテナイ市民は、父母ともに市民家系の出身であることを審査されることとなった。ペロポネソス戦争による一時的な弛緩にもかかわらず、市民権詐称は前四世紀になっても厳しく訴えられた(デモステネス五七番、伝デモステネス五九番およびイサイオス一二番)。市民の母となることは、市民家系出自の女性の特権であった(栗原 二〇一〇)。

法廷弁論は、女性名義の相続請求、自らの離婚・再婚、子の処遇、養子縁組、そのほかの家族をめぐる事項について、家庭内の話し合いの席で女性の意思が尊重されていた痕跡をうかがわせる(リュシアス三二番)。家庭内での女性の発言力が法廷で隠されていないことからも、生家や本人の立場、子の処遇といったかかわりの深いことがらについて、女性の意思を尊重することに一定の合意があったことがわかる。しかし、女性の影響力は、あくまで家庭内にとどまったことに留意したい。女性市民には、法廷で自ら弁論し証人として立つ権限がなく、生家の遺産請求など本人名義の訴訟も、夫に代行してもらわなくてはならなかった。経済的な権限についても同様で、彼女たちは、衣服・宝飾品などの手回り品については自由に処分することができたが、生家から持参する嫁資の使用権は夫にあった。また、一家の主婦は家計の切り盛りを求められたが、女性は大麦一メディムノス以上の契約を結ぶことができないと定める古い法が示すように(イサイオス一〇番一〇)、その経済的な権限は限定的であった。したがって、女性たちは、生家の父親や兄弟、おじ、夫や息子など、男性親族の庇護のもとで、彼らを利用して、法的な権利の請求、契約をおこなった(Kapparis 2020)。ポリュエウクトスの妻は、娘の夫に一八〇〇ドラクマを貸し付け、ポルミオンの妻は、息子に二〇〇〇ドラクマを与えているが(デモステネス四一番八―九、同三六番一四―一五)、これらの高額の契約は、夫・兄弟など、キュリオスの同意や、証言能力を持つ男性の立ち合いのもとにおこなわれたと推定される(Schaps 1979: 52-60; 桜井一九九六)。

男性親族には扶養の義務もあった。夫は妻の実家から婚約時に取り決められた嫁資を受け取るが、離婚の際には、妻とともに嫁資を手放さなくてはならなかった。嫁資の返還がなされない場合に、生家が、女性の「穀物代」(食い扶持)として、年率一八%の利子を支払うように訴えることができたのは、嫁資が女性の扶養料であったことを示している(Just 1989)。一〇人の最高役人のうち筆頭アルコンも、孤児と、家産とともに残された家付き娘(エピクレロス)、妊娠中の寡婦を保護した。これは女性市民を保護し市民の家を保持することが、ポリスの直接の関心事であったためであろう。

このように女性市民は、家庭内で保護され一定の発言力を持っていた。そのいっぽうで、古典期のアテナイには、女性名義の公共奉仕も国家顕彰も、見られない。女性市民は、政治領域での意思決定からも、商取引の法的主体となることからも排除されていた。

四、オイコスの傘の外で

アゴラの女

男性親族の保護のもとで嫡出子を産むという、市民の正妻のありかたに反して、家の外で自力救済を迫られる女性たちもいた。ピロンの母親は、息子を見限り、信頼する他人に自分の葬式代を委ねたという（リュシアス三一番二一）。経済的理由に迫られて農園で季節労働をしたり、乳母となったり、市場で行商をする女性市民もいた。『エウブリデス弾劾』（デモステネス五七番）の語る、話者エウクシテオスの母は、デーモス（行政区）の長官まで務めた夫が捕虜となったため、富裕家庭の乳母となり、アゴラで行商して、エウクシテオスを育てた。訴訟相手は、それを尊厳に欠けると批判するが、エウクシテオスは、戦争と貧困に迫られて家の外で労働することは、誰もが陥る境遇であり、蔑むべきではないと主張する。ほかにパン屋や香水屋など、さまざまな職業があり、産婆や女性医師、女性呪術師といった専門職の存在も知られている。

アゴラで商売を営む女性たちは、男性と同様に、アゴラでの盗難を市場監督官に訴えることができたと推定される（Kapparis 2020: 206）。ただし市場監督官の裁量で決着がつかず法廷での訴訟となれば、女性市民の場合はキュリオス、在留外国人の場合は代理人、そのほか遊女の場合は愛人に頼るなど、男性に助力を求めなくてはならなかった。

家からの逸脱

婚姻外の性的関係は、女性市民の規範に反する。市民の妻は、姦婦と認められると、婚家を追われるばかりでなく、祭礼に参加したり着飾ったりすることを禁じられ、禁を破れば、障碍が残ったり命に関わるようなものでない限り、どのような私刑を受けようと、法の保護を受けることができなかった(アイスキネス一番一八三、伝デモステネス五九番八七)。法はまた、性的交渉を持った未婚の娘や姉妹を、父親や兄弟が売却することを許している(プルタルコス『ソロン伝』二三)。女性市民が遊女その他の売春業に就いていたと疑われる事例もあるものの、女性市民のあるべき姿は、遊女と相容れない。親の決めた相手と結婚し次世代の市民を再生産することが、民主政ポリスが女性市民に求めた役割であった。先述の『家政論』で、クセノポンは、夫の気を引こうと化粧をするのは妻にふさわしくない行動であると述べ、夫と妻のあいだの愛を、恋愛感情から区別している。エウリピデス『アンドロマケ』では、夫への性愛に支配される正妻ヘルミオネの悲劇が描かれる。ここに、夫婦の情愛は性愛とは異なるものとする考えを見ることができる。恋愛は結婚の要件ではなかった。

前四世紀には恋愛ものの新喜劇が流行したが、現実には、婚姻外の恋愛は姦通の疑惑を招いた。ヒュペレイデス『リュコプロンのために』(二番)の被告は、女性市民の婚礼行列につきまとって、公然と彼女への恋慕の情を吐露した挙句、女性の人生を破壊する姦通行為の嫌疑により、弾劾裁判にかけられた。既婚・未婚を問わず、市民家庭の妻女との姦通は、市民の家を侵食するため、男性にも、刃物を用いない限りの辱めと身体の拘束と、法的制裁が待ち受けていた(伝デモステネス五九番六六)。姦通現場での姦夫殺害も、アテナイでは罪に問われなかった。性規範の厳しさは、市民の再生産と家系の継承が、ポリスにとっても市民個人にとっても重要であったことを反映している。

五、ポリス宗教と女性

市民の妻女としてポリス宗教へ参加することも、女性市民の特権であった。ギリシアは多神教社会であり、アテナイでも、ポリスが主催する国家祭儀から地区や家での犠牲式、さらには自発的宗教結社の活動まで、宗教行事がひしめき合っていた。祭儀のなかには、女性神官が掌るものもあった。女性神官は、祭事を遂行し宝物庫の鍵を持ち、男性神官と同等の発言権を有していた(Connelly 2007)。少女たちも、年齢層に応じて、パンアテナイア祭の行列に参加したり、女神のための衣服を新調したり、ブラウロンの神域で「熊」役を務めるなど、ポリスの祭礼に参画した(桜井 一九九二、Dillon 2002)。女性だけの祭礼が、公的な祭事暦に組み込まれていたことも注目に値する。デーモスのテスモポリア祭のような市民の正妻だけの祭儀があり、パンアテナイア祭では在留外国人の娘たちに市民と異なる役が割りふられたことは、ポリス宗教への参加が身分秩序に裏づけられていたことを示している(桜井 二〇一〇、Shear 2021)。

生家や婚家でも祭祀がおこなわれた。なかでも葬儀の際に、遺体を浄め死者のために嘆くことは、妻や母親、姉妹といった女性親族の役目であった(Stears 1998)。法は女性の通夜と葬列への参列を、相続の権利と同じ範囲の近親者に許している。家の神々、地域の神々、ポリスの神々のための祭儀に加え、ヘラクレスの信者団のような自発的宗教結社にも、家族ぐるみで参加した(Parker 2003)。神々を正しく祀ることはポリスの安寧に必要なことであり、女性たちも、その一端を担っていた。アクロポリスには、女性名義の奉納が目録に残されている。宗教領域においては、女性たちは、男性の手を経ずに、自らの声を、直接オイコスの外に届けることができた。

前五世紀後半になると、民主政の進展に応じて、特定の家門ではなく、市民全体から選ばれる男女の神官職が創設される。そのうちニケの女神官ミュリネの墓碑が残されている。

女神ニケの神殿に初めて仕えたカリマコスの娘の輝かしい墓碑。まさに吉兆により、その評判にふさわしいミュリネ〔天人花または歿薬〕の名で呼ばれた。すべての女性のなかから籤で選ばれ、アテナ・ニケ女神の御座に仕えた最初の人。(『ギリシア碑文集成』一(三)、一三三〇)

伝デモステネス『ネアイラ弾劾』は、非市民の遊女の娘であるパノが、ディオニュソス神との聖婚儀礼でバシリンナ(女王)役を務めたことを、厳しく糾弾している。ペリクレスの市民権法でアテナイが内婚化したことで、ポリス宗教の担い手としての女性市民の特権が明確化することになった。

六、女たちの声と民主政

政治的な決定は全て男性の手で行われた。アリストパネスの喜劇『女の議会』では、プラクサゴラをリーダーとする女性市民が、民会を乗っ取って、公的言論の場で発言しようとする。しかし劇中、女性たちは、男のように語ることへの戸惑いを隠さない。男性には男性らしく、女性には女性らしく発言することが求められていた(McClure 1999)。女性はまた、慎しみ深くヴェールを被り、恥じらうものとされていた(Llewellyn-Jones 2002)。同『リュシストラテ』には、リュシストラテが、黙れと命ずる役人に、ヴェールを被せて発言を封じるシーンがある(五二九—五三一)。ヴェールの束縛が、いかに女の発言を制約していたのかが、象徴的に描かれている。

そのいっぽうで、法廷弁論では、女性もまたポリスの一員として、民会での政治的決定に関心をもつことが想定されている。カイロネイア戦争中のポリスに対する裏切りを糾弾するリュクルゴスは、『レオクラテス弾劾』で、戦時中に自由人の女性たちが、人目も憚らず、夫や父親や兄弟の消息を訪ねて戸外を彷徨したことに言及して(四〇)、苦難と危機の時代を共にした同朋として、本来ならば彼女たちも裁判に立ちあうべきであると主張する。

ほかの場合であれば、裁判員は、妻子を法廷に伴わないのが慣例でありますが、少なくとも、裏切りの裁判に関しては、そうすることが敬虔で正しいことであります。危機を共にしたすべてのひとびとが視界に入ることで、その姿を見た裁判員が、被告レオクラテスがこのひとびとに人類共通の憐れみもかけなかったことを思い出して、犯罪者に、より厳格な判決を下す備えとなるように。しかしながら、慣例がそれを許さない以上、あなたがた〔裁判員〕は、少なくとも、レオクラテスを死刑に処することで自分自身の復讐を遂げ、裏切り者を手中にして報復した、と妻子に告げなくてはなりません。(一四一)

裁判員は、女性たちが黙って姿をみせれば、自分が彼女たちの代弁者であることを自覚するということであろう。女性市民権の侵害をめぐる『ネアイラ弾劾』も、女たちが裁判員の帰宅を待ち構えて判決について知りたがるだろう、と告げて裁判員に女たちの反応を意識させ、さらに「ひとつは妻のため、ひとつは母のため、そしてひとつはポリスと法と祭儀のために」(伝デモステネス五九番一一四)、投票するように呼びかける。女性市民が、自らの権利侵害をめぐる裁判に関心をもつことが当然とされ、男性市民は、家の女性たちの代弁者と位置づけられている。

ところが、アリストパネス『リュシストラテ』(五〇七―五二〇)では、民会の様子を質問する妻に、夫が、戦争は男の仕事だ、女は黙って機を織っていろ、と声を荒らげる。女性がみずから国事に関心をもつことが歓迎されるかどうかは、ひとえに夫の裁量下にあった。

夫を通じて国事についての情報を得るほか、アゴラに掲示される法案を、男性と同様に、女性も見ることができた。アゴラは、非市民も市民も、奴隷も自由人も、男性も女性もが集う開かれた空間であった。そこには、市民権の壁を越え、在留外国人や奴隷にも開かれた言論空間が存在していたと想定される。アゴラで商う女性たちは、家の保護の下におかれ理念的に隔離された女性たちよりも、外の風に触れることが多かっただろう。噂もまた、女性に開かれた情報網であり、在留外国人や奴隷も含めたアテナイの世論を形成していた(Hunter 1994)。しかしながら、これらの非公式な回路を勘案してもなお、女性市民のポリスの公的言論へのアクセスは制約されていた。彼女たちの声は、庇護する男性が運ばなければ、公的言論の場に届かなかったからである。

公的な発言から排除された女性に許された意思表明の方法に、嘆きと、神に対する誓いがある。法廷で、市民も在留外国人も、寄港中の商人も、男性は自ら訴訟当事者として弁論をおこない、証人として立つことができた。ところが、すでにみたように、女性には、そのいずれも許されていなかった。その代わりに女性は、求められれば宣誓をおこなうことができ、宣誓内容は、法廷で証拠として扱われた(山内 二〇〇五)。また、法廷で感情を露わに哀願することは「男らしさ」に欠けると考えられたが、女性は、男性よりも自由に涙を見せ、憐れみを誘うことができた。親族の葬儀の場で、死者の追悼のために嘆きの儀礼を遂行し、国葬の場で、戦死者の「男らしさ」を称える葬送演説の傍らで嘆くのも、国家にたいする罪を犯した親族を牢獄に訪れ嘆くのも、女性の役割であった。ポリスの公的言論の枠組みのなかでは表明しにくい嘆きの感情が、女性の領域のなかでは保持されたのであり、女性の「嘆き」には、男性が伝えることのできない感情を伝えるという社会的機能が備わっていたといえる(栗原 二〇二一 a)。女性たちの活動は、男性の政治生活を規定する「男らしさ」の規範の外で、ポリス社会を補完していたのである。

おわりに

女性市民は、ペリクレスの市民権法でアテナイが内婚化することによって、アテナイ市民を産み、祭祀共同体を構成する不可欠の存在としての特権を有することになった。家庭内では一定の発言権をもっていたことがうかがわれるが、法的・経済的な権限を制約され、男性の庇護のもとで、家制度を通じて、間接的に、ポリスのなかに組み込まれていた。男性市民もまた、支配と被支配をめぐる「男らしさ」の性規範のもとに置かれていた。アテナイ民主政は、ジェンダーによって構造化された政治体制であった。

参考文献

ローズ&オズボン『ギリシア歴史碑文集』= Rhodes, P. J., and R. Osborne (eds.) (2003), *Greek Historical Inscriptions, 404-323 B. C.*, Oxford, Oxford University Press.

『ギリシア碑文集成』= *Inscriptiones Graecae.*

伊藤貞夫(一九八一)『古典期のポリス社会』岩波書店。

小山田真帆(二〇二三)「民主政アテナイにおけるエロメネスと政治活動」『西洋古典学研究』七〇。

クールズ、エヴァ・C(一九八九)『ファロスの王国I——古代ギリシアの性の政治学』中務哲郎・下田立行・久保田忠利訳、岩波書店。

栗原麻子(二〇一〇)「前四世紀アテナイにおける通婚禁止令とアポロドロス弁論の女たち」『西洋古代史研究』一〇。

栗原麻子(二〇一四)「民主制下アテナイにおける「おんな男(ホ・ギュンニス)」と「男のなかの男たる女(ヘ・アンドレイオタテ)」」『西洋古代史研究』一四。

栗原麻子(二〇一六)「ギリシアの世界像——ヘロドトスのジェンダー認識と異民族観を中心として」『「世界史」の世界史』秋田茂ほか編著、ミネルヴァ書房。

栗原麻子(二〇二〇)『互酬性と古代民主制——アテナイ民衆法廷における「友愛」と「敵意」』京都大学学術出版会。

栗原麻子(二〇二一a)「母の嘆きのポリティクス——アテナイ公的言説空間における女性」、高田京比子・三成美保・長志珠絵編『〈母〉を問う 母の比較文化史』神戸大学出版会。

栗原麻子(二〇二一b)「前四世紀アテナイにおける恋情の作法と「女の甘言」」南川高志・井上文則編『生き方と感情の歴史学——古代ギリシア・ローマ世界の深層を求めて』山川出版社。

桜井万里子(一九八六)「古代ギリシア女性史研究――欧米における最近の動向」『歴史学研究』五五二。
桜井万里子(一九九六)『古代ギリシア社会史研究――宗教・女性・他者』岩波書店。
桜井万里子(二〇一〇)『古代ギリシアの女たち――アテナイの現実と夢』中公文庫(初版は中公新書、一九九二年)。
篠原道法(二〇二〇)『古代アテナイ社会と外国人――ポリスとは何か』関西学院大学出版会。
シュミット＝パンテル、ポリーヌ編(二〇〇〇)『女の歴史Ⅰ 古代1』G・デュビィ、M・ペロー監修、杉村和子・志賀亮一監訳、藤原書店。
デモステネス(二〇二二)『弁論集七』栗原麻子・吉武純夫・木曽明子訳、京都大学学術出版会。
ドーヴァー、ケネス(一九八四)『古代ギリシアの同性愛』中務哲郎・下田立行訳、リブロポート(新版は青土社、二〇〇七年)。
山内暁子(二〇〇五)「紀元前四世紀アテナイの紛争解決における誓い」『西洋古典学研究』五三。
Balot, Ryan (2014), *Courage in the Democratic Athens: Ideology and Critique in Classical Athens*, Oxford, Oxford University Press.
Blok, Josine (2017), *Citizenship in Classical Athens*, Cambridge, Cambridge University Press.
Boegehold, Alan L., and Adele C. Scafuro (eds.) (1994), *Athenian Identity and Civic Ideology*, Baltimore, Johns Hopkins University Press.
Calhoun, George M. (1913), *Athenian Clubs in Politics and Litigation*, Austin, The University of Texas.
Cohen, David (1991), *Law, Sexuality and Society: The Enforcement of Morals in Classical Athens*, Cambridge, Cambridge University Press.
Connelly, Joan Breton (2007), *Portrait of a Priestess: Women and Ritual in Ancient Greece*, Princeton, Princeton University Press.
Cox, Cheryl A. (1998), *Household Interests: Property, Marriage Strategies, and Family Dynamics in Ancient Athens*, Princeton, Princeton University Press.
Davidson, James (2001), "Dover, Foucault and Greek Homosexuality: Penetration and the Truth of Sex", *Past & Present*, 170.
Dillon, Matthew (2002), *Girls and Women in Classical Greek Religion*, London, Routledge.
Fisher, Nick (1998), "Gymnasia and the Democratic Values of Leisure", Paul Cartledge, Paul Millett, and Sitta von Reden (eds.), *Kosmos: Essays in Order, Conflict and Community in Classical Athens*, Cambridge, Cambridge University Press.
Foxhall, Lin (2006), "Natural Sex: The Attribution of Sex and Gender to Plants in Ancient Greece", Lin Foxhall, and John Salmon (eds.), *Thinking Men, Masculinity and its Self-Representation in the Classical Tradition*, London, Routledge.

Foxhall, Lin (2013), *Studying Gender in Classical Antiquity*, Cambridge, Cambridge University Press.

Friend, John L. (2019), *The Athenian Ephebeia in the Fourth Century BCE*, Leiden, Brill.

Golden, Mark (2015), *Children and Childhood in Classical Athens*, 2nd ed., Baltimore, Johns Hopkins University Press.

Harrison, Arick R. W. (1968), *The Law of Athens: The Family and Property*, Oxford, Oxford University Press.

Henderson, Thomas R. (2020), *The Springtime of the People: The Athenian Ephebeia and Citizen Training from Lykovrgos to Augustos*, Leiden, Brill.

Humphreys, Sally C. (1993), *The Family, Women, and Death: Comparative Studies*, 2nd ed., Ann Arbor, University of Michigan Press.

Hunter, Virginia J. (1994), *Policing Athens: Social Control in the Attic Lawsuits, 420-320 B.C.*, Princeton, Princeton University Press.

Just, Roger (1989), *Women in Athenian Law and Life*, London, Routledge.

Kapparis, Konstantinos (2021), *Women in the Law Courts of Classical Athens*, Edinburgh, Edinburgh University Press.

Lape, Susan (2010), *Race and Citizen Identity in the Classical Athenian Democracy*, New York, Cambridge University Press.

Llewellyn-Jones, Laura (2003), *Aphrodite's Tortoise: The Veiled Woman of Ancient Greece*, Swansea, The Classical Press of Wales.

McClure, Laura (1999), *Spoken Like a Woman: Speech and Gender in Athenian Drama*, Princeton, Princeton University Press.

Parker, Robert (2003), *Polytheism and Athenian Society*, Oxford, Oxford University Press.

Patterson, Cynthia (1981), *Pericles' Citizenship Law of 451-50 B.C.*, New York, Arno Press.

Pritchard, David (2003), "Athletics, Education and Participation in Classical Athens", David. J. Phillips, and David. M. Pritchard (eds.), *Sport and Festival in the Ancient Greek World*, Swansea, Classical Press of Wales.

Roisman, Joseph (2005), *The Rhetoric of Manhood: Masculinity in the Attic Orators*, Berkeley, University of California Press.

Schaps, David M. (1979), *Economic Rights of Women in Ancient Greece*, Edinburgh, Edinburgh University Press.

Shear Julia L. (2021), *Serving Athena: The Festival of the Panathenaia and the Construction of Athenian Identities*, Cambridge, Cambridge University Press.

Stears, Karen E. (1998), "Death Becomes Her: Gender and Athenian Death Ritual", S. Blundell, and M. Williamson (eds.), *The Sacred and the Feminine in Ancient Greece*, London, Routledge.

Vlassopoulos, Kostas (2007), "Free Spaces: Identity, Experience and Democracy in Classical Athens", *The Classical Quarterly*, n. s. 57-1.
Winkler, John J. (1990), *The Constraints of Desire: The Anthropology of Sex and Gender in Ancient Greece*, New York, Routledge.

アケメネス朝ペルシア帝国とギリシア人

阿部拓児

はじめに

前六世紀なかばのイラン高原に興ったアケメネス(ハカーマニシュ)朝ペルシアは、またたく間にメソポタミア、アナトリア(小アジア)、エジプトを支配下におさめ、前世紀に栄えたアッシリアを上回る領土を支配する広域国家へと急成長した。その後、前五世紀初頭までにはギリシア北部のトラキアおよびマケドニアをも勢力圏に含めると、アジア・アフリカ・ヨーロッパの三大陸にまたがる、史上初の世界帝国ともなった。その後ヨーロッパ領を喪失したものの、前三三〇年にマケドニア王アレクサンドロスのひきいる軍勢に滅ぼされるまで、二二〇年間にわたり超大国として西アジアに君臨した(阿部 二〇二一)。

ギリシア人たちの一部はこの大帝国の領土外から、また一部はまさに帝国臣民として、アケメネス朝の支配とむき合った。彼らギリシア人と帝国との関係は、以下のように整理できる(阿部 二〇二三)。

(1)帝国創建から前六世紀末まで――この間、アナトリア西岸に居住するギリシア人がアケメネス朝ペルシアに征服され、前五〇七年頃にはアテナイと帝国とのあいだで、最初の公的な接触が持たれた。

(2)前五世紀前半――ダレイオス(ダーラヤワウ)一世、クセルクセス(クシャヤールシャン)という二人のペルシア大王による対ギリシア侵攻と、その後のアテナイひきいるデロス同盟による反撃という、暴力の応酬の時代。前四四九年のカリアスの和約で、一応の決着を見た(ただし、カリアスの和約の史実性については異論がある)。

(3)前五世紀後半以降――帝国とギリシア諸都市との大規模な武力衝突が避けられる一方で、ペルシアはギリシア諸都市間戦争(ペロポネソス戦争とコリントス戦争)のパトロンとして、戦況を操った。それ以降も、帝国はギリシア諸都市にたいし、隠然たる影響力をおよぼしていった。

この間、ギリシア人がペルシア人・大王・帝国をどのように見ていたかについては、厚い研究蓄積があり、前世紀末までには重要な論点が出揃ったといえる。ひとつめは、「バルバロイの発明」(「バルバロイ」とは、ギリシア語を母語としない異民族全般を指す、ギリシア語の用語)である。ペルシア軍の武力侵攻を経験したのち、アテナイでは悲喜劇や弁論といった文学作品や壺絵などの工芸作品において、ペルシア人が頻繁に登場するようになった。しかも、これらのペルシア人は戦いに敗れ、贅沢におぼれ、さらには感情的で残忍、危険な存在という、ステレオタイプ化された姿で描写された。「バルバロイの発明」とは、このようなペルシア人の姿が、彼らの実態を表象したものではなく、ギリシア人がみずからを男性的で勇敢、質実剛健で理性的と定義するために、対比的に都合よく「発明された」ことを意味する(Hall 1989)。

もうひとつが「ペルシア趣味」の流行である。ギリシア人たちは、帝国によるギリシア侵攻以前から、ペルシアの影響を受けたさまざまな文物を用いた。たとえば、ペルシアでは王などの権力者が利用した日傘が、アテナイ女性のあいだで流行ったり、ペルシア式の酒碗をまねた陶器杯がギリシアで生産された。さらに、アテナイのアクロポリス南麓には、ギリシア侵攻時に戦場に捨て置かれたペルシア大王の野外幕舎を模したデザインの音楽堂が建設された(Miller 1997)。このようにギリシア人はペルシア人・大王・帝国にたいし、あからさまな蔑みとひそかな憧れが交錯する、複雑な感情を抱いていたのである。

本稿は、このギリシア人の視点をひっくり返すことを試みる。すなわちペルシア帝国、なかんずくその頂点に立つペルシア大王は、この世界をどのように認識し、そのなかにギリシアとギリシア人をどう位置付けたのであろうか。

一、帝国で活躍するギリシア人

前五四〇年代、アケメネス朝帝国はアナトリアを征服し、ギリシア人のうち同地のエーゲ海沿岸に住む者たちは、この時点から帝国臣民となった。むろん彼らには、帝国にたいして奉仕する義務が生じただろう。

ペルシア帝国の初代王であったキュロス(クル)二世は、おそらく前五四〇年代のリュディア王国征服から前五三九年の新バビロニア王国侵攻までの期間に、ペルシス(パールサ)地方に、新しい王都パサルガダイを建築した。石材の加工技術の分析から、このプロジェクトにはイオニア系ギリシア人職人が登用されたと推測されている。また、ペルシア王ダレイオスは、キュロスと同じくペルシスの地に、みずからの新しい王都ペルセポリスを建設した。ペルセポリス近郊の石切り場からは、「ピュタルコスのもの」というギリシア語の銘が見つかっており、またポカイア出身のテレパネスなる彫刻家が、ダレイオスとクセルクセスの建てた工房で仕事をしたとの証言もある(豊田 一九八一)。

王都のひとつであるスサ(スーシャ)からは、宮殿の建築工程について記した碑文が出土している(「ダーラヤワウ一世のスーシャー碑文f」)。それによれば、イオニア系のギリシア人が石工や木材の運搬者として従事し、また城壁を彩る塗料がイオニアからもたらされたという。ただし、この碑文では、イオニア系ギリシア人のみが突出した活躍を見せているわけではない。建材も人材も広く帝国中から徴用されており、碑文からはむしろ、帝国が良質な人とモノにあふれているとのメッセージが読み取れる。そして何よりも、そのような資源を自由に組み合わせられることが、ペルシア大王にのみ許された特権なのである。

そのほか、建築技師や医師としても、ギリシア人が帝国内で活躍していたことが知られている。くり返しになるが、ギリシア人の一部は帝国臣民だった以上、帝国に奉仕するのは当然の義務であったし、また帝国外のギリシア人であっても、みずからの能力が高く評価される機会を求めて、帝国に渡ったのだった。

ペロポネソス戦争が終結した前五世紀末以降になると、アケメネス朝帝国内におけるギリシア人傭兵の活動が目立つようになる。たとえば、前四〇一年に兄であるアルタクセルクセス(アルタクシャサ)二世の王位に挑戦した小キュロスは、自身がアナトリア西部に基盤をもっていたこともあり、ギリシア軍人を積極的に募集した。また、アレクサンドロスの東征に対抗しては、ロドス島出身の傭兵隊長メムノンが立ちはだかった。ただし、ペルシア帝国内でギリシア人傭兵の軍事的能力が飛びぬけて評価されていたかは、疑わしい。というのも、小キュロスの戦争にしても、対アレクサンドロス防衛戦にしても、ギリシア人傭兵を雇い入れた軍勢は敗退しており、結果論として見れば、ギリシア人は勝利に貢献できなかったことになる。ギリシア軍人そのものは有能であるにもかかわらず、雇用主であるペルシア人がその力を有効活用できなかったゆえに敗れ去ったのだ、というのが、ギリシア語文献史料におけるお決まりのパターンだった(Rop 2019)。

二、ペルシア大王の地理認識

「はじめに」でも述べたように、ギリシア人は一端では、ペルシア人を蔑んでいた。それでは反対に、ペルシア人はギリシア人を蔑んでいたのであろうか。ここで注目すべき記述が、ヘロドトスの『歴史』に見られる。

ペルシア人は自分自身につづいては、最も近い隣国の民族を一番尊重する。次は二番目に近いものというふう

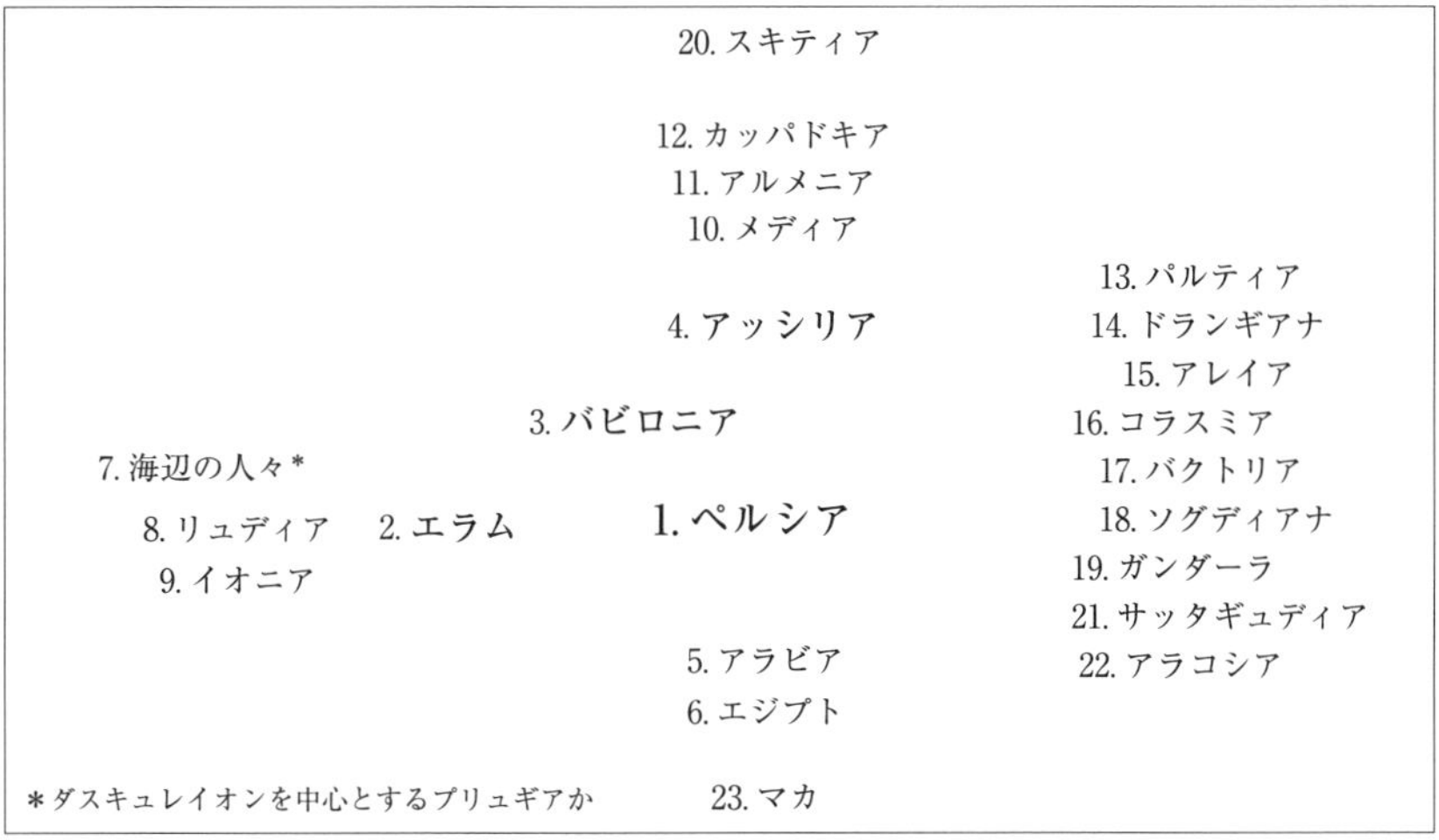

図1　碑文に見るペルシア大王の地理認識（出典：Lincoln 2012: 44, Fig. 3.1 を基に作成）

> に、距離に応じて評価を下げてゆくのである。それで自国から最も遠くに住む民族は最も軽んずるわけで、それは彼らが自分たちは世界中でいかなる点においても格段に最優秀の民族であり、他の民族は今いったように距離に応じてその持つ長所の度合が変ってゆき、自分たちから最も離れているものは最も劣等だと考えているからである。（ヘロドトス『歴史』一、一三四、松平千秋訳。以下同じ）

かようにヘロドトスによれば、ペルシア人はある種の華夷思想を持っており、中心＝ペルシアからどれだけ離れているかが、評価の基準になったという。なるほどヘロドトスはギリシア語で歴史を書いたが、彼の出身地ハリカルナッソスはアナトリア南西岸の都市で、ペルシア帝国領にあった。また史家自身も帝国内を旅行しており、彼の観察には単なる部外者の妄見として一蹴できない重みがある。あるいは史家自身が、中心から遠い民族ということで軽んじられた経験を持っていたのかもしれない。

　このヘロドトスの分析を傍証するような記述が、ダレイオスの作成した碑文に見いだせる。

> 王ダレイオスは告げる、余に帰属したこれらの邦々——

アウラマズダーの御意によって余はその王となった。

（「ダーラヤワウ一世のビーソトゥーン（大）碑文」六、伊藤義教訳、一部改変）

この一文につづいて、ペルシアを筆頭とする、ダレイオスの統治した二三の地域名が列挙される。図1はこれら地域の言及される順番と所在を、模式的に示したものである。この図からは、ペルシアが中心にあるのは当然として、エラム、バビロニア、アッシリアという近隣諸国が別格扱いされ、それ以外の諸国がそれぞれの方角ごとに、ペルシアに近い地域から遠い地域へと順に並べられていることがわかる。このような統治地域の一覧表は、ほかに数例見られるが、そこでもやはり同様の傾向が認められる(Lincoln 2012)。

ペルシア大王は、ペルシアの近隣地域（エラム、メディア、バビロニア）が渦巻き状・同心円状に、それ以遠の地域は放射線状に広がっていくという、中心－周縁の座標軸のなかで世界を認識していたようである。もしこれが正しいならば、先のヘロドトスの観察はかなり正確だったと評価できよう。それでは、ギリシア人は最果ての住民であったがゆえに、ペルシア大王にとってはどうでもいい存在となったのだろうか。しからば、帝国内で多くのギリシア人が活躍していた事実と、一見すると矛盾するのではなかろうか。

三、多様なる世界の統治者として

世界の中心からの遠近とともに、ペルシア大王にはもうひとつ、重要な世界観が見られた。それを読み解く鍵が、多様性である。

前四八〇年、ペルシア帝国の大軍がギリシアにむけて出征した。王にして指揮官であったクセルクセスは、アジアからヨーロッパに渡ったドリスコスの地で、全軍の観閲を思いつく。そのときの様子を、史家ヘロドトスはつぎのように記述する。

まずペルシア人部隊であるが、その身拵えはといえば、頭にはフェルト製の柔軟な帽子、いわゆるティアラを被り、身には色とりどりの袖附きの肌衣と魚鱗を思わせる鉄製の鎧を纏い、脚にはズボンを穿いていた。盾は普通の盾《アスピス》とは違い柳の枝で編んだ軽い盾《ゲラ》を携え、盾の下に箙を懸けていた。短槍をもち、弓は大型で矢の柄は蘆であった。その上右の腿に沿って短剣を帯に吊していた。（ヘロドトス『歴史』七、六一）

ヘロドトスはこのペルシア人の装備の描写につづけて、メディア人、エラム人、バビロニア人といった具合に、じつに六一もの民族の装備を詳細に列記していく。ヘロドトスのこの箇所は、大会戦に参加した軍勢を列挙する、ホメロス以来のギリシア文学の伝統（「カタロゴス」）を踏まえたものであろう。しかし一方で、外見の違いから民族の多様性を強調する視点は、ペルシア由来の資料からも確認される。それが、ペルセポリスのレリーフである。

図2 ヌビア人の行列（筆者撮影）

ダレイオスが新しく建設したペルセポリスの王都には、アパダーナと呼ばれる謁見殿があった。そのアパダーナの階段側面には、ペルシア大王に貢納物を運ぶ、帝国諸臣民の行列を主題とするレリーフが彫刻されている。大王にむかって整然と行列する諸臣民は総勢約一四〇人、二三の民族集団から成り、彼らが特徴的な服装、髪型、持ち物（装身具や伴う動物）などによって描き分けられている様は、さながら野外民族博物館のようだとも評される。

二三の民族集団のひとつに、ヌビア人がいる［図2］。ヌビアは現在のエジプト南部からスーダン北部、すなわちペルシア中央からはもっとも遠くにあった。ヌビア人は、縮れ髪や無髯、突き出た鼻の描写によって他の民族と区別されるのだが、それ以上に目を引くのが、ペルシア大王に献上するために彼らが引き連れている「背の低いキリン」である。この「背の低いキリン」が、実際に何の動物だったかについては、議論がある。本当は背の高い、一般的なキリンだが、限られたスペースに押し込められたために、デフォルメされた姿で描かれたとの見解がある一方で、この動物はジャイアントパンダ、コビトカバとならんで世界三大珍獣のひとつに数えられるオカピではないのかとの説も出されている(Llewellyn-Jones 2017)。オカピならなおさらだが、たとえこれがキリンだったとしても、きわめて珍妙な動物であることに変わりはない。世界の「最遠」の地から、奇妙な希少動物がペルシア大王のもとへと運ばれてくるのである。このアパダーナのレリーフは、人間もふくめた世界の動物が多様であり、しかしその多様性がペルシア大王のもとに集約されていく図として、読み解けよう。それはまさに、スサの造営碑文において、言葉で表現された世界観と同一のものであった。

この世界においては、動物のみが多様なわけではない。植物もまた多様であった。ペルシア帝国内の各地には、ギリシア語で「パラデイソス」と呼ばれる施設が作られていた。パラデイソスとは、英語の「パラダイス」(楽園)の語源となる言葉で、大規模な野外庭園を意味した。あるいは、植物園と呼んだほうがイメージしやすいかもしれない。ペルシア帝国内での従軍経験を持ち、パラデイソスのいくつかを実見したであろうクセノポンは、この施設の特徴を「四季のもたらすあらゆる種」(クセノポン『アナバシス』一、四、一〇)、「あらゆる樹木が茂った」(クセノポン『アナバシス』二、四、一四)区画であると記述する。そして、その場所を王(正確には、これから王位にのぼろうとするキュロス王子)が手ずから「測量し、整備した」という(クセノポン『家政論』四、二一)。

パラデイソスは意図的に外界から切り取られた、ある種の小世界だったとも理解できよう。その小世界は「あらゆる種」からなる多様性にあふれており、王みずからがそれを監督した。監督とはこの場合、本質は栽培に関わることなので、一方的な締め付けだけでは植物が枯れるばかりである。ときに厳しく(剪定や間引き)、ときに愛情をもって

（水やりや施肥）接しなければ、多様性に満ちた世界はたちまち枯死してしまうだろう。その態度は、一言でいえば、配慮だった。

以下はダレイオスが作成したペルシア語碑文であるが、そこでは地上世界の監督者として、厄介な人々に頭を悩ませつつ、配慮する王の姿が垣間見れる。

邦々は動乱して、（人はたがいに）一は他を打っていた。アウラマズダーの御意によって、余は、（人がたがいに）一は他を打たず、だれもがどのような地位にあっても、余の律法——それを恐れて、より強きものが弱きものを打たず挫かざるごとく、このようになしたのである。

（「ダーラヤワウ一世のスーシャー碑文e」三〇—四一、伊藤義教訳）

それにしても、たがいに一方が他方を打つ状況とは、まるでたえず覇権争いをくり広げていた、ギリシア諸都市の姿を言い当てているようではないか。

四、ペルシア大王の世界観におけるギリシア

地上世界の統治者たるペルシア大王は、多様性にあふれる世界を構成する各要素（人、動物、植物）にたいし配慮した。それと同時に、各要素のほうも王を支えていた。それが図示されるのが、ナクシェ・ロスタムの地にあるダレイオスの墓廟に刻まれたレリーフである。ここでは、レリーフの主役であるダレイオス王が火祭壇を前に、有翼円盤人物像と挨拶を交わす。そしてその下では、さまざまな衣装や身体的特徴によって描き分けられた三〇人の帝国臣民の代表者が、ダレイオスの立つ玉座形の地面を支えているのである。

同じような描写は、エジプトで作成されたダレイオスの立像彫刻からも確認される。この彫像の台座の側面には、

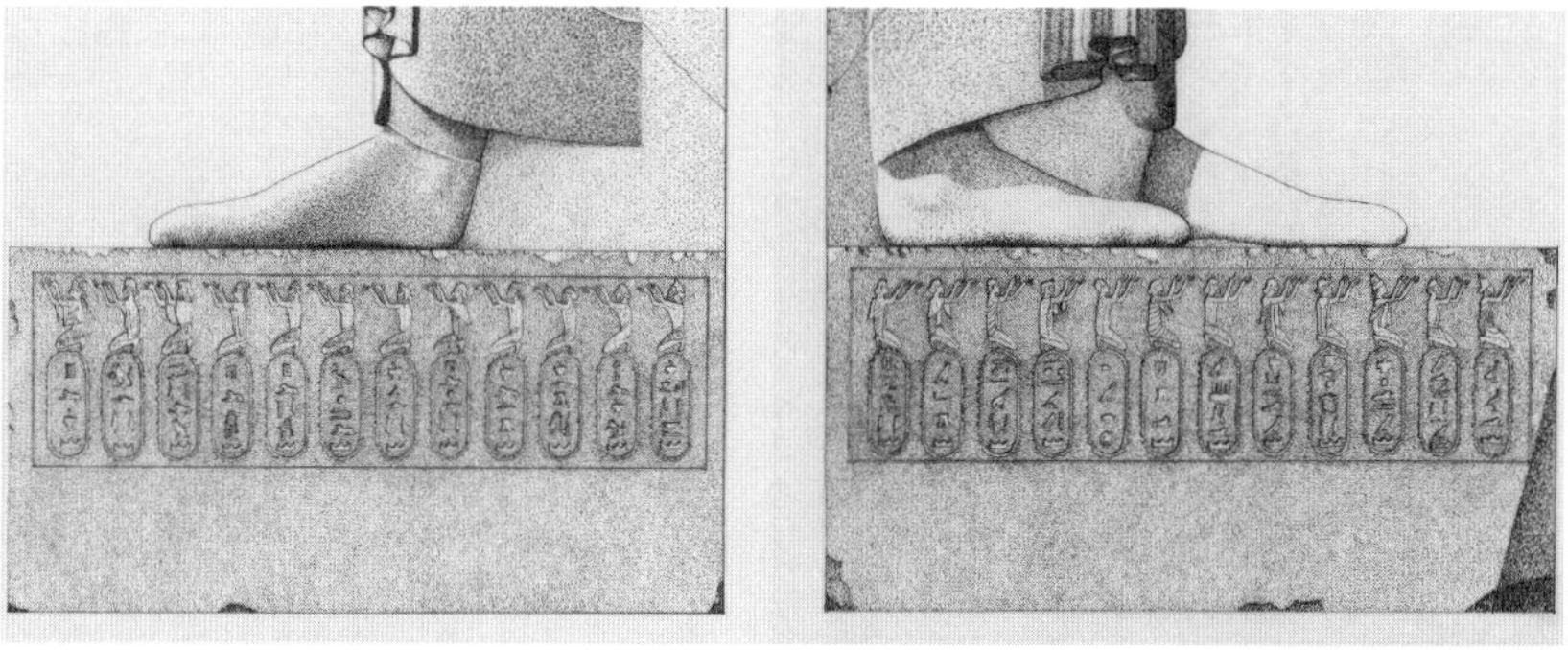

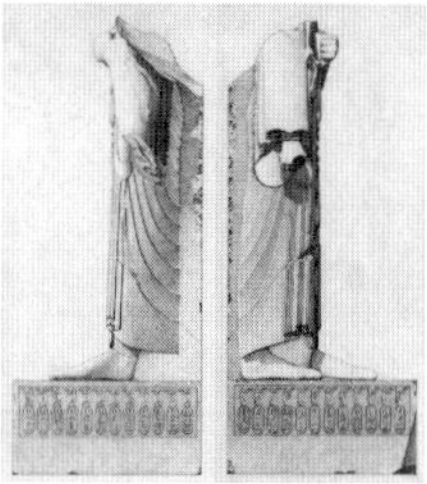

図3　ダレイオス立像彫刻側面(出典：Gonnet, H. (1974), *Cahiers de la délégation archéologique française en Iran*, 4)
上 台座の沈み彫り
右 立像全体

やはり衣装や身体的特徴によって描き分けられた二四人の帝国臣民が沈み彫りされている[**図3**]。彼らは正座し、手のひらを上に広げたまま、腕を顔の高さまで持ち上げ、何かを下支えするポーズを取っている。この場合の「何か」とは、台座の上に立つ彫像、すなわちダレイオスその人となろう(Roaf 1974)。このように大王と臣民らは、あくまで王の視点からではあるが、配慮する者とそれを支える者たちという互酬的な関係として認識されていた。

それでは、このペルシア大王の世界観のなかで、ギリシア本土の諸都市はどこに置かれていたのだろうか。アテナイやスパルタといったマケドニア以南のギリシア本土の諸都市は、前四八〇―前四七九年におこなわれたペルシア軍の侵攻を跳ねのけたことにより、帝国支配からの独立を維持できた。したがって、われわれの常識に照らせば、彼ら本土のギリシア人はペルシア帝国の臣民ではない。しかしながら筆者は、ペルシア大王の世界認識では、本土のギリシア人も一方的に、前記のような互酬性の網に搦めとられていたのではないかと推測している。それを暗示するのが、王の支配領域としてペルシア語碑文中に三たび登場する、

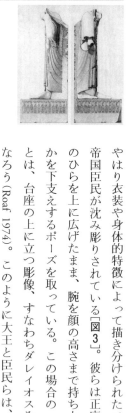

「海辺に住むギリシア人と海のむこうの彼ら」という文言である。
「海辺に住むギリシア人」とは、帝国領であったアナトリア西岸に住むイオニア人などのギリシア人を指すことは間違いなかろう。それでは「海のむこうの彼ら」とは、具体的に誰を指すのだろうか。この文言は、史実に即せば、トラキアやマケドニアなど、ペルシア帝国領に組み込まれていた一部のギリシア人のことを指すと理解できるかもしれない。しかし、王みずからの理念を説く碑文に、そのような厳密な解釈はそぐわないだろう。

先ほどのナクシェ・ロスタムのレリーフでは、ダレイオスの立つ地面を支える臣民にはていねいにも「これはペルシア人」、「これはメディア人」といったようなキャプションが付けられている。このキャプションは摩滅していて、ほとんど判読不可能なのだが、碑文のほうにこれと対応する文章があり、そのなかには「海のむこうのサカ族」や「クーシャ人」といった集団が登場し、彼らも帝国臣民としてダレイオスを下支えしていたことがわかる。ところが、この「海のむこうのサカ族」(黒海北岸のスキタイ人)や「クーシャ人」(ヌビア人)は、ヘロドトスの『歴史』では、ペルシア軍が遠征にむかい、しかし征服に失敗した民族と書かれている。それならば、ダレイオスの碑文かヘロドトスの歴史書か、いずれかの記述が誤っているのだろうか。筆者はそのように見なす必要はないと考えている。いずれもが正しいのである。

それはつまり、こういうことである。ヘロドトスの視点では、遠征にむかったペルシア軍はたしかに敗退し、同地を実効支配できなかった(ただしヌビアについては、支配に成功したという説もある(Morkot 1991))。したがって、これらの地はペルシア帝国の領土外に置かれ、独立を維持できた(これは現代のわれわれの「領土」にかんする理解に近かろう)。ところが、ペルシア大王の視点では、彼がそこに軍隊を送った(ペルシア帝国が関わった)からには、その地は多様な世界の構成要素と見なされる。そして、ペルシア大王が「すべての種」の監督者である以上、王はその地の人々にたいしても、ときに厳しくときにやさしく配慮してやる責任がある。そして、その配慮に応えるように、彼らもペルシア大王の統治を下支えしなければならないのである。

たしかにこれは、ペルシア大王の自分勝手な考えかもしれない。しかし、ギリシア(アテナイ)の場合は、あながちペルシア大王の一方的な押し付けとは言えないところもある。前五〇七年頃、当時スパルタとの敵対関係から、アテナイはペルシア帝国とはじめて公式の接触を持った。ヘロドトスはそのときの様子を、つぎのように記す。

〔アテナイの〕使節団がサルディスに着き命ぜられたとおりを伝えると、サルディスの総督であるヒュスタスペスの子アルタプレネスは、ペルシアに同盟を求めるとは、お前たちは一体どこの何者であるか、と訊ねた。使節らが答えると、彼は恐ろしく簡単な返事でけりをつけてしまった。すなわち、もしアテナイがダレイオス王に土と水を献ずるならば、自分はアテナイと同盟を結んでもよい、さもなくば、とっとと立ち去れといったのである。使節たちは同盟を成立させたい一心から、自分たちの責任においてペルシア側の条件を呑むと答えた。しかし彼らは帰国後、激しい非難を蒙ることになったのである。(ヘロドトス『歴史』五、七三)

ヘロドトスの書きぶりからは、はたしてこの同盟が成立したのか否か、あいまいとなっている。予備交渉ののち、使節がアテナイに持ち帰ったところで、同盟は不成立とあいなったとも読めよう(West 2011)。しかし、そんなことはペルシア大王の知ったところではない。アテナイがみずからペルシア大王を頼ってきた以上、その時点ですでにアテナイは、ペルシア大王の監督する多様な世界の一員となったのである(Waters 2016)。

おわりに

ここまで、ペルシア大王の世界観にかんする重要な論点を整理してきた。ペルシア大王は、ペルシアを中心とした遠近の地理的な広がりと華夷思想で世界をとらえていた。しかし、それと同時に王は、この世界が多様性にあふれていることも承知しており、みずからがその監督者なのだとも自負していた。以上のような世界観のなかでは、たしかにギリシア人は最遠の地に住む、ペルシア大王にとって蔑むべき存在だったかもしれない。しかしそれと同時に、少なくともアテナイ人は前六世紀末には地上世界の構成員に進んで加わっていたし、とりわけクセルクセスのいとこであるマルドニオスに帰される発言によれば、ヨーロッパは「あらゆる種類の栽培樹」(ヘロドトス『歴史』七、五)を産する、多様性の宝庫でもあった。したがって、ペルシア大王はギリシアの地と住人に配慮してやらなければならないし、ギリシア人も当然それに応えることを期待されたのである。

本稿冒頭で整理したように、ペルシア帝国の対ギリシア政策は、前五世紀前半の暴力的な支配の試みから、前四世紀の間接的な操縦へと、大きくシフトしていった。これは一見すると、ペルシア大王の対ギリシア政策が変化したように映るかもしれない。しかし筆者は、おそらくこの間ペルシア大王の軸がぶれることはなかったと考えている。そこで以下に、両時代を特徴づける記述を、ギリシア語文献史料から引用しよう。

「わしはヘレスポントスに架橋し、ヨーロッパを貫いて兵を進め、ギリシアを討つ所存でいる。その目的はアテナイ人どもに、彼らがペルシア国ならびにわが父に対して働いた数々の悪業の報いを思い知らしめるためである。(中略)わしは父王はじめペルシア国民に代り、わしならびに父王に対し数々の不正の行為をしかけてきたアテナイを占領し焼き払うまでは、断じて後へ引かぬつもりである」(ヘロドトス『歴史』七、八β)

これは、対ギリシア遠征を前になされた、クセルクセスのものとされる発言である。ここでは、ギリシアを暴力的に圧倒してやろうという意気込みが感じられる。つぎに紹介するのは、コリントス戦争の講和条約として締結された、「大王の和約」(前三八七年)の条文である。

「アルタクセルクセス王は以下を正当なることと認める——アジアの諸ポリス、および島嶼の中ではクラゾメナイとキュプロスが余に帰属し、他のギリシア人ポリスは大小を問わず、独立したものとするが、レムノス、インブロス、スキュロスを除く。これら島嶼は、昔日のごとく、アテナイ人のものとする。いずれの陣営であれ、この和平案を受け入れないものに対しては、余は、これを受諾する者たちと共に、海でも陸でも、また艦船と軍資金をもって、戦を開くつもりである」(クセノポン『ギリシア史』五、一、三一、根本英世訳)

コリントス戦争とは、ペロポネソス戦争に引き続いて起きた、スパルタと反スパルタ諸国間の、いわばギリシア諸都市の内輪もめであった。それにもかかわらず、講和条約はペルシア大王アルタクセルクセス二世の名のもとに締結された。そして、最終手段として暴力が用意されながらも、ペルシア大王はあくまで紛争の調停者として振る舞っているのだ。しかしそれは、アルタクセルクセス二世の高祖父にあたるダレイオス一世が、スサ碑文で高らかに宣言した行動指針――みなに王の法を遵守させ、強者が弱者を挫くのを防ぐ――と、見事に一致するのだった。

このようにペルシア大王は、ときに厳しく(暴力による征服)、ときにやさしく(紛争の調停)、それでいて一貫した配慮をギリシア人に見せていたのである。それは、この多様性に満ちた世界の監督者としての自負と責任にもとづく行動であった。むろん、配慮をかけられた側が、それをどう受け取ったかは、まったくの別問題なのだが。

参考文献

阿部拓児(二〇二一)『アケメネス朝ペルシア――史上初の世界帝国』中公新書。

阿部拓児(二〇二二)「アケメネス朝ペルシア――世界帝国とギリシア諸都市」長谷川岳男編著『はじめて学ぶ西洋古代史』ミネルヴァ書房。

伊藤義教(一九七四)『古代ペルシア――碑文と文学』岩波書店。

クセノポン(一九九八―九九)『ギリシア史』一・二、根本英世訳、京都大学学術出版会。

豊田和二(一九八一)「ペルシア王宮造営と東方ギリシア人――資料からみたギリシア人職人の存在とその状況」『西洋史学』一二一号。

ヘロドトス（一九七一－七二）『歴史』上・中・下、松平千秋訳、岩波書店。

Hall, E. (1989), *Inventing the Barbarian: Greek Self-Definition through Tragedy*, Oxford, Clarendon Press.

Lincoln, B. (2012), *"Happiness for Mankind": Achaemenian Religion and the Imperial Project*, Leuven, Peeters.

Llewellyn-Jones, L. (2017), "Keeping and Displaying Royal Tribute Animals in Ancient Persia and the Near East", T. Fögen, and E. Thomas (eds.), *Interactions between Animals and Humans in Graeco-Roman Antiquity*, Berlin, De Gruyter.

Miller, M. C. (1997), *Athens and Persia in the Fifth Century BC: A Study in Cultural Receptivity*, Cambridge, Cambridge University Press.

Morkot, R. (1991), "Nubia and Achaemenid Persia: Sources and Problems", H. Sancisi-Weerdenburg, and A. Kuhrt (eds.), *Asia Minor and Egypt: Old Cultures in a New Empire*, Leiden, Nederlands Instituut voor het Nabije Oosten.

Roaf, M. (1974), "The Subject Peoples on the Base of the Statue of Darius", *Cahiers de la Délégation archéologique française en Iran*, 4.

Rop, J. (2019), *Greek Military Service in the Ancient Near East, 401–330 BCE*, Cambridge, Cambridge University Press.

Waters, M. (2016), "Xerxes and the Oathbreakers: Empire and Rebellion on the Northwestern Front", J. J. Collins, and J. G. Manning (eds.), *Revolt and Resistance in the Ancient Classical World and the Near East: In the Crucible of Empire*, Leiden, Brill.

West, S. (2011), "A Diplomatic Fiasco: The First Athenian Embassy to Sardis (Hdt. 5. 73)", *Rheinisches Museum für Philologie*, 154.

焦点 | *Focus*

ヘレニズム時代のポリス世界

長谷川岳男

一、ポリス衰退の時代？

大国の世界

ギリシア世界、西アジア、エジプトは前四世紀後半以降、大きく変化することになる。ギリシア北部のマケドニアが王ピリッポス二世のもと台頭し、前三三八年のカイロネイアの戦いに勝利してギリシア世界で覇権を握ると、その子アレクサンドロス三世(大王)は東方遠征を行ってアケメネス(ハカーマニシュ)朝を滅ぼし、エジプトも含むその領土を征服した。彼の死後からローマが前一世紀後半に東地中海圏を完全に掌握するまで、アレクサンドロスの遺将が建てた王国を中心とする、ある種の一体化した世界が展開したと見なされ、この時代はヘレニズム時代と一般的に呼ばれている。

この世界において、西アジア、エジプトもマケドニア人・ギリシア人を王や支配者層に戴く地域となり、旧来の伝統を維持しながらも、その支配体制に組み込まれることとなった。そこで非マケドニア人・非ギリシア人もマケドニア型の王国体制を取り、またポリスを模した都市が数多く建てられ、古典期に比べポリスの数は急増する。しかしマケドニアの台頭以降のポリス世界は衰退の時代であるとの認識がかつては強かった(橋場 二〇〇九)。なぜならこの新たな世界ではそれらの王国、さらに前二世紀に入るとローマが本格的に参入して大国がしのぎを削ったため、アテナイやスパルタなど、それまで東地中海世界で中心的な存在であったポリスは後景に退くことになり、一方でこの時代のギリシア人は、マケドニアが覇権を掌握したことによりその自由と自治を維持できなくなり、国としての主体性を失い、大国の狭間で翻弄されるだけの受け身的な存在と見なされたからであった。

衰退認識の転換

ヘロドトス、トゥキュディデスなど、豊富な同時代史料を有する古典期に比べ、この時期の歴史叙述はその一部が現存するポリュビオスを除けば、まとまった叙述は散逸しており、ヘレニズム時代のギリシア人の動向を見えにくくしていた。しかし古典期の叙述はアテナイ人かアテナイで活動した人物によるものが多くを占めるため、これらの叙述が明らかにするのはアテナイから見た世界にすぎないと指摘され、ポリス世界をアテナイを典型として捉えることに疑義が呈されるようになった(Brock & Hodkinson 2000)。

この時代は地域差はあるものの、ギリシア本土、島嶼部、そして小アジアや黒海沿岸、西アジアから前四世紀以降のものとされる碑文が大量に現存し、エジプトでは多くのパピルス文書が出土している。碑文には法、条約や和戦などの外交、顕彰、財政などを含むポリスなどによる公的決議、宗教祭事、あるいは墓碑や遺言などの個人的な遺志が刻文され、一方でパピルス文書は日常的な業務や生活の細部の記録が中心であり、多様な情報が伝えられている。そのため、これらの史料により叙述史料ではほとんど知られることがない、中小ポリスの実態にある程度迫れるようになり、複眼的な視点からポリス世界の再評価を可能にするものとして、改めて多くの注目を集めている。

さらに政治史の分野においても、「自由と自治」を前提とする近代以降の主権国家的な枠組みでポリスを見なすことは、ギリシア世界を誤認するとの指摘がなされた(Hansen 1995)。なぜなら古典期ですら、完全に独立して自主的な活動が可能であったのはアテナイやスパルタ、テバイなどの一部のポリスに限られ、大半のポリスはこれらのポリスやアケメネス朝の動向に左右されており、カイロネイアの戦いでマケドニアが覇権を握っても、対外状況に大きな変化はなかったからである。それゆえ従来の政治史的視点からの衰退の時代という認識は否定される傾向にある(Giovannini 1993; Gruen 1993; Börm & Luraghi 2018)。このような認識の転換のなか、「自律性」という視点からポリスを見ることがヘレニズム世界における現実を探るうえで有効だと思えるので、次に自律性をキーワードにしてポリスの動向を考えてみたい。

二、ポリスの自律性

エラテイアの災難

この時代の一般的なポリスの現実を理解するために、ギリシア中部ポキス地方のエラテイアを取り上げたい。このポリスに関して前一八九年のものとされる碑文が、ペロポネソス半島のアルカディア地方北東部のステュンパロスより出土しており、その内容が当時のポリスの現実を白日に晒しているため、その文言を手がかりに見ていこう。

……(血縁関係 syngeneia)に相応しい(博愛と/博愛の)熱意(の/を)……〔ステュンパロス人たちはエラティア人〕各々を、能う限りの(施し/博愛)をもって自分の家に迎え入れ、国庫からとても長きにわたり、すべての〔エラティアの〕人々に穀物を与え、(必要なものは)何であれ、〔彼らと〕すべてを(分け合い)、〔彼らを〕同じ(市民である)と見なして、神事と犠牲をともに行った。さらに自らの土地を分けて、エラテイア人たちに、一〇(年間、すべての税を免除して)与えた。〔中略〕(その後、)再び何年か後に、ローマの(軍隊が)ギリシアに駐留して、マニオス〔Manius Acilius

Glabrio〕がエラテイアの領域を〔獲得した〕時に、ステュンパロス人たちは、マニオスのもとへエラテイア人たちの〔故地への〕帰還について使節を送る〔ように〔依頼するために〕、アカイア人たちに〕代表を派遣した。〔アカイア人が〕使節としてディオパネスとアタノクレスを〔マニオスのもとへ〕派遣すると、マニオスはエラテイア人たちにその市部と領域、そして奴隷〔／法〕が戻されるべきであると認め、〔後略〕。そして故地に〔帰還した〕後、エラテイア人たちの間で居住地の再建に関して問題が発生して、〔その件について〕ステュンパロス人たちに〔使節を〕〔派遣すると、〕ステュンパロス人たちは高貴で良き者である……とイサゴラスの子、エウレモンとテアリダスを派遣した。〔そして〕エラテイアに到着した者たちは〔市域の〕縮小された城壁の位置に〔関して〕正しく公正に〔判断を〕下した。まさに我々のポリスがステュンパロス人たちからの博愛を覚えていて、〔善行をなした彼らに感謝を〕返すことを明らかにするために、エラテイア人たちは以下のごとく決議した。〔中略〕そしてステュンパロス人たちは〔エラテイア〕において〔身体の安全／免税、アシュリア〕、そして評議会と民会でその事前の神事のあと最初に入場することが認められるべし。(1)〔後略〕(『ヘレニズム期の歴史的碑文』五五、『ギリシアポリスの訴訟法碑文――アルカディア』一八)

この内容を順に分析しながら、当時のポリス世界の現実を考えてみたい。まずエラテイア人がなぜ難民となりステュンパロスにいたのであろうか。リウィウスの伝えるところによれば、エラテイアはマケドニアのピリッポス五世と同盟関係にあり、第二次マケドニア戦争の時にローマ軍に抵抗したが、最終的に占領された(『ローマ建国以来の歴史』三二、二四)。リウィウスは、ローマ軍の司令官であったフラミニヌスがエラテイア人に自由を約束したと述べるが、この碑文が示すように実際には退去させられたらしい。

このエラテイアの運命は、ヘレニズム時代のポリスが大国の狭間で厳しい状況にあったことを如実に示している。古典期とは異なる、ポリスの力をはるかに超える勢力がいくつも周囲に存在したことは、この時代のポリス世界を考えるうえで重要である。しかし現在ではただ受け身であったわけではなく、彼らなりにさまざまな対応を試み、したたかに主体的に活動して、その活力が失われていなかったと考えられるようになった。そのことを示す現象として、この碑文の冒頭にある「(血縁関係)に相応しい」という文言で表されるものがある。(2)

血縁関係(syngeneia)

血縁に基づくポリス間の関係は、ヘレニズム時代の碑文で多く言及される。これは母市と植民市という関係に基づいたものだけではなく、そのポリスや王家の縁起話で始祖に遡る神々、半神たちの系譜における親戚関係に基づくものも多いことが特徴である。その代表的な事例が前二世紀初頭のランプサコスの動きであろう。当時、アンティオコス三世の進出で困難な状況にあったこのポリスは、第二次マケドニア戦争に勝利してエーゲ海に活動範囲を広げたローマに助力を求めた。その理由として、ローマ人は縁起話でトロイア戦争におけるトロイアのアイネイアス(ラテン語ではアエネアス)を自分たちの祖先としており、一方でランプサコスがトロイアの地に位置するため、祖先でつながっていることをあげた。そしてこのポリスがローマの元老院に派遣した使節は、当時ローマと親密な関係にあったマッサリアに立ち寄り、ポカイアを同じ母市とするため互いが姉妹であるとして、口添えを頼んだ(Austin 2006: 355-357, no. 197)。

エラテイアの縁起話では、アルカディアの名祖アルカスの子エラトスを始祖としており、その子がステュンパロスの始祖ステュンパロスであった(パウサニアス『ギリシア案内記』八、四、四)。この神話上の親子関係からステュンパロス人が難民と化したエラテイア人を受け入れ、碑文で言及される厚遇を一〇年にわたって行ったことは注目に値する。この時代にポリスが血縁関係を根拠にローマのような大国を利用したり、ギリシア人に助けを求めたりして自律的な活動をしている事例は、碑文を筆頭に多く知られている(Curry 1995)。これはポリスが大国に対して不安定な立場にあったからこそ、危機を乗り切るためにネットワークの構築に励んだことを示すものである。

連邦

ポリスが模索する違う形のネットワークもこの碑文で言及されている。ここでアイトリア連邦とセレウコス朝のアンティオコス三世との戦争で再びエラテイアを占領したローマ軍の司令官(マニオス)に対して、ステュンパロス人がアカイア人を通じてエラテイア人の帰還を実現したことが明らかにされる。このアカイア人とはアカイア連邦を指しており、当時、ステュンパロスはその構成メンバーであった。

「連邦」もヘレニズム時代に盛んに史料に現れる。かつてのデロス同盟やペロポネソス同盟のように、アテナイやスパルタのような支配的なポリスは存在せず、多くの場合、連邦独自の役人、民会、評議会を有した(Beck & Funke 2015; 岸本 二〇二一)。この動きはギリシア人が大国に対抗するために、ポリスの枠を超えて外交や軍事などで協同することをめざしたと考えられ、ステュンパロスの行動もそのことを示すものである。

ペロポネソス半島北部のアカイア連邦やコリントス湾を挟んだ対岸のアイトリア連邦は、本来の領域を越えて多くのポリスが加盟して大国に対抗した。広くこの体制が採用されていたことは、前二二四年にマケドニア王アンティゴノス三世(ドソン)を盟主に、ギリシア本土の多くのギリシア人により結成されたヘラス連盟の構成からも明らかである。すなわち、ピリッポス二世がカイロネイアの戦いの後に結成したコリントス同盟がポリス単位であったのに対し、当時勢力のあったスパルタやアイトリア連邦に対抗するために結成されたこの連盟は、連邦単位であった(『古代世界における条約史料集』三、五〇七)。

ポリスが軍事や外交など、近代の主権国家として必要な要件を連邦に委譲したとして、かつてはポリスの衰退の徴として見なされることもあった。しかし他の史料よりステュンパロスがアカイア連邦と並行して独自に外交を展開していることが知られる(Rigsby 1996: 217-222, nos. 88-89)。同じくアカイア連邦の構成ポリスであるデュメも、アイトリア連邦との戦争の際、アカイア連邦軍が同ポリスの防衛に積極的ではないため連邦への供出金の支払いを停止し、近隣のポリスとともにその資金で軍を整備して対抗した(ポリュビオス『歴史』四、六〇、四─六)。これらの事例は外交や軍事の面で一定の自律性をポリスが維持していたことを明らかにする。ステュンパロスも連邦に働きかけて巧みに目的を果たしており、ここでもポリスの自律的な動きを見ることができる。

外国人判事と国際調停

さらにエラテイア人は帰還を果たしたが、その後再建をめぐって市民間に諍いが起こり、再びステュンパロスを頼って解決したことを碑文は知らせる。これが次に注目すべき、ヘレニズム時代に多くの記録を残すネットワークとなる。この時代にポリス内で解決できない係争を外から判事を招いて裁定する事例が、二〇〇以上の碑文から知られている(Magnetto 2015)。この現象もかつてはポリスが自身のことを解決できなくなったとして、その活力喪失の証拠として見なされる傾向があった。しかしヘレニズム時代にはポリス間のネットワークが進展して、相互に影響を与えた結果、多くのポリスが同質の世界観や行動原理を共有するようになったと近年では捉えられている。そのため利害関係がなく同じ価値観を持つ第三者の介入は、市民間の対立を激化させないためにも有効な手段となったので、ポリスが積極的に利用したと肯定的に捉えられている(Ma 2003)。

このように対立を力による解決ではなく第三者の仲裁、もしくは裁定に委ねる行為が、ポリス内だけではなくポリス間でも行われたことも、一五〇以上の碑文から知られるこの時代の特徴となる(Ager 1996; Magnetto 1997)。国際調停はギリシア世界では古くから知られているが、その事例が急増するのは前四世紀後半以降であり、ローマの属州となり裁定の役目をローマ人が担うまで盛んになされた。

王やその代理人、あるいは連邦などが自ら主導して裁定する場合もあったが、多くは当事者に利害関係のないポリスに委ねられた。例えば前三世紀半ばにアカイア連邦は、その構成ポリスであるエピダウロスとコリントスの境界をめぐる裁定を、同じく構成ポリスであるメガラに委ねている(Ager 1996: 113-117, no. 38)。一方で前二〇〇年頃、エピダウロスとやはりアカイア連邦のメンバーであったヘルミオネは、合意のもとロドスとミレトスの判事団に裁定を依頼しており、連邦などを通さない例もあるが(Ager 1996: 170-173, no. 63)、いずれにせよポリスが主体的に対外的なネットワークを利用して、平和裡に対外的な問題を解決しようとしていたことを見て取れる。そして多くが境界紛争の裁定であり、ヘレニズム時代においてもポリスが自律的に自らの領土を主張していたことも明らかにするのである。

アシュリア(asylia)

この碑文で対外関係におけるポリスの行動で注目すべき最後の文言は、ステュンパロス人たちに特権として付与された「アシュリア」である。あるポリスの市民が他のポリスで何らかの被害に遭った場合、その市民の属するポリスは被害を与えたポリスの市民全員に対して、復讐としての略奪が許される慣行があった(シュレ syle)。その略奪対象からの免除がこの場合のアシュリアであるが、ヘレニズム時代には、被害の有無にかかわらず海賊、略奪の対象から除かれる権利を指す言葉としても用いられた。海賊行為を公認していたアイトリア連邦はこの特権を与えることで多くのポリスと関係を結び、勢力を増大させた。

さらにポリスが自らのアシュリアを求める例が数多く見られるようになる(Rigsby 1996)。有名なのが小アジアのマイアンドロス河畔のマグネシアである。このポリスでは前三世紀後半、「白い眉」のアルテミスが示現し、その現象の意味についてデルポイのアポロン神にうかがったところ、ポリス全体が「神聖にして不可侵」であるとの託宣を受け、それを伝えるため、各地に使節を派遣した。その際にこの託宣を記念してデルポイのピュティア祭に匹敵するアルテミスを祀る競技会を創始することも伝えた。これらの使節が各地で受け取った承認の書簡の内容は市壁に刻文され、その約三分の二が現存している。承認はアンティオコス三世やプトレマイオス四世などの王から、アカイア連邦やアイトリア連邦、そしてポリスでは西はシュラクサイ(シラクサ)、東はペルシスのアンティオケイア(アンティオキア)に及び、その数は少なくとも一〇〇以上に及ぶ(Rigsby 1996: 185-279, nos. 66-131)。

この後、アシュリアの宣言にもかかわらずマグネシアは攻撃されたし、自らも戦争を行っているので、この宣言は実効性を狙ってというよりは、自分のポリスの神聖性の高さを広く世界に向けてアピールするためのものであったと考えるのが妥当である。ヘレニズム時代にはこのような宣言が他の多くのポリスによってなされており、中小のポリスも古典期に比べて自分たちを取り巻く世界を強く意識して、自分たちの存在をアピールしたと捉えることができる。さらに他のポリスでも競技会が新設された事例は多く(Giovannini 1993)、この動きも同じくギリシア世界に自分たちを広く知らしめる意識を背景にしたものであろう。

グローバル化する世界

このように世界のなかに自分たちを位置づけたいという意識は、「ポリス史」と呼ばれるものが多くのポリスで作成されるようになったことからもうかがえる(Thomas 2019)。これは前四世紀後半以降にポリス世界で盛んに書かれた「普遍史」を意識したものである。なぜならそこでポリスが大きな世界の動きのなかに自らの来歴を関連づける意図を見ることができるからである。

これは血縁関係の構築とも密接に連動している。非ギリシア人であったペルガモンやクサントスなどはギリシアの神々からの系譜で自分たちの来歴を示しており(Curry 1995: 86-87, no. 41; 183-191, no. 75)、彼らに限らずヘレニズム世界の非ギリシア人のあいだでこのような行為が広く知られる。そして血縁関係の構築のみならず、多くの非ギリシア人がポリス的な形態を持ち、ギリシア的な行動様式、価値観を共有する動きは、表面上とはいえこの時代に広がりを見せた。すなわち、これまで指摘したヘレニズム時代の特徴であるネットワークの広がりは、ある意味でこの世界のグローバル化を示すものであり、グローバル化は形を変えながらもローマ帝国下で促進されることになる(長谷川二〇一八)。

これまで説明したようにヘレニズム時代のポリスは、ある時期までは主体的に対外的なネットワークを盛んに構築して不安定な時代に対応するとともに、自分の存在を積極的に広くアピールしており、その自律性は維持されたと言える。ではこのような自律的な行動を取ったポリス内部の状況はいかなるものであったのであろうか。次はそこに注目したい。

三、ポリス内部の変化

民主政(デモクラティア)の実態

エラテイアの碑文ではステュンパロス人に、「評議会と民会でその事前の神事のあと最初に入場することが認められるべし」という特権の付与を民会で決議したことが述べられている。復活したエラテイアでは民会と評議会が開催されており、そこへの最初の入場者であることを特権としていることから、これらの議会が市民にとって重要であったことを知らせる。

ヘレニズム時代においても民会が様々な事案を決定していることを碑文は明らかにしており、民会決議に関する詳細な研究や(Rhodes with Lewis 1997)、また二一世紀初頭に陸続と出されたこの時代の民主政の研究が示すように(Dmitriev 2005; Grieb 2008; Carlsson 2010)、制度としての民会の重要性が維持されたことは否定できないであろう。

さらに碑文で民主政を意味するデモクラティアは、アウトノミア(自治)、エレウテリア(自由)とともに頻出しており、ポリュビオスもアカイア連邦の民主政的な性格に高い評価を与えていることから(『歴史』二、三八、六)、民主政がヘレニズム時代においても重要な価値概念であったと言える。

しかし現実としてポリスは少数の有力者により運営されていて、民主政という語は見せかけにすぎないという批判もある。従来の認識において、ヘレニズム時代のポリスに対する否定的な認識の一つが民主政の形骸化であった。ところが民会出席者の数が判明するものでは一〇〇〇を上回るものも少なくなく、また国際調停の陪審員の数も一〇〇以上、なかには六〇〇に及ぶものも知られていることから(Gruen 1993)、一定数の市民がポリスの運営に関わったことを認める必要がある。ただし民会決議で多くを占めるのがエラテイアのもののような顕彰であった。次にその理由からヘレニズム時代のポリスの内実を探ってみよう。

顕彰行為

ポリスが危機の際の援助や建造物の費用、そして穀物などの寄付に対して、王のようなポリス外の人物を民会決議で顕彰し、その善行の記憶を永久化し、特権などを付与することはヘレニズム時代以前から知られる。しかしこの時代には市民の顕彰の増加が指摘されており(Gauthier 1985)、ここに社会の変化を見る手がかりがある。

前二八三/二年、アテナイの民会で市民のピリッピデスが顕彰された。彼はアレクサンドロス大王の遺将の一人であり、当時王を名のっていたリュシマコスと親交があり、彼から穀物などの援助を得たり、捕虜となったアテナイ市民の解放を実現するなど、この王とアテナイが良好な関係を築くのに尽くし、一方で個人としてもポリスに貢献したことがその理由であった。そしてピリッピデスとその家族に様々な特権を付与し、彼の彫像を建立した(Austin 2006: 112-114, no. 54)。当時、アテナイはデメトリオスの支配を脱して自治を取り戻したところであったが、その維持のためには他の王などからの保護が不可欠であり、その仲介をできる市民がいかに重要であったかを、この顕彰は示している。

このように王との関係を有利な形で活かす人物の事例は、他にも多くの碑文が教えてくれる。ミレトスではリュシマコス、セレウコス、プトレマイオス関連の顕彰が知られ(Strootman 2020)、それに関与したのは王とつながりのある有力市民であった。そしてこれら事例からヘレニズム時代のポリスには、大国の狭間で自律的な活動をする余地があったことが示唆される。

多極化の世界

近年、ヘレニズム世界は国際関係論的にはリアリズムに基づいた弱肉強食の世界であったと見なされ(Eckstein 2006)、この世界を勝ち抜くために王たちは手足となる有能なスタッフを抱え、軍隊を充実させることで常に強大な国力を維持する必要に迫られていたとの認識が強くなった(Austin 1986)。そしてスタッフや兵士たちを支配地の原住民ではなく、マケドニア人やギリシア人に依存する王権構造があったため、有能な人材を集めるためにギリシア人に対して一方的・強圧的な態度で臨むことが難しかったと考えられている。特に諸王国の勢力がぶつかり合う地域では、その地域のポリスを自分の陣営に入れるために軍事的に制圧するという手段は、相手が中小ポリスであっても抵抗されると多大な労力を要するので、可能な限り友好関係を確保することに腐心した。

ポリスは逆にこのような状況を利用した(Ma 2002)。王たちに友好関係を築こうと思わせるためにも抵抗しうる一定の軍事力が必要であり、この時代でも市民による兵力の維持に努めたことは、エペベイアという軍事訓練を主体とする成人になるための教育制度が多くのポリスで実施され、その施設としてギュムナシオンの整備も広く知られることからも明らかである。これらの制度では軍事訓練のみならず一般の教育もなされたが、ポリスにとって軍事が重要案件であったことは古典期と変わらなかったのである(Ma 2000)。

また王の側近で王国運営に不可欠であった幕友(ピロイ)と呼ばれる人々は、多様な地域出身のギリシア人であり、彼らに自国市民が含まれるポリスも多かった。王たちはこれらの人物を介して彼らが属するポリスを自分の陣営に引き寄せようとしたし、逆にポリスは彼らを活用して王から利益を引き出そうとしたのである。前述したピリッピデスやミレトスの事例はそのことを明らかにしている(Strootman 2020)。それゆえポリスの存亡にとって個人の力が重要性を帯びるようになり、それは王権との関わりに留まらなかった。前三世紀以降、ポリスのために自分の財産を投じて経済的に貢献した市民への顕彰がそれを伝える。

エヴェルジェティスム

古典期までの市民間の平等を重視する社会において富裕者のポリスへの施与行為は、「レイトゥルギア」(公共奉仕)と呼ばれるポリスから課される義務であり、顕彰の対象ではなかった。しかし次第に富裕な市民はその財力から自発的にポリスに貢献を行うようになり、それを通じてポリス内の指導的な地位を確保する慣行を、ヴェーヌはエヴェルジェティスム(evergétisme)という造語で表し、形を変えつつローマ帝政期まで続く特徴であるとした。そしてローマ皇帝による「パンとサーカス」と呼ばれる施与行為の起源をここに見るのである。

すなわち富裕者が施与行為により指導的な立場を盤石なものとするような変化が、ヘレニズム時代に生じたのである。古典期には平等を重視し、富の誇示は好ましくないとされたので、この時期に富の使用を顕彰するのは、市民たちが経済格差を常態と見なすようになったと言えるだろう。ヘレニズム時代はアレクサンドロスの征服により西アジア、エジプトの莫大な富が地中海世界に流入した結果、王を筆頭に前時代とは比較にならない富を得る者が出現し、それを利用してポリス内で指導的な地位を確立するようになったと見なすことができる。そしてポリスの政治や司法、そして経済活動の中心となる公共広場であるアゴラは、有力者とその家族の彫像で埋め尽くされていった(Ma 2013)。

しかし一方で、市民間で貧富の差が拡大したことにより社会不安が生じ、それを伝える史料は枚挙に暇がない。前三世紀後半のスパルタでは一定の資産を有する市民は一〇〇名まで減少し、その後に大がかりな社会改革がなされたというエピソードはその代表的な事例であろう(長谷川 一九九一)。さらに地表踏査による考古学的な成果によれば、ギリシア本土の郊外が寂れるのは前三世紀後半からであり(Alcock 1993)、大半が農民であった一般市民の没落が示唆される。

富裕者たちはそのような不満を抑えるためにも施与行為が必要であったが、多くの碑文から遅くとも前二世紀半ばまでは、顕彰を認める主導権は市民団にあったことが示されており、その意味では民主政的な要素が残っていた。しかしそれ以降、指導者層は固定される傾向が強くなり、民会の動議も一部の市民以外の関与が難しくなった(Müller 2018)。すなわち前二世紀後半以降、ポリスのあり方に大きな変化が生じたと捉えることができる。

四、ローマ帝国の民へ

ポリスのあり方の変化をローマの進出と結びつけて考える研究者は多い。前述したようにミレトスでは前三世紀にはリュシマコス、セレウコス一世、プトレマイオス二世関連の顕彰が時系列的になされたが、そこに関わる市民はすべて異なる人物であった(Strootman 2020)。すなわち王国が対抗する国際環境において、有力市民は親しい王が自分のポリスと良好な関係にある時はポリス内における自分の地位も高く、関係が悪化すればその地位を失ったことを示すのである。このような諸王国などによる多極化した世界において、ポリス内部における有力者間の勢力関係はそのポリスと王国との関わりの変化にともなって変動する余地があった。それゆえ一般市民にも有力者同士の対抗を利用して、影響力を行使しうる状況があったであろう。しかし前二世紀後半以降にローマの勢力が圧倒的になり、この世界は一極化した。その結果、ローマと結んだ有力者以外の者が地位を上げる可能性が大幅に減少し、指導者層の固定化が進められたのであった(Fröhlich & Müller 2005; Wiemar 2013)。

ポリス内の状況と同じく、国際関係においても、ローマの一極化は諸勢力の対抗を利用して自律的に策動する機会をポリスから奪っていった。ギリシア本土ではアンティゴノス朝の滅亡(前一六八年)、小アジアではアッタロス朝ペルガモンの滅亡(前一三三年)、もしくはミトリダテス戦争でのローマの最終的な勝利(前六三年)までに、ポリス世界はローマの意向に沿った形以外での活動はほぼ不可能になり、国際調停、そしてアシュリアなどもローマが一方的に裁定や認可をするようになった(Ager 1993; Rigsby 1993)。ここにポリスが自律性を発揮できた諸国間の水平的な関係の世界は、ローマを頂点とした垂直的な関係の世界へと変わっていった。

これ以降も多くのポリスでは顕彰がなされ、エヴェルジェティスムによる都市部の整備なども続けられ、外面的には帝政後半まで自律的な活動は知られている。そしてエラテイアもローマから自由市の待遇を受け、後二世紀後半においても健在であった。しかし彼らを取り巻く世界の変化は、ギリシア人に世界観、行動様式を変えさせ、有力市民はローマ帝国の民としてその支配の共犯者となっていったのである。

注

(1) 引用文中、( )内は『ヘレニズム期の歴史的碑文』での補い／『ギリシアポリスの訴訟法碑文――アルカディア』での異読を表す。……は欠損で補いが不可能な箇所。

(2) この部分は欠損の補いであるが、異論は出ていない。

参考文献

『ギリシアポリスの訴訟法碑文――アルカディア』= Thür, Gerhard & Hans Taeuber (1994), *Prozessrechtliche Inschriften der Griechischen Poleis: Arkadien*, Wien, Österreichische Akademie der Wissenschaften.

『古代世界における条約史料集』= Schmitt, Hatto H. (1969), *Die Staatsverträge des Altertums III*, München, C. H. Beck.

『ヘレニズム期の歴史的碑文』= Moretti, Luigi (1967), *Iscrizioni Storiche Ellenistiche*, Firenze, La Nuova Italia.

ヴェーヌ、ポール(一九九八)『パンと競技場――ギリシア・ローマ時代の政治と都市の社会学的歴史』鎌田博夫訳、法政大学出版会(原著は Veyne, Paul (1976), *Le pain et le cirque: Sociologie historique d'un pluralisme politique*, Paris, Seuil)。

岸本廣大(二〇二一)『古代ギリシアの連邦――ポリスを超えた共同体』京都大学学術出版会。

橋場弦編(二〇〇九)「ギリシアの「衰退」とは何か」『西洋史学』第二三四号。

長谷川岳男(一九九一)「ヘレニズム期ギリシアの社会問題――人口不足と不穏な大衆」、『クリオ』第五号。

長谷川岳男(二〇一八)「ヘレニズム世界の歴史的意義について――ギリシアとローマの間で」『関学西洋史論集』XLI。

Ager, Sheila (1996), *Interstate Arbitrations in the Greek World, 337-90 B.C.*, Berkeley, University of California Press.

Alcock, Susan E. (1993), *Graecia Capta: the Landscapes of Roman Greece*, Cambridge, Cambridge University Press.

Austin, Michel M. (1986), "Hellenistic Kings, War, and the Economy", *CQ*, 36.

Austin, Michel M. (2006), *The Hellenistic World from Alexander to the Roman Conquest*, 2nd ed., Cambridge, Cambridge University Press.

Beck, Hans & Peter Funke (eds.) (2015), *Federalism in Greek Antiquity*, Cambridge, Cambridge University Press.

Börm, Henning & Nino Luraghi (eds.) (2018), *The Polis in the Hellenistic World*, Stuttgart, Franz Steiner Verlag.

Brock, Roger & Stephen Hodkinson (eds.) (2000), *Alternatives to Athens: Varieties of Political Organization and Community in Ancient Greece*, Oxford, Oxford University Press.

Carlsson, Susanne (2010), *Hellenistic Democracies: Freedom, Independence and Political Procedure in Some East Greek City-States*, Stuttgart, Franz Steiner Verlag.

Curty, Oliver (1995), *Les parentés légendaires entre cités grecques*, Genève, Droz.

Dmitriev, Sviatoslav (2005), *City Government in Hellenistic and Roman Asia Minor*, Oxford, Oxford University Press.

Eckstein, Arthur M. (2006), *Mediterranean Anarchy, Interstate War, and the Rise of Rome*, Berkeley, University of California Press.

Fröhlich, Pierre & Christel Müller (eds.) (2005), *Citoyenneté et participation à la basse époque hellénistique*, Genève, Droz.

Gauthier, Philippe (1985), *Les cités grecques et leurs bienfaiteurs (IVe–Ier siècle avant J.-C.): Contribution à l'histoire des institutions*, Paris, École française d'Athènes.

Giovannini, Adalberto (1993), "Greek Cities and Greek Commonwealth", Erich S. Gruen et al. (eds.), *Image & Ideology: Self-Definition in the Hellenistic World*, Berkeley, University of California Press.

Grieb, Volker (2008), *Hellenistische Demokratie: Politische Organisation und Struktur in freien griechischen Poleis nach Alexander dem Großen*, Stuttgart, Franz Steiner Verlag.

Gruen, Erich S. (1993), "The Polis in the Hellenistic World", Ralph M. Rosen et al. (eds.), *Nomodeiktes: Greek Studies in Honor of Martin Ostwald*, Ann Arbor, University of Michigan Press.

Hansen, Mogens H. (1995), "The 'Autonomous City-State': Ancient Fact or Modern Fiction?", Mogens H. Hansen & Kurt Raaflaub (eds.), *Studies in the Ancient Greek Polis*, Stuttgart, Franz Steiner Verlag.

Ma, John (2000), "Fighting poleis of the hellenistic world", Hans van Wees (ed.), *War and Violence in Ancient Greece*, Swansea, Duckworth and The Classical Press of Wales.

Ma, John (2002), *Antiochos III and the Cities of Western Asia Minor*, rev. ed., Oxford, Oxford University Press.

Ma, John (2003), "Peer Polity Interaction in the Hellenistic Age", *Past & Present*, 180.

Ma, John (2013), *Statues and Cities: Honorific Portraits and Civic Identity in the Hellenistic World*, Oxford, Oxford University Press.

Magnetto, Anna (ed.) (1997), *Gli arbitrati interstatali greci II*, Pisa, Marlin.

Magnetto, Anna (2015), "Interstate Arbitration and Foreign Judges", Edward M. Harris & Mirko Canevaro (eds.), *The Oxford Handbook of Ancient Greek Law*, Oxford, Oxford University Press.

Müller, Christel (2018), "Oligarchy and the Hellenistic City", Henning Börm & Nino Luraghi (eds.), *The Polis in the Hellenistic World*, Stuttgart, Franz Steiner Verlag.

Rhodes, Peter J. with David M. Lewis (1997), *The Decrees of the Greek States*, Oxford, Clarendon Press.

Rigsby, Kent J. (1996), *Asylia: Territorial Inviolability in the Hellenistic World*, Berkeley, University of California Press.

Strootman, Rolf (2020), "'To be magnanimous and grateful': The Entanglement of Cities and Empire in the Helleistic Aegean", Marc Domingo Gygax & Arjan Zuiderhoek (eds.), *Benefactors and the Polis: The Public Gift in the Greek Cities from the Homeric World to Late Antiquity*, Cambridge, Cambridge University Press.

Thomas, Rosalind (2019), *Polis Histories, Collective Memories and the Greek World*, Cambridge, Cambridge University Press.

Wiemar, Hans-Ulrich (2013), "Hellenistic Cities: The End of Greek Democracy?", Hans Beck (ed.), *A Companion to Ancient Greek Government*, Chichester, Wiley-Blackwell.

コラム｜*Column*

ヘレニズムからローマへ

伊藤雅之

現在ギリシャ共和国が広がる地の概ね中心に、デルポイという場所がある。今ではデルフィと呼ばれ、また古代にはデルフォイと呼ばれることもあった。かつてはアポロンの神託が得られる場として多くの参拝者で賑わい、現在でもそのアポロン神殿の土台の部分をはじめ、多くの遺構が見られることから観光スポットとして人気である。

他方で、このデルポイでは多くの古代碑文が見つかっている。当時のギリシア人は、不特定多数の者にメッセージを送るためこれを人々が目にしやすい場所によく建立した。特に、デルポイには既に述べた通り参拝者が集まったので、多くの者がこの地でその時々の主張を他者に伝え、また名声を求めて自分の名がこの地の碑文に刻まれるよう努めたためである。

そしてこの中に、地中海の覇権を握り始める時期のローマとヘレニズム時代のギリシアの関係の一端がうかがえる碑文がある。Syll³ 585（『ギリシア語碑文集成』（*Sylloge Inscriptionum Graecarum*）（三）、五八五）の呼び名で知られるこの碑文には、紀元前一九七／六年から約三〇年にわたりデルポイの人々がプロクセノスに認定した者の名前と、その認定時の役職者名が刻み込まれている。

プロクセノスというのは、ギリシアの都市国家が外国人に贈った一種の称号である。これを得た者は、授与国の者が訪ねてきた際には進んでこれを支援するものとされた。一方プロクセノスには、今回のデルポイ碑文のように、自身の名がある種の恩人として公示されるという名声面でのメリットがあった。また必然的に称号授与国の者が自宅によく訪ねてくることとなったので、自国民に対し自分は外国人からも頼りにされる人物なのだと誇示できるという利点もあった。

このため、この称号を欲しがる者は多かった。しかし授与に至るには意中の国の人々からの厚い信頼が必要だったので、ハードルは高かった。また非ギリシア人は警戒の眼差しで見られることも多く、彼らがこの称号を得た例はさらに少ない。

ところが、このデルポイ碑文には一三五名のプロクセノスの名が見えるのだが、その中にはローマ人と明記されている者が一〇名、さらにイタリアのブリンディシなど、ローマ勢力下の地で暮らしていた者が五名含まれている。この一五名中四名は名前からしてギリシア人と見られる。それでも全体の約一割がローマ関係者であることは、当時のローマ人にギリシア諸国に食い込もうという意識があったことと、少なくともデルポイの人々が、これを歓迎していたことを示す。

では、具体的にどのようなローマ人が認定を受けたのか。まず目につくのは、前一八九／八年後半の項目に見えるティ

デルポイの神殿跡(筆者撮影, 2019年)

トゥス・クインクティウス(・フラミニヌス)である。彼は第二次マケドニア戦争でローマを勝利に導いた名将として知られる。また、前一九〇年代末にギリシア中部の有力国アイトリア連邦が東方のセレウコス朝と結んで反ローマ闘争を始めた際は他のギリシア諸国にローマ支持を訴えて回り、そして戦いがまたもローマの勝利に終わってからの戦後処理の折にも重要な役割を果たした。デルポイでのプロクセノス認定も、この時、実は当時アイトリアの支配下にあった同地の人々が以後は独立できるよう彼が手配したことを受けて行われたと見られる。

また、同じ時期にはもう一人の著名人がこの称号を得ている。マルクス・アエミリウス・レピドゥスである。彼は後の第二回三頭政治でその一角を占める同名の人のおそらくは曽祖父で、自身も前一八七年と前一七五年に常設政務官で最高位のコンスルに就任した他、イタリア北部でアエミリア街道を建設するなど、前二世紀前半のローマ政界の大立者だった。ギリシアとの関わりでは、第二次マケドニア戦争直前に使節としてマケドニアにギリシアからの撤退を要求し、またギリシア諸国にはローマに味方するよう働きかけて回ったことなどが知られている。デルポイでの認定も、彼がこの中で築いた人脈をその後も維持・拡大したことの表れと考えられる。

他方でこのデルポイ碑文からは別の傾向も見て取れる。実は、ローマ関係者のプロクセノス認定は前一九〇年代から前一八〇年代初頭にほぼ集中している。また前記二名以外で顕著な活動歴を追える者も基本的にいない。デルポイでの名前の掲示がギリシアで名声を得る上で重要だった点を考えると、これは興味深い状況である。というのも、ここからは、前二世紀初頭にローマとギリシアの接触が一気に増大するということがまず起こり、しかしその後、前一八〇年代中頃以降、このブームが下火になった様子がうかがえるからである。

現代人は、その後の前一七一年に始まる第三次マケドニア戦争や続く幾度かの衝突を通し、ギリシア諸国がやがてローマに統合されることを知っている。しかし今回のデルポイ碑文は、この流れが実は直線的なものではなく、ローマがギリシアに興味を失い両者が別の道を進む可能性も前二世紀前半にはなおあったことを示唆している。後の者には自然と思える展開も同時代では数多くあり得る未来の一つでしかないという歴史の基本を、この碑文は改めて教えてくれるのである。

【執筆者一覧】

藤井純夫(ふじい すみお)
1953年生. 金沢大学古代文明・文化資源学研究所特任教授. 西アジア考古学.

柴田大輔(しばた だいすけ)
1973年生. 筑波大学人文社会系教授. 楔形文字学・古代西アジア史.

佐藤 昇(さとう のぼる)
1973年生. 神戸大学大学院人文学研究科教授. 古代ギリシア史.

三宅 裕(みやけ ゆたか)
1960年生. 筑波大学人文社会系教授. 西アジア先史学.

馬場匡浩(ばば まさひろ)
1974年生. 早稲田大学考古資料館学芸員. エジプト考古学.

唐橋 文(からはし ふみ)
中央大学文学部教授. シュメール学.

河合 望(かわい のぞむ)
1968年生. 金沢大学古代文明・文化資源学研究所所長, 教授. エジプト学・考古学.

山田重郎(やまだ しげお)
1959年生. 筑波大学人文社会系教授. アッシリア学(楔形文字学).

長谷川修一(はせがわ しゅういち)
1971年生. 立教大学文学部教授. 古代西アジア史・ヘブライ語聖書学・西アジア考古学.

周藤芳幸(すとう よしゆき)
1962年生. 名古屋大学大学院人文学研究科教授. ギリシア考古学・東地中海文化交流史.

栗原麻子(くりはら あさこ)
1968年生. 大阪大学大学院人文学研究科教授. 古代ギリシア史.

阿部拓児(あべ たくじ)
1978年生. 京都府立大学文学部准教授. 古代ギリシア・西アジア史.

長谷川岳男(はせがわ たけお)
1959年生. 東洋大学文学部教授. 古代ギリシア・ローマ史.

上野愼也(うえの しんや)
1971年生. 共立女子大学文芸学部教授. 西洋古代史.

山花京子(やまはな きょうこ)
東海大学文化社会学部教授. 古代エジプト学.

三津間康幸(みつま やすゆき)
1977年生. 関西学院大学文学部准教授. セレウコス朝史・パルティア史.

伊藤雅之(いとう まさゆき)
1983年生. 日本大学文理学部准教授. 西洋古代史.

【責任編集】

大黒俊二(おおぐろ しゅんじ)
1953年生. 大阪市立大学名誉教授. イタリア中世史. 『声と文字』〈ヨーロッパの中世〉(岩波書店, 2010年).

林 佳世子(はやし かよこ)
1958年生. 東京外国語大学学長. 西アジア社会史・オスマン朝史. 『オスマン帝国500年の平和』〈興亡の世界史〉(講談社学術文庫, 2016年).

【編集協力】

近藤二郎(こんどう じろう)
1951年生. 早稲田大学名誉教授. エジプト学・考古学・古代天文学史. 『古代エジプト解剖図鑑——神秘と謎に満ちた古代文明のすべて』(エクスナレッジ, 2020年).

橋 場 弦(はしば ゆづる)
1961年生. 東京大学大学院人文社会系研究科教授. 古代ギリシア史. 『古代ギリシアの民主政』(岩波新書, 2022年).

岩波講座 世界歴史 2　　第24回配本(全24巻)

古代西アジアとギリシア ~前1世紀

2023年11月29日 第1刷発行

発行者 坂本政謙

発行所 株式会社 岩波書店 〒101-8002 東京都千代田区一ツ橋2-5-5
電話案内 03-5210-4000 https://www.iwanami.co.jp/

印刷・法令印刷 カバー・半七印刷 製本・牧製本

 ISBN 978-4-00-011412-7

岩波講座

世界歴史

A5 判上製・平均 320 頁（黒丸数字は既刊）

全㉔巻の構成

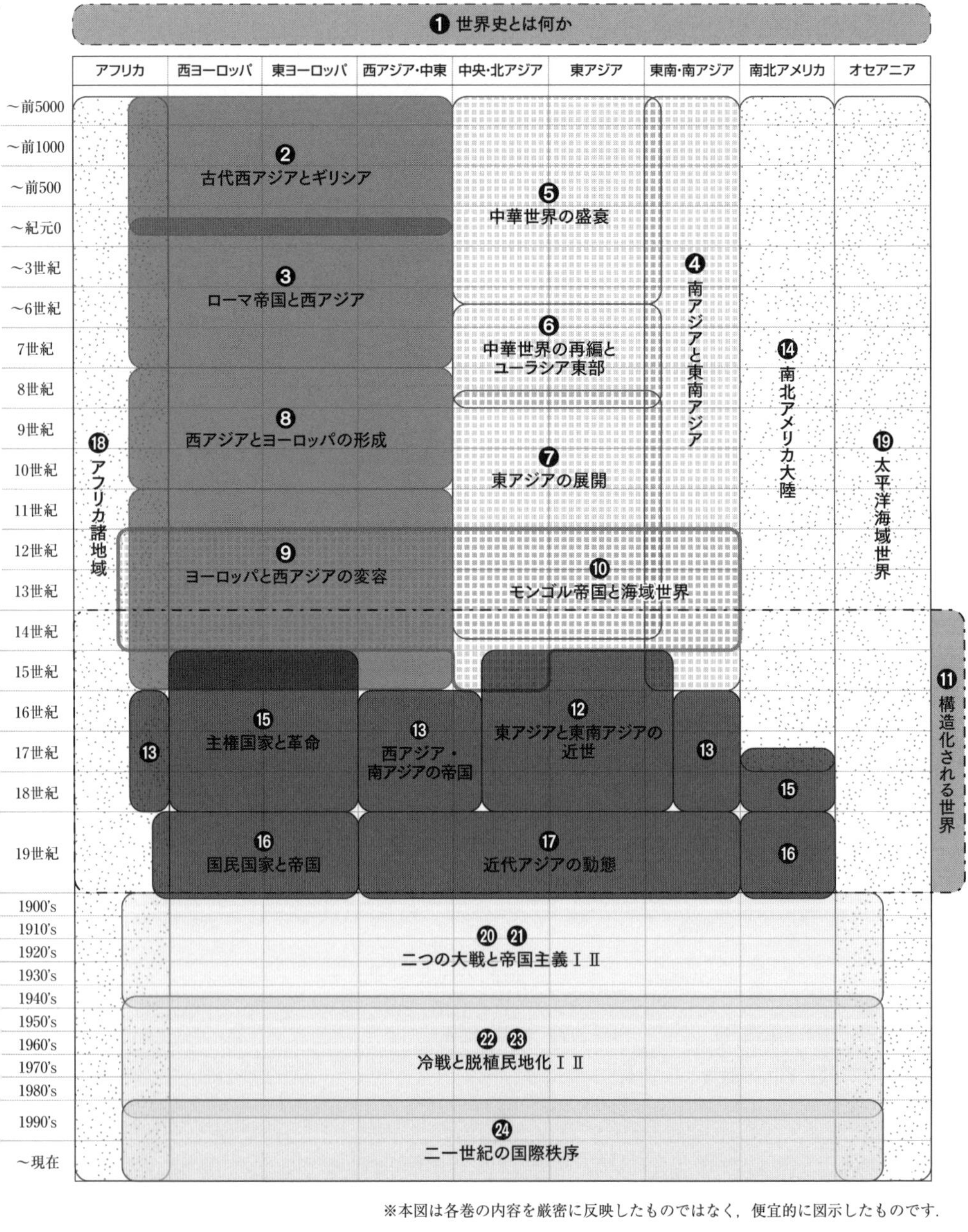

※本図は各巻の内容を厳密に反映したものではなく，便宜的に図示したものです．